최상위의 절대 기준

절대등급

절

대

등

급

이 책을 집필하신 선생님들께 감사드립니다.

김규완 │ 대구 황금중학교	**김진영** │ 대구 고산중학교	**서지영** │ 신천중학교	**신은지** │ 원촌중학교
신혜진 │ 서문여자중학교	**우희정** │ 숭문중학교	**유승연** │ 신도림중학교	**윤남희** │ 중동중학교
이규현 │ 원촌중학교	**이문영** │ 대전 삼천중학교	**이삭** │ 배명중학교	**전대식** │ 장원중학교
전지영 │ 대전 대덕중학교	**전한우** │ 서문여자중학교	**정다희** │ 서일중학교	**최진이** │ 광주 풍암중학교

이 책을 검토하신 선생님들께 감사드립니다.

강유미 │ 경기 광주	**김국희** │ 청주	**김민지** │ 대구	**김선아** │ 부산
김주영 │ 서울 용산	**김훈회** │ 청주	**노형석** │ 광주	**신범수** │ 대전
신지예 │ 대전	**안성주** │ 영암	**양영인** │ 성남	**양현호** │ 순천
원민희 │ 대구	**윤영숙** │ 서울 서초	**이미란** │ 광양	**이상일** │ 서울 강서
이승열 │ 광주	**이승희** │ 대구	**이영동** │ 성남	**이진희** │ 청주
임안철 │ 안양	**장영빈** │ 천안	**장전원** │ 대전	**전승환** │ 안양
전지영 │ 안양	**정상훈** │ 서울 서초	**정재봉** │ 광주	**지승룡** │ 광주
채수현 │ 광주	**최주현** │ 부산	**허문석** │ 천안	**홍인숙** │ 안양

최상위의 절대 기준

절대등급

중학 수학 2-1

구성과 특징

이렇게 만들었습니다.

현직 우수 학군
중학교 선생님들이 만든 문제

실제 학교 시험 문항을 출제하는
현직 선생님들이 내신 대비에 최적화
된 상위권 문제만을
엄선하였습니다.

최고 실력을
완성할 수 있는 문제로 구성

유형만 반복하는 문제 풀이는 이제 그만!
문제 해결력을 키워주는 필수 문제부터
변별력을 결정하는 최고난도 문제까지
내신 만점을 위한 집중 학습이 가능
하도록 구성하였습니다.

전국 우수 학군 기출 문제와
교과서를 철저히 분석

강남, 목동 등의 전국 우수 학군 지역
중학교의 신경향 기출 문제와
모든 교과서의 사고력 문항을
분석하여 수준 높은 문항을
수록하였습니다.

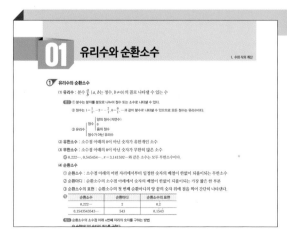

개념

• 중단원별로 꼭 알아야 하는 핵심 개념과 원리를 참고 , 주의 , 예 와 함께 수록하였습니다.

심화 개념 핵심 개념과 연계되는 심화 개념 또는 상위 개념을 체계적으로 정리하였습니다.

쌤의 활용 꿀팁 심화 개념에서 꼭 알아두어야 할 문제 해결 포인트를 선생님이 직접 제시하였습니다.

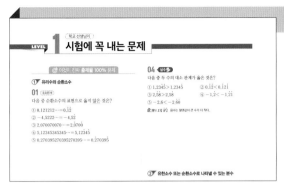

LEVEL 1 학교 선생님이 **시험에 꼭 내는 문제**

- **이것이 진짜 출제율 100% 문제** 전국 모든 중학교 시험에 출제된 문제 중에서 개념별로 대표 문제들을 엄선하여 상위 20 %의 실력을 다질 수 있게 하였습니다.
- **이것이 진짜 교과서에서 뽑아온 문제** 전국 중학교에서 사용하는 다양한 교과서 문항 중 시험에 나올 수 있는 사고력 문제를 선별하였습니다.
- **실수多** 학교 시험에서 학생들이 실수하기 쉬운 문제들을 쌤의 오답 코칭과 함께 수록하여 실수를 줄일 수 있게 하였습니다.

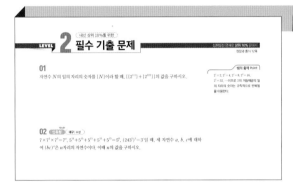

LEVEL 2 내신 상위 10%를 위한 **필수 기출 문제**

- 전국 우수 학군 중학교의 최근 기출 문제를 철저히 분석하여 실제 시험에 출제될 가능성이 높은 문제들로 구성하여 상위 10 %의 실력을 굳힐 수 있게 하였습니다.
- **복합 개념** 두 가지 이상의 개념을 적용해야 해결할 수 있는 문제입니다.
- **신유형** 새롭게 떠오르는 변별력 있는 문제입니다.
- **만점 KILL** 학교 시험에서 만점 방지를 위해 나올 수 있는 고난이도 문제입니다.
- **교과서 추론**, **교과서 창의사고력** 교과서 문항을 분석하여 실제 학교 시험 고난도 문항으로 출제 가능한 형태로 제시하였습니다.
- 문항의 출제 지역(서울 강남, 서울 목동, 서울 서초, 서울 송파, 분당 서현, 안양 평촌, 대전 둔산, 광주 봉선, 대구 수성, 부산 해운대)을 표시하였습니다.

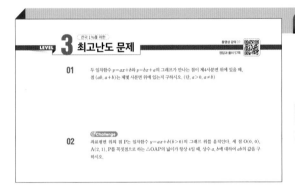

LEVEL 3 전국 1%를 위한 **최고난도 문제**

- 종합 사고력 및 가장 높은 수준의 문제 해결력을 요구하는 전국 1 % 실력을 완성할 수 있는 문제로 구성하였습니다.
- **Challenge** 경시 및 특목고 대비까지 가능하도록 최고 수준 문제를 한 문항 엄선하였습니다.

동영상 강의》》 LEVEL 3의 모든 문제에 대한 풀이 동영상을 제공합니다. QR 코드를 인식하면 동영상을 볼 수 있습니다.

선배들의 같은 문제 다른 풀이

- 앞에서 풀었던 문제 중 상위 개념을 이용하여 풀 수 있는 문제를 선별하여 다른 풀이를 제시하였고, 상위 개념을 미리 익힐 수 있게 하였습니다.

정답과 풀이

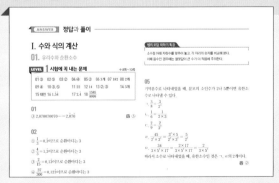

- 이해하기 쉬운 깔끔한 풀이와 한 문제에 대한 여러 가지 해결 방법을 제시하였습니다.
- 쌤의 오답 피하기 특강, 쌤의 만점 특강, 쌤의 복합 개념 특강, 쌤의 특강을 제시하여 문제마다 충분한 이해가 가능하게 하였고, LEVEL 3의 문제는 solution 미리 보기를 제시하였습니다.

차례

I

수와 식의 계산

현직 교사의 학교 시험 고난도 킬러 강의

이 단원에서는 분수를 소수로 나타내었을 때 소수점 아래 n번째 자리의 숫자를 구하는 문제, 분수가 유한소수 또는 순환소수가 되는 조건을 이용하여 이를 만족시키는 자연수나 정수의 개수를 구하는 문제, 순환소수를 기약분수로 나타내는 문제를 꼭 출제해요.

또한, 단항식과 다항식의 계산은 다양한 문제를 연습해 보아야 실수를 줄일 수 있어요. 문장으로 표현된 조건을 모두 만족시키는 미지수의 값을 구하거나 식을 변형하여 그 값을 구하는 문제는 이 단원에서의 kill 문제죠.

① 유리수와 순환소수

(1) **유리수** : 분수 $\dfrac{a}{b}$ (a, b는 정수, $b \neq 0$)의 꼴로 나타낼 수 있는 수

> **참고** ① 분수는 분자를 분모로 나누어 정수 또는 소수로 나타낼 수 있다.
>
> ② 정수는 $1 = \dfrac{1}{1}$, $-2 = -\dfrac{2}{1}$, $0 = \dfrac{0}{1}$, … 과 같이 분수로 나타낼 수 있으므로 모든 정수는 유리수이다.
>
> ③ 유리수 $\begin{cases} 정수 \begin{cases} 양의 정수(자연수) \\ 0 \\ 음의 정수 \end{cases} \\ 정수가 아닌 유리수 \end{cases}$

(2) **유한소수** : 소수점 아래의 0이 아닌 숫자가 유한개인 소수

(3) **무한소수** : 소수점 아래의 0이 아닌 숫자가 무한히 많은 소수

> **예** $0.222\cdots$, $0.545454\cdots$, $\pi = 3.141592\cdots$와 같은 소수는 모두 무한소수이다.

(4) **순환소수**

① **순환소수** : 소수점 아래의 어떤 자리에서부터 일정한 숫자의 배열이 한없이 되풀이되는 무한소수

② **순환마디** : 순환소수의 소수점 아래에서 숫자의 배열이 한없이 되풀이되는 가장 짧은 한 부분

③ **순환소수의 표현** : 순환소수의 첫 번째 순환마디의 양 끝의 숫자 위에 점을 찍어 간단히 나타낸다.

> **예**
>
> | 순환소수 | 순환마디 | 순환소수의 표현 |
> |---|---|---|
> | $0.222\cdots$ | 2 | $0.\dot{2}$ |
> | $0.1543543543\cdots$ | 543 | $0.1\dot{5}4\dot{3}$ |

> **참고** 순환소수의 소수점 아래 n번째 자리의 숫자를 구하는 방법
>
> ❶ 순환마디의 숫자의 개수를 구한다.
>
> ❷ 소수점 아래 첫 번째 자리에서 순환마디가 시작될 때 순환마디의 반복성을 이용하여 n을 순환마디의 숫자의 개수로 나눈 후, 나머지를 구하면 순환마디에서 나머지만큼의 순서에 있는 숫자가 소수점 아래 n번째 자리의 숫자이다. 이때 소수점 아래에서 순환하지 않는 숫자가 있을 경우에는 n에서 그 숫자의 개수를 빼고 나눈다.

② 유한소수 또는 순환소수로 나타낼 수 있는 분수

(1) **유한소수로 나타낼 수 있는 분수**

분수를 기약분수로 나타내고 그 분모를 소인수분해하였을 때, 분모의 소인수가 2나 5뿐이면 그 분수는 유한소수로 나타낼 수 있다.

> **예** $\dfrac{14}{40} = \dfrac{7}{20} = \dfrac{7}{2^2 \times 5}$
>
> ➡ 분모의 소인수가 2나 5뿐이므로 $\dfrac{14}{40}$는 유한소수로 나타낼 수 있다.
>
> ➡ $\dfrac{7}{2^2 \times 5} = \dfrac{7 \times 5}{2^2 \times 5 \times 5} = \dfrac{35}{100} = 0.35$이므로 유한소수임을 확인할 수 있다.

(2) **순환소수로 나타낼 수 있는 분수**

분수를 기약분수로 나타내고 그 분모를 소인수분해하였을 때, 분모의 소인수 중에 2나 5 이외의 소인수가 있으면 그 분수는 순환소수로 나타낼 수 있다.

> **예** $\dfrac{3}{72} = \dfrac{1}{24} = \dfrac{1}{2^3 \times 3}$
>
> ➡ 분모의 소인수 중에 2나 5 이외의 소인수 3이 있으므로 $\dfrac{3}{72}$은 순환소수로 나타낼 수 있다.
>
> ➡ $\dfrac{3}{72} = 0.041666\cdots = 0.041\dot{6}$이므로 순환소수임을 확인할 수 있다.

③ 순환소수를 분수로 나타내기

(1) 순환마디의 시작점이 같아지도록 하는 방법

❶ 주어진 순환소수를 x로 놓는다.

❷ 양변에 10의 거듭제곱을 적당히 곱하여 소수점 아래 첫째 자리부터 순환마디가 시작하는 두 식을 만든다.

❸ 두 식을 변끼리 빼어 순환하는 부분을 없앤 후 x의 값을 구한다.

⑩ 순환소수 $1.3\dot{4}\dot{5}$를 분수로 나타내 보자.

  ❶ $x = 1.3\dot{4}\dot{5} = 1.3454545\cdots$

  ❷ $1000x = 1345.454545\cdots$

    $-)\quad 10x = \quad\ 13.454545\cdots$

  ❸ $990x = 1332$

       $\therefore x = \dfrac{1332}{990} = \dfrac{74}{55}$

(2) 공식을 이용하는 방법

❶ 분모 : 소수점 아래에서 순환마디의 숫자의 개수만큼 9를 쓰고, 그 뒤에 순환마디에 포함되지 않는 숫자의 개수만큼 0을 쓴다.

❷ 분자 : 소수점을 생각하지 않고,

    (전체의 수) $-$ (순환하지 않는 부분의 수)

❸ 분모와 분자를 각각 구하여 분수를 만든 후, 기약분수로 나타낸다.

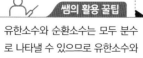

$$0.\dot{a} = \frac{a}{9}$$

$$0.\dot{a}\dot{b} = \frac{ab}{99}$$

$$0.\dot{a}b\dot{c} = \frac{abc - a}{990}$$

$$a.b\dot{c}\dot{d} = \frac{abcd - abc}{900}$$

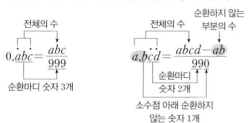

$$0.\dot{a}b\dot{c} = \frac{abc}{999} \quad\text{순환마디 숫자 3개}$$

$$a.b\dot{c}\dot{d} = \frac{abcd - ab}{990} \quad\text{(전체의 수, 순환하지 않는 부분의 수, 순환마디 숫자 2개, 소수점 아래 순환하지 않는 숫자 1개)}$$

⑩ 순환소수 $1.3\dot{4}\dot{5}$를 분수로 나타내 보자.

❶ 분모 : 소수점 아래에서 순환마디의 숫자의 개수는 2, 순환마디에 포함되지 않는 숫자의 개수는 1이므로 분모는 990이다.

❷ 분자 : 전체의 수는 1345, 순환하지 않는 부분의 수는 13이므로 분자는 $1345 - 13 = 1332$이다.

❸ $1.3\dot{4}\dot{5} = \dfrac{1332}{990} = \dfrac{74}{55}$

참고 순환소수에 어떤 수를 곱하여 유한소수로 만드는 방법

  ❶ 순환소수를 기약분수로 나타내기

  ❷ 분모를 소인수분해하기

  ❸ 분모의 소인수 중에서 2나 5 이외의 소인수들의 곱의 배수를 곱하기

④ 유리수와 소수의 관계 〈심화 개념〉

(1) 정수가 아닌 유리수는 유한소수 또는 순환소수로 나타낼 수 있다.

(2) 유한소수와 순환소수는 모두 유리수이다.

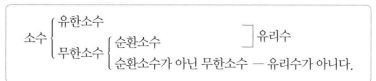

소수 $\begin{cases} \text{유한소수} \\ \text{무한소수} \begin{cases} \text{순환소수} \longrightarrow \text{유리수} \\ \text{순환소수가 아닌 무한소수} \longrightarrow \text{유리수가 아니다.} \end{cases} \end{cases}$

쌤의 활용 꿀팁

유한소수와 순환소수는 모두 분수로 나타낼 수 있으므로 유한소수와 순환소수는 유리수라는 것을 꼭 기억하세요.

🎯 이것이 진짜 **출제율 100%** 문제

① 유리수와 순환소수

01 대표문제

다음 중 순환소수의 표현으로 옳지 <u>않은</u> 것은?

① $0.121212\cdots=0.\dot{1}\dot{2}$

② $-4.5222\cdots=-4.5\dot{2}$

③ $2.070070070\cdots=2.\dot{0}70\dot{0}$

④ $5.12345345345\cdots=5.12\dot{3}4\dot{5}$

⑤ $0.270395270395270395\cdots=0.\dot{2}7039\dot{5}$

02

다음 분수를 소수로 나타내었을 때, 순환마디가 나머지 넷과 다른 하나는?

① $\dfrac{1}{3}$ ② $\dfrac{4}{3}$ ③ $\dfrac{2}{15}$

④ $\dfrac{37}{300}$ ⑤ $\dfrac{119}{90}$

03

순환소수 $8.5\dot{2}9\dot{1}$의 소수점 아래 2222번째 자리의 숫자는?

① 1 ② 2 ③ 5

④ 8 ⑤ 9

04 실수多

다음 중 두 수의 대소 관계가 옳은 것은?

① $1.234\dot{5}>1.2345$

② $0.\dot{1}\dot{2}<0.\dot{1}2\dot{1}$

③ $2.5\dot{8}>2.5\dot{8}$

④ $-1.\dot{2}<-1.\dot{2}\dot{1}$

⑤ $-2.6<-2.6\dot{0}$

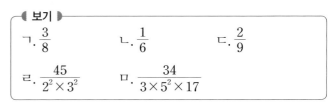
쌤의 오답 코칭 | 음수는 절댓값이 큰 수가 더 작다.

② 유한소수 또는 순환소수로 나타낼 수 있는 분수

05 대표문제

다음 보기의 분수를 소수로 나타내었을 때, 유한소수인 것은 모두 몇 개인가?

┤ 보기 ├

ㄱ. $\dfrac{3}{8}$ ㄴ. $\dfrac{1}{6}$ ㄷ. $\dfrac{2}{9}$

ㄹ. $\dfrac{45}{2^2\times3^2}$ ㅁ. $\dfrac{34}{3\times5^2\times17}$

① 1개 ② 2개 ③ 3개

④ 4개 ⑤ 5개

06

두 분수 $\dfrac{1}{7}$과 $\dfrac{4}{5}$ 사이에 있는 분모가 35인 분수 중에서 유한소수로 나타낼 수 있는 분수는 모두 몇 개인지 구하시오.

07

두 분수 $\dfrac{3}{140}$, $\dfrac{11}{650}$에 자연수 A를 각각 곱하면 두 분수가 모두 유한소수로 나타내어진다고 한다. 이때 A의 값이 될 수 있는 가장 작은 세 자리의 자연수를 구하시오.

08 실수多

분수 $\dfrac{18}{2^2 \times 3 \times 5 \times x}$을 소수로 나타내면 순환소수가 될 때, 한 자리의 자연수 x의 값은 모두 몇 개인지 구하시오.

✍ 쌤의 오답 코칭 | 기약분수로 나타낸 후 분모의 소인수를 확인한다.

③ 순환소수를 분수로 나타내기

09 대표문제

다음 중 순환소수를 분수로 나타낸 것으로 옳지 않은 것은?

① $0.\dot{8} = \dfrac{8}{9}$

② $1.\dot{3}\dot{6} = \dfrac{15}{11}$

③ $0.2\dot{6} = \dfrac{4}{15}$

④ $3.\dot{2}0\dot{3} = \dfrac{320}{99}$

⑤ $2.3\dot{6}\dot{8} = \dfrac{469}{198}$

10

다음 중 순환소수를 분수로 나타낼 때, 가장 편리한 식을 바르게 연결한 것을 모두 고르면? (정답 2개)

① $x = 1.\dot{4}$ ➡ $100x - x$

② $x = 0.3\dot{5}$ ➡ $100x - x$

③ $x = 2.\dot{3}\dot{8}$ ➡ $100x - x$

④ $x = 3.2\dot{7}\dot{1}$ ➡ $100x - 10x$

⑤ $x = 4.1\dot{2}\dot{3}$ ➡ $1000x - 100x$

11

순환소수 $0.3\dot{4}\dot{5}$에 어떤 자연수를 곱하여 유한소수로 나타내려고 한다. 이때 곱할 수 있는 수 중 두 번째로 작은 자연수를 구하시오.

12

어떤 자연수에 $1.\dot{3}$을 곱해야 할 것을 잘못하여 1.3을 곱하였더니 그 계산 결과가 $0.4\dot{6}$만큼 작아졌다. 이때 어떤 자연수를 구하시오.

④ 유리수와 소수의 관계 심화

13 대표문제

다음 중 옳지 <u>않은</u> 것을 모두 고르면? (정답 2개)

① 유한소수는 유리수이다.
② 유한소수가 아닌 소수는 순환소수이다.
③ 정수가 아닌 유리수는 모두 유한소수로 나타낼 수 있다.
④ 유한소수는 분모가 10의 거듭제곱인 분수로 나타낼 수 있다.
⑤ 유한소수로 나타낼 수 없는 분수는 순환소수로 나타낼 수 있다.

14

다음 보기에서 $\dfrac{a}{b}$(a, b는 정수, $b \neq 0$)의 꼴로 나타낼 수 있는 것은 모두 몇 개인지 구하시오.

┤ 보기 ├
ㄱ. 3.141592   ㄴ. −2.59   ㄷ. 3.45672183…
ㄹ. 2.6̇2̇   ㅁ. π

📖 이것이 진짜 교과서에서 뽑아온 문제

15

| 비상 유사 |

다음 5명의 학생 중 순환소수 $x=3.5010101\cdots$에 대하여 바르게 설명한 학생을 말하시오.

주원 : 분수로 나타내는 식은 $\dfrac{3501-3}{990}$이야.

유안 : 3.5+0.0010101의 값과 같아.

준형 : 점을 찍어 나타내면 3.50̇1̇이야.

서연 : 순환마디는 10이야.

태민 : $1000x-10x=3466$과 같은 방법으로 소수 부분을 없애 분수로 나타낼 수 있어.

16

| 신사고 유사 |

어떤 기약분수를 순환소수로 나타내는데, A는 분모를 잘못 보아 0.5̇6̇으로 나타내고, B는 분자를 잘못 보아 0.4̇5̇로 나타내었다. 처음 기약분수를 순환소수로 바르게 나타내시오.

17

| 교학사 유사 |

순환소수 0.1̇6̇의 역수를 a, 순환소수 2.4̇5̇의 역수를 b라 할 때, ab의 값을 순환소수로 나타내시오.

18

| 동아 유사 |

다음 그림은 각 음계에 숫자를 대응시킨 것이다.

도 레 미 파 솔 라 시 도 레 (쉼)
1 2 3 4 5 6 7 8 9 0

0과 1 사이의 분수를 입력하면 그 분수를 소수로 나타내었을 때 소수점 아래 첫째 자리부터 나타나는 숫자의 순서대로 해당하는 음을 연주해 주는 프로그램이 있다. 예를 들어 $\dfrac{8}{33}$을 입력하면 $\dfrac{8}{33}=0.242424\cdots$이므로 '레파'가 반복되는 음이 연주된다. 오른쪽 그림과 같은 멜로디가 연주되도록 하기 위해 입력해야 할 기약분수를 구하시오.

01

쌤의 출제 Point

$\dfrac{13}{37} = \dfrac{x_1}{10} + \dfrac{x_2}{10^2} + \dfrac{x_3}{10^3} + \cdots + \dfrac{x_n}{10^n} + \cdots$을 만족시키는 음이 아닌 한 자리의 정수 x_1, x_2, x_3, $\cdots$, x_n, $\cdots$에 대하여 $x_1 + x_2 + x_3 + \cdots + x_{30}$의 값을 구하시오.

02

순환소수 $0.9\dot{2}8571\dot{4}$의 소수점 아래 n번째 자리의 숫자를 x_n이라 할 때, $x_{13} + x_{23} + x_{33}$의 값을 구하시오.

순환마디가 소수점 아래 둘째 자리부터 시작되고, 순환마디의 숫자의 개수는 6이므로 $x_8 = x_2$이다.

03

순환소수 $0.\dot{a}$에 대하여 $\dfrac{2}{11} < 0.\dot{a} < \dfrac{7}{8}$을 만족시키는 한 자리의 자연수 a의 값의 합을 구하시오.

04 교과서 **창의사고력** | 천재 유사 |

삼분손익법(三分損益法)은 전체 길이의 $\dfrac{1}{3}$을 덜어 내는 삼분손일과 남아 있는 길이의 $\dfrac{1}{3}$을 더하는 삼분익일을 교대로 사용하는 것이다. 오른쪽 그림에서 A_1의 길

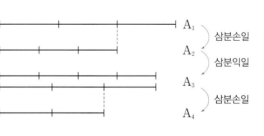

이를 1이라 할 때, A_2, A_3, A_4의 길이를 순환소수로 나타내었을 때의 순환마디의 숫자의 개수를 각각 a, b, c라 하자. 이때 $a + b + c$의 값을 구하시오.

05

오른쪽은 $\dfrac{1}{7}$을 소수로 나타내기 위하여 1을 7로 나누는 계산 과정이다. 보기에서 옳은 것을 모두 고르시오.

쌤의 출제 Point

분모가 7인 기약분수를 소수로 나타낼 때, 분자에 따라 순환마디의 숫자의 배열이 어떻게 달라지는지 구해 본다.

◀ 보기 ▶

ㄱ. 분모가 7인 기약분수를 순환소수로 나타내었을 때의 순환마디는 1, 4, 2, 8, 5, 7이 배열 순서만 달리하여 나타난다.

ㄴ. $\dfrac{3}{7}$을 소수로 나타내면 $0.\dot{4}2857\dot{1}$이다.

ㄷ. $\dfrac{2}{7}$를 순환소수로 나타내었을 때 소수점 아래 n번째 자리의 숫자를 a_n이라 하면 $a_n = a_{n+6}$이다.

ㄹ. $\dfrac{4}{7}$를 순환소수로 나타내었을 때 소수점 아래 n번째 자리의 숫자를 b_n이라 하면 $b_1 + b_2 + b_3 + \cdots + b_{100} = 451$이다.

```
        0.1 4 2 8 5 7 …
  7) ①  0
        7
        ③ 0
        2 8
          ② 0
          1 4
            ⑥ 0
            5 6
              ④ 0
              3 5
                ⑤ 0
                4 9
                  1 0
                  ⋮
```

06

한 자리의 자연수 a, b에 대하여 $\dfrac{3b}{40a}$를 소수로 나타내면 순환소수가 될 때, 이를 만족시키는 순서쌍 (a, b)는 모두 몇 개인지 구하시오.

07 교과서 **추론** | 신사고 유사 |

다음 조건을 모두 만족시키는 자연수 n의 값은 모두 몇 개인지 구하시오.

⑺ n은 200 미만의 자연수이다.

⑻ $\dfrac{n}{90}$은 정수가 아니다.

⑼ $\dfrac{n}{90}$을 소수로 나타내면 유한소수이다.

08

세 분수 $\dfrac{a}{140}$, $\dfrac{3a}{208}$, $\dfrac{7a}{390}$ 를 소수로 나타내면 모두 유한소수가 될 때, a의 값이 될 수 있는 세 자리의 자연수는 모두 몇 개인지 구하시오.

09

30 미만의 자연수 n에 대하여 분수 $\dfrac{3}{n(n+1)}$은 유한소수로 나타낼 수 없을 때, n의 값의 개수를 구하시오.

쌤의 출제 Point

$n=1, 2, 3, \cdots$일 때, $\dfrac{3}{n(n+1)}$을 유한소수로 나타낼 수 있는지, 나타낼 수 없는지 하나씩 확인해 본다.

10

다음과 같이 4장의 카드에 정수가 아닌 분수가 각각 적혀 있다. 이때 두 장의 카드가 얼룩져서 분자 부분이 보이지 않는다. 보기에서 옳은 것을 모두 고르시오.

$$\boxed{\dfrac{9}{40}} \qquad \boxed{\dfrac{\text{}}{55}} \qquad \boxed{\dfrac{\text{}}{105}} \qquad \boxed{\dfrac{33}{120}}$$

◀ 보기 ▶

ㄱ. 네 개의 분수 중에서 유한소수로 나타낼 수 없는 것이 있다.

ㄴ. 네 개의 분수 중에서 유한소수로 나타낼 수 있는 것은 2개뿐이다.

ㄷ. 분자가 보이지 않는 두 개의 분수의 분자가 모두 231이면 네 개의 분수는 모두 유한소수로 나타낼 수 있다.

ㄹ. 분자가 보이지 않는 두 개의 분수는 분모에 2나 5 이외의 소인수가 있으므로 유한소수로 나타낼 수 없다.

11

두 자연수 a, b에 대하여 $\dfrac{a}{300}=0.25\dot{b}$를 만족시키는 한 자리의 자연수 b의 값은 모두 몇 개인지 구하시오.

12

기약분수 $\dfrac{a}{33}$ 를 소수로 나타내면 순환소수 $b.2\dot{4}$가 된다. 이를 만족시키는 100 이하의 모든 자연수 a의 값의 합을 구하시오. (단, b는 정수)

13 신유형 서울 | 강남

순환소수 $x = 0.1\dot{3}$을 분수로 나타내려고 한다. 다음 중 이용할 수 <u>없는</u> 식은?

① $100x - x$ ② $1000x - 10x$ ③ $10000x - x$

④ $10000x - 10x$ ⑤ $10000x - 100x$

14

한 자리의 자연수 a, b에 대하여 두 순환소수 $0.\dot{a}\dot{b}$와 $0.\dot{b}\dot{a}$의 차가 $0.\dot{5}\dot{4}$일 때, 순서쌍 (a, b)를 모두 구하시오. (단, $a > b$)

15

서로 다른 한 자리의 자연수 a, b에 대하여 순환소수 $0.\dot{a}\dot{b}$를 기약분수로 나타내었을 때, 이 기약분수의 분모가 될 수 있는 수는 모두 몇 개인지 구하시오.

순환소수 $0.\dot{a}\dot{b}$는 순환마디의 숫자의 개수가 2임에 주의한다.

16

세 순환소수 $0.0\dot{p}$, $0.0\dot{q}$, $0.0\dot{r}$에 대하여 $(0.0\dot{q})^2 = 0.0\dot{p} \times 0.0\dot{r}$일 때, $p+q-r$의 값 중 가장 작은 값을 구하시오. (단, p, q, r는 $p<q<r$인 한 자리의 자연수)

17 신유형 (서울 | 강남)

$\ll n \gg$은 기약분수 $\dfrac{b}{a}$를 소수로 나타내었을 때, 소수점 아래 n번째 자리의 숫자이다. $\dfrac{b}{a}$가 다음 조건을 모두 만족시킬 때, $a+b$의 값을 구하시오.

> ㈎ 두 자연수 m, $n(m>n)$에 대하여 $m-n$이 짝수일 때, $\ll m \gg = \ll n \gg$
>
> ㈏ $\ll 11 \gg = 3$, $\ll 22 \gg = 4$
>
> ㈐ $2 < \dfrac{b}{a} < 3$

쌤의 출제 Point

(홀수) − (홀수) = (짝수),
(짝수) − (짝수) = (짝수)임을 이용하여 조건 ㈎에서 소수점 아래 부분의 숫자의 규칙을 찾아본다.

18

$2 + \dfrac{3}{10} + \dfrac{723}{10^4}\left(1 + \dfrac{1}{10^3} + \dfrac{1}{10^6} + \dfrac{1}{10^9} + \cdots\right)$을 기약분수 $\dfrac{b}{a}$로 나타낼 때, $b-a$의 값을 구하시오.

19

0이 아닌 두 유리수 x, y에 대하여 $x \triangle y = \begin{cases} 1\left(\dfrac{x}{y}는\ 무한소수\right) \\ 2\left(\dfrac{x}{y}는\ 유한소수\right) \end{cases}$ 라 하자.

$a = 1 + 0.1 + 0.02 + 0.001 + 0.0002 + \cdots$, $b = \dfrac{74}{33}$, $c = 0.\dot{3}$일 때, $c \triangle (a \triangle b)$의 값을 구하시오.

20

서로 다른 한 자리의 자연수 a, b, c에 대하여 $[a, b, c]=0.\dot{a}+0.a\dot{b}+0.ab\dot{c}$라 할 때, $[1, 2, 3]+[2, 3, 4]=0.3\dot{6}\times x$를 만족시키는 순환소수 x의 순환마디를 구하시오.

21 만점 KILL 서울 | 목동

$a=0.\dot{3}$일 때, $1-\dfrac{1}{1-\dfrac{1}{1-\dfrac{1}{a}}}$의 값을 순환소수로 나타내시오.

22 복합 개념 대전 | 둔산

오른쪽 그림과 같이 세 직선 l, m, n에 대하여 두 직선 l과 m, l과 n, m과 n이 각각 한 점에서 만날 때, x의 값을 순환소수로 나타내시오.

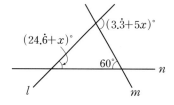

순환소수를 분수로 나타낸 후, 삼각형의 내각과 외각의 크기 사이의 관계를 이용한다.

23

넓이가 10인 정사각형 A_1이 있다. A_1의 넓이의 $\dfrac{1}{10}$인 정사각형을 A_2라 하고, A_2의 넓이의 $\dfrac{1}{10}$인 정사각형을 A_3이라 하자. 이와 같은 과정을 계속하여 오른쪽 그림과 같이 정사각형 A_1, A_2, A_3, A_4, …를 겹치지 않게 나란히 이어붙일 때, 모든 정사각형들의 넓이의 합을 S라 하자. 이때 S를 순환소수로 나타내시오.

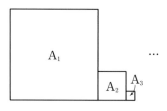

LEVEL **3**

전국 1%를 위한

최고난도 문제

01 x에 대한 일차방정식 $6(6x+1)=10a+1$의 해를 소수로 나타내면 유한소수가 될 때, 이를 만족시키는 자연수 a의 값은 모두 몇 개인지 구하시오. (단, $10<a<50$)

02 두 분수 $\dfrac{1}{3^n+3^{n+1}+3^{n+2}+3^{n+3}}$과 $\dfrac{1}{5^n+5^{n+1}+5^{n+2}+5^{n+3}}$에 자연수 a를 각각 곱하여 소수로 나타내면 모두 유한소수가 된다고 한다. 이때 이를 만족시키는 자연수 n의 값과 세 자리의 자연수 a의 값의 순서쌍 (n, a)의 개수를 구하시오.

03 오른쪽 그림과 같은 어느 해 3월 달력에서 세로로 연속된 두 칸을 하나의 분수로 생각하자. 예를 들어 색칠한 부분은 분수 $\dfrac{1}{8}$을 나타낸다. 이 달력을 이용하여 나타낼 수 있는 분수의 개수를 a, 그 분수를 각각 소수로 나타내었을 때, 유한소수가 되는 분수의 개수를 b라 하자. 이때 $\dfrac{a}{b}$의 값을 소수로 나타내었을 때, 소수점 아래 n번째 자리의 숫자 x_n에 대하여 $x_2+x_4+x_6+\cdots+x_{100}$의 값을 구하시오.

3월						
일	월	화	수	목	금	토
					1	2
3	4	5	6	7	8	9
10	11	12	13	14	15	16
17	18	19	20	21	22	23
24	25	26	27	28	29	30
31						

🌐 **Challenge**

04 분수 $\dfrac{1}{p}$을 소수로 나타내었을 때, 소수점 아래 첫 번째 자리에서부터 순환마디가 시작하는 자연수 p에 대하여 순환마디의 숫자의 개수를 $f(p)$라 하자. 이때 오른쪽 참고를 이용하여 $f(13)+f(41)+f(101)$의 값을 구하시오.

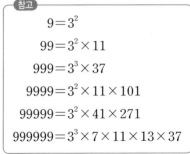

참고

$$9=3^2$$
$$99=3^2\times11$$
$$999=3^3\times37$$
$$9999=3^2\times11\times101$$
$$99999=3^2\times41\times271$$
$$999999=3^3\times7\times11\times13\times37$$

02 단항식의 계산

① 지수법칙

(1) 거듭제곱

① 거듭제곱 : 같은 수나 문자를 여러 번 곱한 것

② 밑 : 거듭제곱에서 여러 번 곱한 수나 문자

③ 지수 : 거듭제곱에서 수나 문자를 곱한 횟수

$$a^{n} \quad \text{지수} \quad \text{밑}$$

참고 음수의 거듭제곱 : $a>0$, n은 자연수일 때

① $(-1)^{n}=\begin{cases}-1 & (n\text{이 홀수})\\1 & (n\text{이 짝수})\end{cases}$ ② $(-a)^{n}=\begin{cases}-a^{n} & (n\text{이 홀수})\\a^{n} & (n\text{이 짝수})\end{cases}$

(2) 지수법칙 : $a\neq0$, $b\neq0$이고 m, n이 자연수일 때

① $a^{m}\times a^{n}=a^{m+n}$ 예 $a^{3}\times a^{2}=a^{3+2}=a^{5}$

② $(a^{m})^{n}=a^{mn}$ 예 $(a^{2})^{4}=a^{2\times4}=a^{8}$

③ $a^{m}\div a^{n}=\begin{cases}a^{m-n} & (m>n)\\1 & (m=n)\\\dfrac{1}{a^{n-m}} & (m<n)\end{cases}$ 예 $a^{4}\div a^{2}=a^{4-2}=a^{2}$
예 $a^{2}\div a^{2}=1$
예 $a^{2}\div a^{4}=\dfrac{1}{a^{4-2}}=\dfrac{1}{a^{2}}$

④ $(ab)^{n}=a^{n}b^{n}$, $\left(\dfrac{a}{b}\right)^{n}=\dfrac{a^{n}}{b^{n}}$ 예 $(ab)^{3}=a^{3}b^{3}$, $\left(\dfrac{a}{b}\right)^{3}=\dfrac{a^{3}}{b^{3}}$

② 지수법칙의 응용   심화 개념

(1) a^{n}을 a번 더한 식 : 곱셈으로 바꾸어 나타낸 후 간단히 한다.

➡ $\underbrace{a^{n}+a^{n}+a^{n}+\cdots+a^{n}}_{a\text{번}}=a\times a^{n}=a^{n+1}$

쌤의 활용 꿀팁

복잡해 보이는 식도 지수법칙을 응용하여 변형하면 간단하게 정리할 수 있어요.

(2) 문자를 사용하여 나타내기 : $a^{n}=A$일 때

① $a^{m+n}=a^{m}\times a^{n}=a^{m}\times A$

② $a^{mn}=(a^{n})^{m}=A^{m}$

(3) 자릿수 구하기 : 주어진 수를 $a\times10^{k}$의 꼴로 나타내면 ➡ ($a\times10^{k}$의 자릿수)=(a의 자릿수)$+k$

③ 단항식의 곱셈과 나눗셈

(1) 단항식의 곱셈

❶ 계수는 계수끼리, 문자는 문자끼리 곱하여 계산한다.

❷ 같은 문자끼리의 곱셈은 지수법칙을 이용하여 간단히 나타낸다. 예 $6a^{2}\times4a^{3}=(6\times4)\times(a^{2}\times a^{3})=24a^{5}$

(2) 단항식의 나눗셈

[방법 1] 역수를 이용하여 나눗셈을 곱셈으로 바꾸어 계산한다. ➡ $A\div B=A\times\dfrac{1}{B}=\dfrac{A}{B}$

[방법 2] 분수의 꼴로 나타내어 계산한다. ➡ $A\div B=\dfrac{A}{B}$

(3) 단항식의 곱셈과 나눗셈의 혼합 계산

❶ 괄호가 있으면 지수법칙을 이용하여 괄호를 푼다.

❷ 나눗셈을 곱셈으로 바꾸거나 분수의 꼴로 나타낸다.

❸ 계수는 계수끼리, 문자는 문자끼리 계산한다.

① 이것이 진짜 출제율 100% 문제

① 지수법칙

01 대표문제

다음 보기에서 옳은 것을 모두 고르시오.

◀ 보기 ▶

ㄱ. $x^5 \times x^7 = x^{12}$

ㄴ. $\left(\dfrac{y^3}{x^2}\right)^3 = \dfrac{y^6}{x^5}$

ㄷ. $x^{12} \div x^6 = x^2$

ㄹ. $(x^3 y^5)^3 = x^9 y^{15}$

ㅁ. $(-2x^2 y^3)^3 = -6x^6 y^9$

ㅂ. $(x^3)^4 \times x^5 = x^{17}$

02

$\left(-\dfrac{y^5}{3x^a}\right)^b = -\dfrac{y^c}{27x^6}$일 때, 세 자연수 a, b, c에 대하여 $a+b+c$의 값을 구하시오.

03 실수多

방사성 원소의 양이 절반으로 줄어드는 데 걸리는 시간을 '반감기'라 한다. 현재 어떤 암석에 방사성 원소인 라듐이 0.5 g 포함되어 있다고 하자. 라듐의 반감기는 1620년이라 할 때, 이 암석에 라듐이 $\dfrac{1}{512}$ g 포함되는 것은 현재로부터 몇 년 후인가?

① 8년 　② 9년 　③ 1620년

④ 12960년 　⑤ 14580년

✎ 쌤의 오답 코칭 | 현재 어떤 암석에 포함된 라듐의 양이 1 g이 아님에 주의한다.

② 지수법칙의 응용 심화

04 대표문제

$\dfrac{9^3 + 9^3 + 9^3}{3^4 + 3^4 + 3^4} = 3^n$일 때, 자연수 n의 값을 구하시오.

05

$3^{x+2} + 3^{x+1} + 3^x = 351$일 때, 자연수 x의 값을 구하시오.

06

$A = 3^{x+1}$일 때, 9^{x-1}을 A를 사용하여 나타내면?

(단, $x > 1$인 자연수)

① $\dfrac{A^2}{81}$ 　② $\dfrac{A^2}{9}$ 　③ $3A^2$

④ $9A^2$ 　⑤ $81A^2$

07

$2^{17} \times 3^2 \times 5^{19}$이 n자리의 자연수일 때, n의 값을 구하시오.

③ 단항식의 곱셈과 나눗셈

08 (대표문제)

$(2x^3y^4)^2 \times \dfrac{3}{4}y^2 \times \left(-\dfrac{2y}{3x^2}\right)^3$ 을 계산하시오.

09

$(-2a^3b^2)^3 \div \boxed{} \div (-6ab) = \dfrac{4}{3}b^8$ 일 때, $\boxed{}$ 안에 들어

갈 알맞은 식을 구하시오.

10

오른쪽 그림과 같이 밑면은 한 변
의 길이가 $2x^2y^2$인 정사각형이고,
높이가 $\dfrac{\pi x^2}{y}$ 인 직육면체 모양의
찰흙이 있다. 이 찰흙으로 반지름의

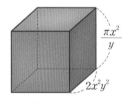

길이가 $\dfrac{1}{4}x^2y$인 구 모양의 구슬을 몇 개까지 만들 수 있는지

구하시오.

11 실수多

$(-3x^2y^3)^A \times \dfrac{5}{6x^By^4} \div \left(\dfrac{5x^2y}{3}\right)^2 = Cxy^3$일 때, 두 자연수 A,
B와 상수 C에 대하여 $A+B+10C$의 값을 구하시오.

✏️ 쌤의 오답 코칭 | 음수를 거듭제곱할 때에는 지수가 짝수인지 홀수인지 확인한다.

📖 이것이 진짜 **교과서에서 뽑아온** 문제

12

| 교학사 유사 |

아래 표는 컴퓨터에서 처리되는 정보의 양을 나타내는 단위
사이의 관계이다. 다음 물음에 답하시오.

1 B	1 KiB	1 MiB	1 GiB	1 TiB
2^3 bit	2^{10} B	2^{10} KiB	2^{10} MiB	2^{10} GiB

(1) 1 TiB(테비바이트)는 몇 bit(비트)인지 2의 거듭제곱
으로 나타내시오.

(2) 한 자리의 숫자는 4 bit의 저장 공간을 차지한다. 이때
1 TiB의 저장 공간에는 한 자리의 숫자를 몇 개까지 저
장할 수 있는지 2의 거듭제곱으로 나타내시오.

(3) 1 GiB(기비바이트)의 저장 공간에는 2 MiB(메비바이
트)의 사진 파일을 몇 개까지 저장할 수 있는지 구하시오.

13

| 신사고 유사 |

다음 그림에서 직사각형의 넓이와 삼각형의 넓이가 서로 같
을 때, 삼각형의 높이를 구하시오.

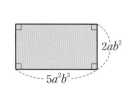
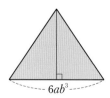

01

자연수 N의 일의 자리의 숫자를 $\{N\}$이라 할 때, $\{\{2^{111}\}+\{2^{222}\}\}$의 값을 구하시오.

쌤의 출제 Point

$2^1=2$, $2^2=4$, $2^3=8$, $2^4=16$, $2^5=32$, …이므로 2의 거듭제곱의 일의 자리의 숫자는 규칙적으로 반복됨을 이용한다.

02 신유형 대구 | 수성

$7 \times 7^2 \times 7^3 = 7^a$, $5^{15}+5^{15}+5^{15}+5^{15}+5^{15}=5^b$, $(243^5)^5=3^c$일 때, 세 자연수 a, b, c에 대하여 $(bc)^a$은 n자리의 자연수이다. 이때 n의 값을 구하시오.

03

$\dfrac{16^3+16^3+16^3+16^3}{4^6+4^6+4^6+4^6}=x$라 할 때, $(-x)+(-x)^2+(-x)^3+\cdots+(-x)^{100}$의 값을 구하시오.

04

다음 조건을 모두 만족시키는 세 자연수 A, B, C의 대소 관계를 바르게 나타낸 것은?

> (가) $2^{2A}+4^{A+1}=320$
>
> (나) $(x^B \times x^5)^2 \div x^{12}=x^2$
>
> (다) $3 \times 4^4 \times 5^7$은 C자리의 자연수이다.

① $A<B<C$ ② $A<C<B$ ③ $B<A<C$

④ $B<C<A$ ⑤ $C<B<A$

05  | 천재 유사 |

$1 \times 2 \times 3 \times \cdots \times 14 \times 15 \times 16 = 2^a \times 3^b \times 5^c \times d$를 만족시키는 가장 작은 자연수 d에 대하여 $a+b+c$의 값을 구하시오. (단, a, b, c는 자연수)

쌤의 출제 Point

1부터 16까지의 자연수를 각각 소인수분해하여 주어진 수를 소인수들의 곱으로 나타내 본다

06

$(2^a \times 3^b \times 5^c)^k = 2^{12} \times 5^{24} \times 9^9$을 만족시키는 자연수 k에 대하여 다음 중 $a+b+c$의 값이 될 수 <u>없는</u> 것은? (단, a, b, c는 자연수)

① 9   ② 18   ③ 27

④ 36   ⑤ 54

07  | 신사고 유사 |

오른쪽 격자판에서 가로, 세로, 대각선에 있는 세 수의 곱이 모두 같을 때, A, B, C에 알맞은 수를 각각 구하시오.

8	256	128
	B	
A	16	C

08 복합 개념 | 안양 | 평촌 |

$\dfrac{2^x \times 16^x}{4^x} = 64$, $\dfrac{9^{3y}}{3^y \times 3^y} = 81$을 만족시키는 자연수 x, y에 대하여 좌표평면 위의 점 (x, y)를 지나고 y가 x에 정비례하는 그래프의 식은?

① $y = \dfrac{1}{4}x$ ② $y = \dfrac{1}{2}x$ ③ $y = x$

④ $y = 2x$ ⑤ $y = 3x$

09

$5^{200} < x^{300} < 4^{400}$을 만족시키는 자연수 x의 값을 모두 구하시오.

10 신유형 서울|서초

$16^x \times 3 \times 5^3 \div (2^3)^x$이 네 자리의 자연수일 때, 이를 만족시키는 자연수 x의 값은 모두 몇 개인지 구하시오.

11 신유형 대전|둔산

아이스크림의 가격은 아이스크림의 부피에 비례하여 결정된다고 한다. 다양한 모양의 아이스크림을 생산하는 공장은 오른쪽 표와 같은 세 가지 제품을 생산하고 있다. 제품 A의 가격이 3600원일 때, 제품 B와 C의 가격을 각각 구하시오.

(단, 아이스크림의 포장은 생각하지 않는다.)

제품	모양	밑면의 반지름의 길이	높이
A	구	r	
B	원뿔	r	$2r$
C	원기둥	r	r

12

$a = 6^{x+2}$, $b = 12^{x+1}$이라 할 때, 24^x을 a, b를 사용한 식으로 나타내시오. (단, x는 자연수)

13 만점 **KILL** (서울 | 강남)

$[x]=x^2$, $\langle x \rangle = x^3$ 으로 나타낼 때, 다음 식을 계산하시오.

$$\langle [ab] \div 5a^3 \rangle \times [-2 \div \langle ab \rangle \times [b]] \div \left[\frac{1}{5ab^2} \right]$$

쌤의 출제 Point

14 복합 개념 (서울 | 강남)

오른쪽 그림과 같이 밑면이 정사각형인 두 직육면체 ㈎, ㈏가 있다. ㈎의 높이는 ㈏의 높이의 $\frac{3}{4}$ 배이고 ㈏의 밑면의 한 변의 길이는 ㈎의 밑면의 한 변의 길이의 $0.8\dot{3}$배일 때, ㈏의 부피는 ㈎의 부피의 몇 배인지 구하시오.

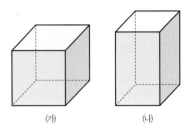

㈎   ㈏

㈏의 높이와 ㈎의 밑면의 한 변의 길이를 각각 두 미지수로 놓고, 순환소수는 분수로 바꾼다.

15 복합 개념 (대구 | 수성)

밑면의 가로의 길이는 a^2b^3, 세로의 길이는 a^3b^2이고, 높이는 a^2b^4인 직육면체 모양의 벽돌을 같은 방향으로 빈틈없이 쌓아서 가장 작은 정육면체 모양을 만들려고 한다. 이때 필요한 벽돌의 개수를 구하시오. (단, a, b는 서로소)

16

오른쪽 그림과 같이 밑면의 반지름의 길이가 $2a$인 원기둥 모양의 그릇에 쇠구슬이 잠길 만큼 충분히 많은 양의 물이 들어 있다. 그릇에 담긴 물의 부피가 $32\pi a^6 b^3$일 때, 이 그릇에 반지름의 길이가 a^2b인 쇠구슬을 넣은 후의 물의 높이를 구하시오. (단, 쇠구슬을 넣어도 물은 넘치지 않고, 그릇의 두께는 생각하지 않는다.)

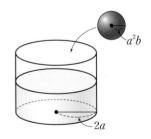

a^2b

$2a$

01 두께가 0.2 mm인 종이 A와 두께가 0.5 mm인 종이 B가 있다. 종이 A는 삼등분하여 세 겹으로 접고, 종이 B는 반으로 접는 과정을 반복할 때, 보기에서 옳은 것을 모두 고르시오.

(단, 접힌 종이 사이의 공간은 생각하지 않는다.)

◀ 보기 ▶

ㄱ. 두 종이 A, B를 각각 1번 접었을 때, 두께는 각각 0.6 mm, 1 mm이다.

ㄴ. 종이 A를 n번 접었을 때, 두께는 (0.3×3^n) mm이다.

ㄷ. 종이 B를 n번 접었을 때, 두께는 (0.5×2^n) mm이다.

ㄹ. 두 종이 A, B를 각각 3번 접었을 때부터 종이 A의 두께가 종이 B의 두께보다 두꺼워진다.

02 한 자리의 자연수 a, b에 대하여 $(-1)^{ab} \times (-32)^b \times \{(-2)^a\}^b = (-4)^3 \times (-64)$를 만족시키는 순서쌍 (a, b)의 개수를 구하시오.

⊕Challenge

03 오른쪽 그림은 한 변의 길이가 7인 정삼각형 ABC를 한 변의 길이가 1인 작은 정삼각형으로 나눈 후 총 36개의 꼭짓점 위의 숫자판에 수를 써넣을 수 있게 만든 것이다. 세 점 A, B, C 위의 숫자판에 적힌 수가 각각 1, 2^7, 4^7이고 숫자판에 적힌 모든 수는 2의 거듭제곱으로 나타낼 수 있으며 한 직선 위에 있는 숫자판 중에서 이웃하는 숫자판에 적힌 두 수의 비는 일정하다. $\overline{AB}$, $\overline{BC}$ 위의 숫자판에 적힌 15개의 수들의 총합을 S라 할 때, $2^{15} - S$의 값을 구하시오.

(단, $1 = 2^0$으로 나타낼 수 있다.)

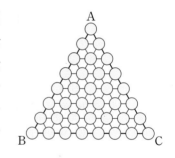

04 오른쪽 그림과 같이 가로의 길이가 ab^2, 세로의 길이가 $2a^2b$인 직사각형 ABCD를 선분 AB와 선분 BC를 각각 축으로 하여 1회전 시킬 때 생기는 두 회전체의 부피를 V_1, V_2라 하자. 또한, △ABC를 선분 AB와 선분 BC를 각각 축으로 하여 1회전 시킬 때 생기는 두 회전체의 부피를 V_3, V_4라 하자. 이때 $\dfrac{V_1}{V_2}$의 값과 $\dfrac{V_3}{V_4}$의 값을 각각 구하고 두 값을 비교하시오.

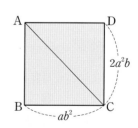

다항식의 계산

① 다항식의 덧셈과 뺄셈

(1) 다항식의 덧셈과 뺄셈

① 덧셈 : 분배법칙을 이용하여 괄호를 풀고 동류항끼리 모아서 간단히 한다.

예 $(3a+4b)+2(2a-b)=3a+4b+4a-2b$
$$=(3+4)a+(4-2)b=7a+2b$$

② 뺄셈 : 빼는 식의 각 항의 부호를 바꾸어 더한다.

예 $(3a-2b)-(4a-5b)=3a-2b-4a+5b$
$$=(3-4)a+(-2+5)b=-a+3b$$

참고 여러 가지 괄호가 있는 식의 계산은 일반적으로 ( ) ➡ { } ➡ [ ]의 순서로 푼다.

(2) 이차식의 덧셈과 뺄셈

① 이차식 : 다항식에서 차수가 가장 큰 항의 차수가 2인 다항식

② 이차식의 덧셈과 뺄셈 : 괄호를 풀고 동류항끼리 모아서 간단히 한다.

② 단항식과 다항식의 곱셈과 나눗셈

(1) (단항식)×(다항식)의 계산 : 분배법칙을 이용하여 단항식을 다항식의 각 항에 곱하여 계산한다.

① 전개 : 단항식과 다항식의 곱을 하나의 다항식으로 나타내는 것

② 전개식 : 전개하여 얻은 다항식

(2) (다항식)÷(단항식)의 계산

[방법 1] 역수를 이용하여 나눗셈을 곱셈으로 바꾸어 계산한다.

[방법 2] 분수의 꼴로 나타내고 분자의 각 항을 분모로 나누어 계산한다.

예

[방법 1] 나누는 식의 역수를 곱하는 방법	[방법 2] 분수의 꼴로 나타내는 방법
$(9a^2x+6ay)\div 3a=(9a^2x+6ay)\times\dfrac{1}{3a}$ $\qquad=9a^2x\times\dfrac{1}{3a}+6ay\times\dfrac{1}{3a}$ $\qquad=3ax+2y$	$(9a^2x+6ay)\div 3a=\dfrac{9a^2x+6ay}{3a}$ $\qquad=\dfrac{9a^2x}{3a}+\dfrac{6ay}{3a}$ $\qquad=3ax+2y$

참고 사칙계산이 혼합된 식의 계산 : 거듭제곱 ➡ 괄호 ➡ ×, ÷ ➡ +, − 순으로 계산한다.

③ 식의 대입 심화 개념

(1) 식의 대입 : 주어진 식의 문자에 그 문자를 나타내는 다른 식을 대입하는 것

예 $A=-2x+3y$, $B=3x-y$일 때, $2A-B=2(-2x+3y)-(3x-y)=-7x+7y$

(2) 등식의 변형 : 두 개 이상의 문자가 있는 등식을 변형하여

(한 문자)=(다른 문자에 대한 식)으로 나타낼 수 있다.

예 $2y-6x=8$에서 y를 x에 대한 식으로 나타내면 $y=3x+4$

참고 x, y, z에 대한 등식이 주어질 때

① x를 y, z에 대한 식으로 나타내기 ➡ 등식을 $x=(y, z$에 대한 식)으로 변형

② y를 x, z에 대한 식으로 나타내기 ➡ 등식을 $y=(x, z$에 대한 식)으로 변형

> 쌤의 활용 꿀팁
>
> 주어진 식이 복잡한 경우에는 식을 먼저 간단히 하고, 대입하는 식이 다항식인 경우에는 괄호로 묶으면 실수를 줄일 수 있어요.

🎯 이것이 진짜 **출제율 100%** 문제

① 다항식의 덧셈과 뺄셈

01 대표문제

다음 ☐ 안에 알맞은 식을 구하시오.

$$-3x+7y-8-(\boxed{})=-6x+3y+11$$

02

$x-[9y-2x-\{3x-(x-3y)\}]=ax+by$일 때, ab의 값을 구하시오. (단, a, b는 상수)

03

다음 두 조건을 모두 만족시키는 두 다항식 A, B에 대하여 $-A+3B$를 계산하시오.

(가) A에 x^2-x+2를 더했더니 $-x^2+3x+1$이 되었다.
(나) A에서 $-x^2+x+1$을 뺐더니 B가 되었다.

② 단항식과 다항식의 곱셈과 나눗셈

04 대표문제

$4x^2y\left(2x-\dfrac{6}{xy}+\dfrac{3}{2y}\right)$의 전개식에서 x^2의 계수를 a, x의 계수를 b라 할 때, $a+b$의 값을 구하시오.

05

$x=-1$, $y=2$일 때, 다음 식의 값을 구하시오.

$$(12x^2-15xy)\div(-3x)-(6x^2y-6xy+12xy^2)\div\frac{6}{7}xy$$

06 실수多

$\dfrac{4}{3}x\{9y-(6x-12y)\}-(8xy-4x^2y)\div\dfrac{2}{3}y$를 계산하시오.

✏️ 쌤의 오답 코칭 | 먼저 괄호를 푼 후 간단히 한다.

07

오른쪽 그림과 같이 밑면의 가로의 길이가 $2a$, 세로의 길이가 b^2이고, 부피가 $6a^2b^3-8ab^2$인 직육면체의 높이를 구하시오.

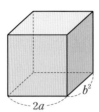

③ 식의 대입 [심화]

08 대표문제

$A=2x-3y+1$, $B=4x-5y+3$일 때, $B-\{2(A-3B)-(B-2A)\}$를 x, y에 대한 식으로 나타내시오.

09

$x:y=2:3$일 때, $\dfrac{-3x^2+y^2}{2x^2-y^2}$의 값은?

① -1 ② 1 ③ 3

④ 5 ⑤ 7

10

$3x-2y+12=-x+2y$일 때, $2x-3y+4$를 y에 대한 식으로 나타내시오.

📖 이것이 진짜 **교과서에서 뽑아온** 문제

11
| 교학사 유사 |

어떤 식에서 x^2+3x-4를 빼어야 할 것을 잘못하여 더했더니 $-x^2-x+3$이 되었다. 바르게 계산한 식을 구하시오.

12 실수多
| 천재 유사 |

오른쪽 그림은 합동인 직사각형 2개와 합동인 직각삼각형 8개를 이용하여 만든 도형이다. 전체 도형의 넓이를 S라 할 때, a를 S, b에 대한 식으로 나타내시오.

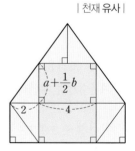

✏️ **쌤의 오답 코칭** | 직사각형 1개의 넓이와 직각삼각형 1개의 넓이를 각각 구한다.

01

다음 표에서 가로 방향으로는 덧셈을, 세로 방향으로는 뺄셈을 하였을 때, ①~⑤에 들어갈 식으로 옳지 <u>않은</u> 것은?

	(+) →		
	$-3x+6y-8$	$5x-4y$	③
(−)	$-4x+5y$	$-2x-3y$	④
↓	①	②	⑤

① $x+y-8$ ② $7x-y$ ③ $2x+2y-8$

④ $-6x+2y$ ⑤ $8x-8y$

쌤의 출제 Point

02

$3x-2[2x^2+4-2x-\{-3x-(x^2-A)+x^2\}]$을 계산하면 $-6x^2+3x-4$일 때, 다항식 A를 구하시오.

03

$-3x+2y+5$에서 어떤 다항식을 빼어야 할 것을 잘못하여 x의 계수와 y의 계수를 바꾸어 놓고 뺐더니 $-7x-5y+2$가 되었다. 바르게 계산한 식을 구하시오.

(단, 어떤 다항식은 x, y에 대한 일차식이다.)

04

어떤 다항식을 $3xy$로 나눈 몫은 $3x-2y-1$이고 나머지는 $3x$이다. 어떤 다항식을 $3x$로 나누었을 때, xy의 계수와 y^2의 계수의 합을 구하시오.

다항식 A를 다항식 B로 나눈 몫을 Q, 나머지를 R라 하면 $A=BQ+R$

05 신유형

$\begin{vmatrix} A & B \\ C & D \end{vmatrix} = AD - BC$라 할 때, $\begin{vmatrix} 2x & 3x \\ -4x + \dfrac{4}{3}y & -(3x - y) \end{vmatrix}$를 계산하시오.

쌤의 출제 Point

06

세 다항식 $A = 2x^2 + x - 5$, $B = \dfrac{1}{3}x^2 - 14$, $C = x^2 - x + 3$이 다음 등식을 만족시킬 때, 상수 a, b, c에 대하여 $\dfrac{3ac}{b}$의 값을 구하시오.

$$6A - [3A - 4C - \{A - 3B - (2A - 5B - 3C)\}] = ax^2 + bx + c$$

( ) ➡ { } ➡ [ ]의 순으로 괄호를 풀어 식을 간단히 정리해 본다.

07 교과서 **창의사고력** | 동아 유사 |

$a = 3$, $b = 10^5$일 때, 빛의 속력은 초속 ab km이고, 태양에서 지구까지의 거리는 $500ab$ km, 태양에서 해왕성까지의 거리는 $5000a^2b$ km이다. 태양, 지구, 해왕성의 순서로 일직선 상에 위치해 있을 때, 지구에서 해왕성까지 빛의 속력으로 간다면 몇 초가 걸리는지 구하시오.
(단, 빛의 속력은 일정하다.)

$(시간) = \dfrac{(거리)}{(속력)}$

08 교과서 **추론** | 신사고 유사 |

오른쪽 그림과 같은 전개도를 이용하여 직육면체를 만들었을 때, 직육면체에서 마주 보는 두 면에 각각 적힌 두 식의 곱이 모두 같다고 한다. 이때 $A + B$를 계산하시오.

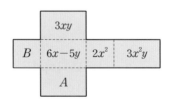

09 복합 개념 서울 | 강남

오른쪽 그림과 같은 삼각형 ABC를 $\overline{AC}$를 회전축으로 하여 1회전 시킬 때 생기는 입체도형의 겉넓이를 S, 부피를 V라 할 때, $\dfrac{V}{S}$를 계산하시오.

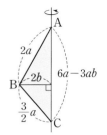

쌤의 출제 Point

10

오른쪽 그림 ⑺와 같이 아랫부분이 밑면의 반지름의 길이가 $2y$인 원기둥 모양인 병의 부피가 $150\pi x^8 y^7$이다. 이 물병에 높이가 $(3x^2 y)^3$이 되도록 들어 있는 물을 $32\pi x^6 y^5$만큼 마신 후 이 병을 ⑷와 같이 거꾸로 세워 수면이 바닥과 평행하도록 하였을 때, 위쪽에 비어 있는 부분의 높이 h를 구하시오.

(단, 병의 두께는 생각하지 않는다.)

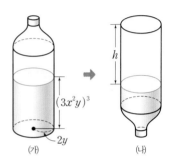

11 만점 KILL 서울 | 강남

오른쪽 그림에서 ⑺는 부피가 $30x^3 y + 15xy^2$인 큰 직육면체 위에 부피가 $15x^3 y - 10xy^2$인 작은 직육면체를 올려놓은 도형이다. 두 개의 도형 ⑺를 연결하여 새로운 도형 ⑷를 만들었을 때, 빗금친 부분의 넓이를 구하시오.

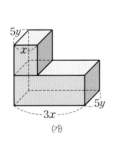
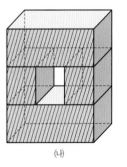

⑺에서 두 직육면체의 부피를 이용하여 높이를 각각 구한 후, ⑷에서 큰 직사각형의 넓이와 작은 직사각형의 넓이를 생각한다.

12 복합 개념 대구 | 수성

남학생 수와 여학생 수의 비가 $3 : 2$인 A반 학생들의 남학생과 여학생의 수학 성적의 평균은 각각 x점, y점이다. 그런데 A반 전체의 수학 성적의 평균을 $\dfrac{2x+3y}{5}$점으로 잘못 구하였더니 바르게 구한 평균보다 $\dfrac{x-y}{3}$점이 낮아졌다고 한다. 이때 $\dfrac{y}{x}$의 값을 구하시오.

A반의 전체 학생 수를 5명으로 생각하지 않도록 주의한다.

13

$x+y+z=0$일 때, 다음 식의 값을 구하시오. (단, $xyz \neq 0$)

$$\frac{2y+2z}{x} + \frac{2x+2z}{y} + \frac{2x+2y}{z}$$

14

$\dfrac{1}{a} - \dfrac{1}{b} = 3$일 때, $\dfrac{3a(a-3b)-a(3a-7b)}{a-b}$의 값을 구하시오.

15

$a + \dfrac{1}{b} = 1$, $b + \dfrac{1}{2c} = 1$일 때, $2c + \dfrac{1}{a}$의 값을 구하시오. (단, $abc \neq 0$)

주어진 두 등식을 어떻게 변형해야 식의 값을 간단하게 구할 수 있는지 생각한다.

16

오른쪽 그림과 같은 직사각형 ABCD에서 삼각형 EBF의 넓이를 S라 할 때, b를 S, a에 대한 식으로 나타내시오.

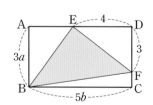

01 오른쪽 그림과 같이 트랙의 폭이 r인 육상 경기장을 속력이 일정한 두 선수 A, B가 동시에 출발선을 출발하여 A 선수는 트랙의 가장 안쪽 선을 따라, B 선수는 트랙의 가장 바깥쪽 선을 따라 한 바퀴를 달렸다. B 선수의 속력이 A 선수의 속력의 $\frac{4}{3}$배이고, 두 선수가 동시에 출발선으로 돌아왔다고 할 때, 트랙의 중앙을 지나는 선의 길이 l을 r에 대한 식으로 나타내시오. (단, 트랙은 길이가 a인 직선 부분과 반지름의 길이가 각각 r, $2r$인 두 반원 모양의 곡선 부분으로 이루어져 있다.)

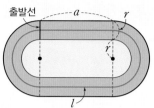

02 밑면의 가로의 길이가 x, 세로의 길이가 $x-2y$이고 높이가 $2y$인 직육면체 모양의 블록이 여러 개 있다. 이 블록을 쌓고 앞, 옆, 위에서 본 모양이 다음 그림과 같을 때, 쌓은 블록의 전체 부피를 구하시오.

[앞에서 본 모양]

[옆에서 본 모양]

[위에서 본 모양]

03 $x:y=3:2$, $y:z=3:4$일 때, $\left\{(0.7\dot{x}^2yz-0.1\dot{6}xy^2z)\div0.\dot{3}xy-xyz\left(\frac{3}{2x}-\frac{5}{3y}\right)\right\}\div(2y)^2$ 의 값을 구하시오.

🌐Challenge

04 오른쪽 그림과 같이 가운데가 뚫린 원기둥 모양의 두루마리 휴지는 두께가 $\dfrac{1}{2x+3y}$인 휴지가 밑면의 반지름의 길이가 x인 원기둥 모양의 심지에 감겨 있다. 이 두루마리 휴지의 밑면의 반지름의 길이는 $3x$이고 높이는 y이다. 감겨 있는 휴지를 모두 풀었을 때, 휴지의 전체 길이를 x, y에 대한 식으로 나타내시오. (단, 감겨 있는 휴지의 틈새나 휴지의 신축성 등은 생각하지 않는다.)

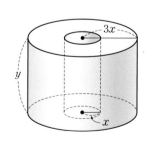

같은 문제 선배들의 다른 풀이

본책 16쪽 ● **23**번 문제

넓이가 10인 정사각형 A_1이 있다. A_1의 넓이의 $\frac{1}{10}$인 정사각형을 A_2라 하고, A_2의 넓이의 $\frac{1}{10}$인 정사각형을 A_3이라 하자. 이와 같은 과정을 계속하여 오른쪽 그림과 같이 정사각형 A_1, A_2, A_3, A_4, …를 겹치지 않게 나란히 이어붙일 때, 모든 정사각형들의 넓이의 합을 S라 하자. 이때 S를 순환소수로 나타내시오.

고등학생이 되면 더 빠르게 해결할 수 있을까요?

정사각형 A_1의 넓이를 A_1이라 하면

$$S = A_1 + \frac{1}{10}A_1 + \frac{1}{100}A_1 + \frac{1}{1000}A_1 + \cdots$$

$$10S = 10A_1 + A_1 + \frac{1}{10}A_1 + \frac{1}{100}A_1 + \cdots$$

두 식을 각 변끼리 빼면

$$9S = 10A_1$$

임을 이용하여 이 문제를 해결할 수도 있어. 이 개념은 고등학교 '미적분'의 '등비급수'에서 배우는 내용이지.

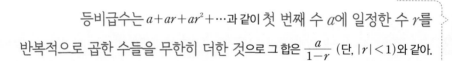

등비급수는 $a + ar + ar^2 + \cdots$과 같이 첫 번째 수 a에 일정한 수 r를 반복적으로 곱한 수들을 무한히 더한 것으로 그 합은 $\frac{a}{1-r}$ (단, $|r| < 1$)와 같아.

즉, 위의 문제에서 S는 다음과 같이 나타낼 수 있어.

$$S = 10 + 10 \times \frac{1}{10} + 10 \times \left(\frac{1}{10}\right)^2 + 10 \times \left(\frac{1}{10}\right)^3 + \cdots$$

첫 번째 수 a는 10, 곱해지는 일정한 수 r는 $\frac{1}{10}$이므로

$$S = \frac{a}{1-r} = \frac{10}{1-\frac{1}{10}} = \frac{10}{\frac{9}{10}} = \frac{100}{9}$$

이렇게 구하니 계산이 간단해졌지?

하지만 이 방법도 문제에서 구해야 하는 것을 식으로 정확히 나타내는 것이 중요하므로 이 단원에서 배운 유리수와 순환소수를 확실하게 공부하도록 해!

II

부등식

현직 교사의 학교 시험 고난도 킬러 강의

이 단원에서는 두 상황에서의 수량 사이의 대소 관계를 부등식으로 나타내어 문제를 해결하는 능력이 중요해요. 즉, 상황을 이해하여 식으로 정확히 나타내고 조건을 만족시키는 적합한 경우를 찾는 연습을 해야 해요. 계수가 미지수인 부등식의 해를 구하는 문제, 부등식의 성질 중 음수를 양변에 곱하거나 나눌 때 부등호의 방향이 바뀌는 것을 활용하는 문제, 부등식의 해 또는 해의 조건이 주어지는 문제는 시험에 꼭 출제해요. 특히, 실생활 상황에서 '적어도', '최소한', '최대한' 등의 표현이 포함된 문제와 유리한 방법을 찾는 문제는 이 단원에서의 kill 문제죠.

04 일차부등식

① 부등식과 그 성질

(1) **부등식** : 부등호 $<$, $>$, $\leq$, $\geq$를 사용하여 수 또는 식의 대소 관계를 나타낸 식

　① 부등식의 해 : 부등식을 참이 되게 하는 미지수의 값

　② 부등식을 푼다 : 부등식의 해를 모두 구하는 것

(2) **부등식의 성질**

　① 부등식의 양변에 같은 수를 더하거나 빼어도 부등호의 방향은 바뀌지 않는다.

$$a<b이면 \ a+c<b+c, \ a-c<b-c$$

　② 부등식의 양변에 같은 양수를 곱하거나 같은 양수로 나누어도 부등호의 방향은 바뀌지 않는다.

$$a<b, \ c>0이면 \ ac<bc, \ \frac{a}{c}<\frac{b}{c}$$

　③ 부등식의 양변에 같은 음수를 곱하거나 같은 음수로 나누면 부등호의 방향이 바뀐다.

$$a<b, \ c<0이면 \ ac>bc, \ \frac{a}{c}>\frac{b}{c}$$

　참고 (1) 부등호 $<$를 $\leq$로, $>$를 $\geq$로 바꾸어도 부등식의 성질은 성립한다.

　　　(2) 식의 값의 범위 구하기 : $m\leq x\leq n$이고 $A=ax+b$일 때, A의 값의 범위는

　　　　① $a>0$이면 $am\leq ax\leq an, am+b\leq ax+b\leq an+b \Rightarrow am+b\leq A\leq an+b$

　　　　② $a<0$이면 $an\leq ax\leq am, an+b\leq ax+b\leq am+b \Rightarrow an+b\leq A\leq am+b$

② 일차부등식의 풀이

(1) **일차부등식** : 부등식에서 우변에 있는 모든 항을 좌변으로 이항하여 동류항끼리 정리하였을 때,

　(일차식)<0, (일차식)>0, (일차식)≤0, (일차식)≥0 중 하나의 꼴로 나타낼 수 있는 부등식

(2) **일차부등식의 풀이**

　❶ 괄호가 있으면 분배법칙을 이용하여 괄호를 풀고, 계수에 소수 또는 분수가 있으면 양변에 적당한 수를

　　곱하여 계수를 정수로 바꾼다.

　❷ 미지수 x를 포함한 항은 좌변으로, 상수항은 우변으로 이항한다.

　❸ 양변을 정리하여 $ax>b$, $ax<b$, $ax\geq b$, $ax\leq b(a\neq0)$의 꼴로 만든다.

　❹ 양변을 x의 계수 a로 나누어 $x>(수)$, $x<(수)$, $x\geq(수)$, $x\leq(수)$의 꼴로 나타낸다.

　　참고 부등식의 해를 수직선 위에 나타내기

③ 미지수가 포함된 일차부등식 　심화 개념

(1) **부등식 $ax>b$의 해** : x에 대한 부등식 $ax>b$에서

　① $a>0$일 때, $x>\dfrac{b}{a}$　　　② $a<0$일 때, $x<\dfrac{b}{a}$

　③ $a=0$일 때 $\begin{cases} b\geq0이면 \ 해가 \ 없다. \ \ 예 \ 0\times x>2의 \ 해는 \ 없다. \\ b<0이면 \ 해가 \ 무수히 \ 많다. \ \ 예 \ 0\times x>-2의 \ 해는 \ 무수히 \ 많다. \end{cases}$

(2) **부등식 $ax>b$의 해가 주어진 경우** : x에 대한 부등식 $ax>b$의 해가

　① $x>k$이면 $a>0$, $\dfrac{b}{a}=k$　　　② $x<k$이면 $a<0$, $\dfrac{b}{a}=k$

　　쌤의 활용 꿀팁

부등식 $ax>b$에서 $a<0$인 경우는 해를 구할 때 꼭 부등호 방향을 확인해야 해요. 해가 주어진 경우에는 주어진 조건을 정리하여 구한 해를 수직선 위에 나타내어 보세요.

🎯 이것이 진짜 **출제율 100%** 문제

① 부등식과 그 성질

01 〔대표문제〕

$-2a+3 < -2b+3$일 때, 다음 중 옳은 것은?

① $-a > -b$　　　　　② $5a < 5b$

③ $a-3 < b-3$　　　　④ $7-4a < 7-4b$

⑤ $\dfrac{2-7a}{3} > \dfrac{2-7b}{3}$

02

다음 중 옳지 <u>않은</u> 것은?

① $a-\dfrac{1}{3} > b-\dfrac{1}{3}$이면 $a > b$이다.

② $3-a > 3-b$이면 $a < b$이다.

③ $2a-5 < b-5$이면 $a < \dfrac{b}{2}$이다.

④ $4a+1 > -b+1$이면 $-4a < b$이다.

⑤ $\dfrac{2a-3}{-3} < b+1$이면 $2a+3b < 0$이다.

03 〔실수多〕

$b-a > 0$, $ab < 0$, $ac > 0$일 때, 보기에서 옳은 것을 모두 고르시오.

┤ 보기 ├

ㄱ. $b > 0$　　　ㄴ. $bc > 0$　　　ㄷ. $\dfrac{a}{c} < \dfrac{b}{c}$

ㄹ. $a(b-c) > 0$　　ㅁ. $\dfrac{1}{a} < \dfrac{1}{b}$　　ㅂ. $\dfrac{c-a}{-2} < \dfrac{c-b}{-2}$

✎ 쌤의 오답 **코칭** ┃ 부등식의 양변에 같은 음수를 곱하거나 양변을 같은 음수로 나눌 때에만 부등호의 방향이 바뀐다.

04

$2 \le x \le 3$이고 $A = \dfrac{3-x}{5}$일 때, A의 값의 범위를 구하시오.

05

부등식 $-6 \le -\dfrac{1}{3}x+1 < 4$를 만족시키는 x의 값의 범위가 $a < x \le b$일 때, $a+b$의 값을 구하시오.

② 일차부등식의 풀이

06 〔대표문제〕

다음 중 부등식 $\dfrac{1}{3}x+2 \le ax+4+\dfrac{1}{2}x$가 x에 대한 일차부등식이 되도록 하는 상수 a의 값이 <u>아닌</u> 것은?

① -12　　　　② -4　　　　③ $-\dfrac{1}{2}$

④ $-\dfrac{1}{6}$　　　　⑤ 0

07

다음 부등식 중 해가 나머지 넷과 다른 하나는?

① $-2(4x+1)>14$

② $\dfrac{2-x}{4}>1$

③ $0.3x+1>0.8x+2$

④ $-\dfrac{11}{3}x+5>-x-\dfrac{1}{3}$

⑤ $0.2(3x+2)<0.4\left(\dfrac{x}{2}-1\right)$

08

부등식 $\dfrac{x-1}{5}\geq\dfrac{8x+3}{7}$의 해 중 가장 큰 정수를 M, 부등식 $-0.5(x+2)+6\leq0.9x-2$의 해 중 가장 작은 정수를 m이라 할 때, $M+m$의 값을 구하시오.

09

부등식 $0.7x-\dfrac{2}{5}\geq\dfrac{3x-2}{2}-1$을 만족시키는 모든 자연수 x의 값의 합을 구하시오.

③ 미지수가 포함된 일차부등식 심화

10 (대표문제)

$a<-3$일 때, x에 대한 부등식 $ax+12\leq-(3x+4a)$를 푸시오.

11

$\dfrac{5}{6}+\dfrac{3}{8}a>-\dfrac{1}{6}+\dfrac{a}{2}$일 때, x에 대한 부등식 $8x+2a>ax+16$을 푸시오.

12

부등식 $ax+8\leq2x$의 해가 $x\geq6$일 때, 상수 a의 값을 구하시오.

13

부등식 $-2(x-1) \geq -5(x+1)-a$의 해 중 가장 작은 수가 -2일 때, 상수 a의 값을 구하시오.

14 실수多

부등식 $x-1 < \dfrac{-5a+x}{3}$ 를 만족시키는 자연수 x가 존재하지 않을 때, 상수 a의 값의 범위를 구하시오.

✎ 쌤의 오답 코칭 | 주어진 부등식을 만족시키는 해가 없다는 것이 아님에 주의한다.

📖 이것이 진짜 **교과서에서 뽑아온** 문제

15 | 동아 유사 |

$\dfrac{3-8a}{2} \leq \dfrac{3-8b}{2}$ 일 때, 다음 ◯ 안에 알맞은 부등호를 써넣으시오.

$$a-2 \bigcirc b-2$$

16 | 천재 유사 |

다음 두 부등식의 해가 서로 같을 때, 상수 a의 값을 구하시오.

$$3-2x > 7-3x, \quad 10-a < x+a$$

17 | 신사고 유사 |

부등식 $\dfrac{x}{5} - \dfrac{x-3}{4} \geq \dfrac{a}{10}$ 를 만족시키는 양수 x가 존재하지 않을 때, 상수 a의 값의 범위를 구하시오.

18 | 동아 유사 |

부등식 $2(2x-1) \leq 3x+a$를 만족시키는 자연수 x가 3개일 때, 상수 a의 값 중 가장 작은 값을 구하시오.

01

$a>0$, $b<c$, $c<0$일 때, 다음 중 옳지 <u>않은</u> 것은?

① $\dfrac{b}{a}<\dfrac{c}{a}$ ② $ab>b^2$ ③ $ab<bc$

④ $a+b>b+c$ ⑤ $a-c>b-c$

◀ 쌤의 출제 Point

02

다음 그림은 세 수 a, b, c를 수직선 위에 나타낸 것이다. 보기에서 옳은 것을 모두 고르시오.

◀ 보기 ▶

ㄱ. $-c<-a$ ㄴ. $a+c<b+c$ ㄷ. $c-b>a-b$

ㄹ. $ac<c^2$ ㅁ. $ac+b>bc+b$ ㅂ. $\dfrac{1-a}{c}<\dfrac{1-b}{c}$

03

$a<b$일 때, 다음 중 항상 옳은 것은? (단, c는 상수)

① $a-2c>b-2c$ ② $\dfrac{a-b}{4}>0$ ③ $\dfrac{1}{3}-\dfrac{a}{2}<\dfrac{1}{3}-\dfrac{b}{2}$

④ $-3ac>-3bc$ ⑤ $c-a+b>c$

04 신유형 대구 | 수성

$a<b$일 때, 보기에서 항상 옳은 것은 모두 몇 개인지 구하시오. (단, $ab\neq0$)

◀ 보기 ▶

ㄱ. $a>-b$ ㄴ. $a+3<b+5$ ㄷ. $2a<4b$

ㄹ. $-2a>-4b$ ㅁ. $\dfrac{a}{2}<\dfrac{b}{3}+10$ ㅂ. $4-a>3-b$

$a<b$에서 두 수 c, d에 대하여 $c<d$이면 $a+c<b+d$임을 이용한다. 또한, $a<b$이지만 보기의 식을 만족시키지 않는 a, b의 값이 있는지 확인한다.

05

$2x+a=4$일 때, $3<\dfrac{1}{3}a+1\leq5$를 만족시키는 x의 값의 범위는 $m\leq x<n$이다. 이때 mn의 값을 구하시오.

쌤의 출제 Point

06 신유형 （서울|강남）

부등식 $2x^2+(a+1)x+4\geq(b+3)x^2+x+2$에 대하여 물음에 답하시오.

(1) 주어진 부등식이 x에 대한 일차부등식이 되도록 하는 상수 a, b의 조건을 각각 구하시오.

(2) (1)에서 구한 조건에 따라 만든 부등식에서 $a=-4$일 때, 이 부등식을 만족시키는 정수 x의 값 중에서 가장 큰 값을 구하시오.

07

두 수 a, b에 대하여 $a◎b=2a+b-1$이라 할 때, 부등식 $(x-2)◎(3x+2)\leq4◎(2x+1)$을 만족시키는 x의 값 중 가장 큰 정수를 구하시오.

08

부등식 $0.1x-\dfrac{2-x}{5}\leq1.1$을 만족시키는 x의 값에 대하여 $\dfrac{1-3x}{7}$의 값 중에서 가장 작은 값을 구하시오.

주어진 부등식에서 x의 값의 범위를 구한 후, 이를 이용하여 $\dfrac{1-3x}{7}$의 값의 범위를 구한다.

쌤의 출제 Point

09

부등식 $\frac{3}{5}x-2>x-5$의 해 중에서 $\frac{x+2}{3}$의 값이 자연수가 되도록 하는 모든 x의 값의 합을 구하시오.

10 만점 KILL 서울|강남

x에 대한 부등식 $ax+b<cx+1$의 해가 될 수 있는 것을 보기에서 모두 고르시오.

(단, a, b, c는 상수)

◀ 보기 ▶

ㄱ. $x<\dfrac{-1+b}{c-a}$ ㄴ. $x<\dfrac{1-b}{c-a}$ ㄷ. $x<\dfrac{1-b}{a-c}$

ㄹ. $x>\dfrac{1-b}{a-c}$ ㅁ. $x>\dfrac{-1-b}{a-c}$ ㅂ. $x>\dfrac{-1+b}{c-a}$

11

$a>3$이고 $b=-2a+4$일 때, x에 대한 부등식 $(a+b)x+b<x+2a-8$의 해를 구하시오.

주어진 부등식에 $b=-2a+4$를 대입하여 해를 구하고, 이때 x의 계수의 부호에 주의하며 부등호의 방향을 결정한다.

12

두 부등식 $2(x+1)\geq x+3$, $ax-7\leq b(x-4)$의 해가 서로 같을 때, 자연수 a, b의 값을 각각 구하시오.

13

부등식 $ax-1 \geq 2a+3x$의 해를 수직선 위에 나타내면 오른쪽 그림과 같을 때, 상수 a의 값을 구하시오.

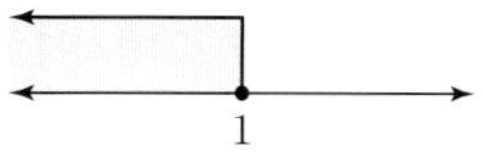

쌤의 출제 Point

14

부등식 $2(x+6) > 4a-bx$의 해를 수직선 위에 나타내면 오른쪽 그림과 같을 때, 상수 a, b에 대하여 $a-b$의 값은?

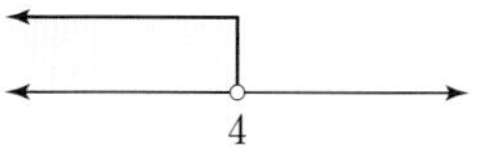

① 4   ② 5   ③ 8

④ 12   ⑤ 20

15

x에 대한 부등식 $ax \leq b$의 해가 $x \geq -\dfrac{1}{3}$일 때, 다음 중 옳은 것은? (단, $ab \neq 0$)

① $-\dfrac{a}{b} < 0$ ② $|a| < |b|$ ③ $a-b < 0$

④ $a > 0$, $b < 0$ ⑤ $a < 0$, $b < 0$

16

$|a|=6$일 때, 부등식 $5x-2(bx+1) \geq a$의 해가 $x \geq 8$이다. 상수 a, b에 대하여 $a-b$의 값을 구하시오.

$|a|=6$임을 이용하여 가능한 a의 값을 모두 구한다.

17  복합 개념 | 서울 | 목동 |

부등식 $x-a \le \dfrac{1+5x}{8}$ 를 만족시키는 x의 값 중에서 12와 서로소인 자연수가 3개일 때, 상수 a의 값의 범위를 구하시오.

쌤의 출제 Point

12와 서로소인 자연수는 1, 5, 7, 11, 13, 17, …이다.

18 교과서 **추론** | 비상 유사 |

부등식 $-0.5x+1 \ge -0.25x-\dfrac{k}{8}$ 를 만족시키는 자연수 x가 존재하지 않을 때, 상수 k의 값의 범위는?

① $k<-6$ ② $k \le -6$ ③ $k>-6$
④ $k \le 1$ ⑤ $k \ge 1$

19

x에 대한 부등식 $x+\dfrac{(a+3)x}{8} > -\dfrac{a(x+2)}{6}$ 를 만족시키는 x의 값이 2가 될 수 없을 때, 상수 a의 값의 범위를 구하시오.

$x=a$가 x에 대한 부등식 $x>t$를 만족시키지 않을 때, $x=a$는 $x \le t$의 해가 된다.

20 교과서 **창의사고력** | 동아 유사 |

부등식 $x-0.9 \le 0.3(x+k)$ 를 만족시키는 자연수 x가 5개 이상일 때, 상수 k의 값 중 가장 작은 자연수를 구하시오.

01 $a-b<0$, $ab<0$, $c>d$일 때, 보기에서 항상 옳은 것의 개수를 구하시오. (단, $cd \neq 0$)

◀ 보기 ▶

ㄱ. $ac>bd$ ㄴ. $\dfrac{ab}{c}>\dfrac{ab}{d}$ ㄷ. $\dfrac{c^2}{ab}>\dfrac{d^2}{ab}$

ㄹ. $a+c>b+d$ ㅁ. $\dfrac{c}{a}-b<\dfrac{d}{a}-b$

02 양수 p를 소수점 아래 첫째 자리에서 반올림한 수를 《p》로 나타내기로 하자. 예를 들어, 《2.1》$=2$, 《5.6》$=6$이다. 이때 부등식 $|6x-8| \leq 20$을 만족시키는 x의 값에 대하여 《《$\dfrac{x}{2}+3$》》의 값이 될 수 있는 수들의 합을 구하시오.

03 부등식 $(a-b)x+a-10b<0$의 해가 $x>\dfrac{1}{2}$일 때, 부등식 $(a-2b)x+2a-5b \geq 0$의 해를 구하시오. (단, a, b는 상수)

🌐 **Challenge**

04 다음 조건을 모두 만족시키는 네 자연수 a, b, c, d를 그 값이 큰 것부터 차례로 쓰시오.

(가) $a+d=b+c$ (나) $a+b<c+d$ (다) $a>d$

05 일차부등식의 활용

① 수에 대한 문제

(1) 연속하는 세 정수 : x, $x+1$, $x+2$ 또는 $x-1$, x, $x+1$로 놓는다.

(2) 연속하는 세 홀수(짝수) : x, $x+2$, $x+4$ 또는 $x-2$, x, $x+2$로 놓는다.

② 가격·비용에 대한 문제

(1) 원가가 x원인 물건에 원가의 a %의 이익을 붙인 정가

➡ (정가) = (원가) + (이익) = $x + x \times \dfrac{a}{100} = \left(1 + \dfrac{a}{100}\right)x$ (원)

(2) 정가가 y원인 물건을 b % 할인한 판매 가격

➡ (판매 가격) = (정가) - (할인 금액) = $y - y \times \dfrac{b}{100} = \left(1 - \dfrac{b}{100}\right)y$ (원)

(3) (이익) = (판매 가격) - (원가)

(4) **유리한 방법을 선택하는 문제** : 두 가지 방법에 대해 각각 비용을 계산하면 비용이 적게 드는 쪽이 유리하다.

> 예 'x명 입장할 때, a명의 단체 입장료를 지불하는 것이 유리하다.'를 부등식으로 나타내면
> (x명의 입장료) > (a명의 단체 입장료) (단, $x < a$)

③ 거리, 속력, 시간에 대한 문제

(거리) = (속력) × (시간), (속력) = $\dfrac{(거리)}{(시간)}$, (시간) = $\dfrac{(거리)}{(속력)}$

> 참고 오른쪽 그림과 같이 적고 위 칸을 분자로, 아래 칸을 분모로 생각하면 외우기 쉽다.

④ 도형에 대한 문제

(1) **삼각형이 되는 조건** : (가장 긴 변의 길이) < (나머지 두 변의 길이의 합)

(2) **도형의 넓이를 구하는 방법**

① (삼각형의 넓이) = $\dfrac{1}{2}$ × (밑변의 길이) × (높이)

② (사다리꼴의 넓이) = $\dfrac{1}{2}$ × {(윗변의 길이) + (아랫변의 길이)} × (높이)

③ (마름모의 넓이) = $\dfrac{1}{2}$ × (한 대각선의 길이) × (나머지 대각선의 길이)

> 주의 '넓이', '거리'인 경우에는 구한 해 중에서 양수만을 답으로 한다.

⑤ 농도에 대한 문제 [심화 개념]

(1) (소금물의 농도) = $\dfrac{(소금의 양)}{(소금물의 양)} \times 100$ (%)

(2) (소금의 양) = $\dfrac{(소금물의 농도)}{100} \times$ (소금물의 양)

> 예 농도가 30 %인 소금물 80 g에 들어 있는 소금의 양은 $\dfrac{30}{100} \times 80 = 24$ (g)

일차부등식의 활용 문제의 풀이 순서

❶ 미지수 정하기 : 문제의 뜻을 파악하고 무엇을 미지수 x로 놓을지 결정한다.

❷ 부등식 세우기 : 문제 중에 있는 수량들 사이의 대소 관계를 부등식으로 나타낸다.

❸ 부등식 풀기 : 부등식을 풀어 해를 구한다.

❹ 확인하기 : 구한 해가 문제의 뜻에 맞는지 확인한다.

쌤의 활용 꿀팁

물을 더 넣거나 물을 증발시켜도 소금의 양은 변하지 않고, 소금을 더 넣으면 소금의 양, 소금물의 양 모두 증가함을 이용하여 식을 세워요.

이것이 진짜 **출제율 100%** 문제

① **수에 대한 문제**

01 (대표문제)

연속하는 세 홀수의 합이 159보다 작을 때, 이를 만족시키는 수 중 가장 큰 세 홀수를 구하시오.

02

민준이는 세 번의 국어 시험에서 86점, 90점, 82점을 받았다. 네 번의 국어 시험의 평균 점수가 88점 이상이 되려면 네 번째 국어 시험에서 최소 몇 점을 받아야 하는지 구하시오.

② **가격 · 비용에 대한 문제**

03 (대표문제)

현재 언니는 10000원, 동생은 4000원을 예금하였다. 다음 달부터 매달 언니는 2000원씩, 동생은 3000원씩 예금한다면 몇 개월 후부터 동생의 예금액이 언니의 예금액보다 많아지는지 구하시오.

04 실수多

한 팩에 800원인 우유와 한 팩에 1200원인 두유를 합하여 15팩을 사려고 한다. 총 금액이 15000원 이하가 되도록 할 때, 두유는 최대 몇 팩까지 살 수 있는지 구하시오.

✍ 쌤의 오답 코칭 | 물건의 개수는 자연수이다.

05

서점에서 원가가 12000원인 책을 정가의 20 %를 할인하여 판매해서 원가의 5 % 이상의 이익을 얻으려고 한다. 이때 정가는 얼마 이상으로 정해야 하는지 구하시오.

06

어느 공원의 입장료는 한 사람당 2000원인데 25명 이상의 단체인 경우에는 입장료의 30 %를 할인해 준다고 한다. 25명 미만인 단체는 몇 명 이상부터 25명의 단체 입장권을 사는 것이 더 유리한지 구하시오.
(단, 25명 미만이어도 25명의 단체 입장권을 살 수 있다.)

③ **거리, 속력, 시간에 대한 문제**

07 (대표문제)

산책을 하는데 갈 때는 시속 4 km로, 올 때는 같은 길을 시속 2 km로 걸어서 총 3시간 이내에 산책을 마치려고 한다. 최대 몇 km 지점까지 갔다가 되돌아올 수 있는지 구하시오.

08 실수多

기차가 출발하기 전까지 1시간 20분의 여유가 있어서 이 시간 동안 시속 3 km로 걸어서 상점에서 물건을 사오려고 한다. 물건을 사는 데 20분이 걸린다고 할 때, 기차역에서 최대 몇 km 이내의 상점을 이용할 수 있는지 구하시오.

✏️ **쌤의 오답 코칭** | 부등식을 세우기 전에 단위를 꼭 통일한다.

④ **도형에 대한 문제**

09 (대표문제)

한 대각선의 길이가 6 cm인 마름모의 넓이가 45 cm² 이상이 되도록 할 때, 이 마름모의 나머지 한 대각선의 길이는 몇 cm 이상이어야 하는지 구하시오.

10

삼각형의 세 변의 길이가 x, $x+3$, $x+5$일 때, x의 값의 범위를 구하시오.

⑤ **농도에 대한 문제** 심화

11 (대표문제)

8 %의 소금물과 12 %의 소금물을 섞어서 농도가 9 % 이상인 소금물 400 g을 만들려고 한다. 이때 8 %의 소금물은 최대 몇 g까지 섞을 수 있는지 구하시오.

📖 **이것이 진짜 교과서에서 뽑아온 문제**

12 | 비상 유사 |

어느 물탱크에 물이 들어 있다. 6 L의 물을 퍼낸 후, 그 나머지의 $\frac{1}{4}$을 사용하여도 12 L 이상의 물이 남아 있게 하려면 처음에 들어 있는 물의 양은 몇 L 이상이어야 하는지 구하시오.

13 | 천재 유사 |

민정이가 운영하는 블로그의 작년 전체 회원은 540명이었다. 올해는 작년에 비해 남자 회원이 15 % 증가하고, 여자 회원이 10 % 감소하여 전체 회원이 21명 이상 증가하였다. 작년 여자 회원은 몇 명 이하인지 구하시오.

01

6회에 걸쳐 치르는 과학 시험에서 4회까지의 평균 점수가 70점이었다. 6회까지의 평균 점수가 74점 이상이 되려면 5회와 6회의 평균 점수가 몇 점 이상 되어야 하는지 구하시오.

쌤의 출제 Point

02

남자 1명이 하면 8일이 걸리고, 여자 1명이 하면 5일이 걸려서 끝낼 수 있는 일이 있다. 이 일을 남자와 여자를 합하여 6명이 하루에 끝내려고 할 때, 여자는 몇 명 이상 필요한지 구하시오.

03

A, B 두 사람이 가위바위보를 하여 이기는 사람은 3점, 진 사람은 1점을 득점한다고 한다. 30번의 가위바위보에서 두 사람이 각각 얻은 점수를 비교하여 A의 점수의 합이 B의 점수의 합보다 15점 이상 많으려면 A는 몇 번 이상 이겨야 하는지 구하시오.

(단, 비기는 경우는 없다.)

A가 이긴 횟수는 B가 진 횟수와 같고, A가 진 횟수는 B가 이긴 횟수와 같다.

04 교과서 추론 | 비상 유사 |

현재 은재와 은성이는 연필을 각각 28자루, 7자루 가지고 있다. 은재가 은성이에게 연필을 몇 자루 주어도 은성이가 가진 것의 2배보다 많으려면 은재는 은성이에게 연필을 최대 몇 자루까지 줄 수 있는지 구하시오.

05

연속하는 세 개의 5의 배수의 합이 155 이하일 때, 이를 만족시키는 세 개의 5의 배수 중 가장 큰 수의 최댓값을 구하시오.

쌤의 출제 Point

06

어느 청바지를 원가에서 15 % 의 이익을 붙여 판매하다가 잘 팔리지 않아 2000원을 할인하여 판매하였더니 이익이 원가의 7 % 이상이었을 때, 이 청바지의 원가는 얼마 이상인지 구하시오.

판매 가격은 원가에 이익을 더하고 할인 금액을 뺀 가격이다.

07 만점 KILL (서울|강남)

어느 가구 회사에서 의자 2400개를 생산하였는데 안전검사를 실시해보니 이 중 100개가 불량품이었다. 정상인 제품만 판매하여 전체 의자 생산 가격의 15 % 이상의 이익을 남기려면 정상인 제품의 생산 가격에 몇 % 이상의 이익을 붙여서 팔아야 하는지 구하시오.

의자의 생산 가격과 생산 가격에 붙인 이익률을 알 수 없으므로 각각 두 미지수로 놓는다.

08

어느 인터넷 음원 사이트에서 비회원인 경우 음원 한 개의 가격은 1000원인데, 회원에 가입하여 3000원의 월 회비를 내면 한 달 동안 음원 2개까지는 무료이고 그 이후부터는 한 개당 300원을 지불하면 된다고 한다. 한 달 동안 이 사이트에서 회원으로 음원을 다운받는 것이 비회원으로 다운받는 것보다 더 유리하려면 최소 몇 개의 음원을 다운받아야 하는지 구하시오.

09 신유형 [안양 | 평촌]

어느 슈퍼마켓에서 구입 가격의 5 %를 할인해 주는 쿠폰과 구입 가격에서 2000원을 할인해 주는 쿠폰 중 하나를 선택해 사용할 수 있는 행사를 하고 있다. 재민이는 이 슈퍼마켓에서 한 병에 1000원인 물을 여러 개 사려고 한다. 재민이가 몇 병 이상의 물을 사야 5 % 할인 쿠폰을 사용하는 것이 2000원 할인 쿠폰을 사용하는 것보다 더 유리한지 구하시오.

쌤의 출제 Point

10

어느 박물관의 입장료는 1인당 5000원이고, 20명 이상의 단체인 경우에는 입장료의 10 %를 할인해 주고, 30명 이상의 단체인 경우에는 입장료의 20 %를 할인해 준다. 이 박물관에 전체 인원이 20명에서 30명 사이인 동아리 학생들이 입장하려고 할 때, 몇 명 이상인 경우 30명의 단체 입장권을 사는 것이 더 유리한지 구하시오.

(단, 30명 미만인 경우에도 30명의 단체 입장권을 살 수 있다.)

20명에서 30명 사이인 동아리 학생들이 입장료의 10 %를 할인 받는 것보다 30명의 단체 입장권이 더 저렴해야 한다.

11 교과서 창의사고력 [신사고 유사]

민채는 집에서 2 km 떨어진 서점에서 오후 4시에 친구와 만나기로 하였다. 민채는 오후 3시 20분에 집에서 출발하여 분속 40 m로 걷다가 도중에 늦을 것 같아 분속 80 m로 뛰어서 약속 시간에 늦지 않게 도착하였다. 민채가 분속 80 m로 뛰어간 거리는 최소 몇 m인지 구하시오.

12

형과 동생이 같은 학교에서 출발하여 3 km 떨어진 공원에 가려고 한다. 형은 먼저 출발하여 시속 4 km로 걸어가고, 동생은 형이 출발한 지 10분 후에 자전거를 타고 출발하여 시속 6 km로 형을 따라가려고 한다. 형과 동생 사이의 거리가 처음으로 100 m 이하가 되는 것은 동생이 출발한 지 몇 분 후인지 구하시오.

13 ⚙️ **복합 개념** (서울 | 강남)

n각형의 내각의 크기의 합이 $1200°$보다 클 때, 자연수 n의 값 중 가장 작은 값을 구하시오.

14

오른쪽 그림과 같은 사다리꼴 ABCD에서 점 P는 점 D를 출발하여 매초 1 cm의 속력으로 $\overline{CD}$를 따라 점 C까지 움직인다. 삼각형 ABP의 넓이가 사다리꼴 ABCD의 넓이의 $\dfrac{1}{2}$ 이상이 되는 것은 점 P가 점 D를 출발한 지 몇 초 후부터인지 구하시오.

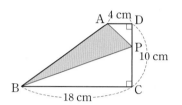

쌤의 출제 Point

삼각형 ABP의 넓이는 사다리꼴 ABCD의 넓이에서 삼각형 ADP의 넓이와 삼각형 BCP의 넓이를 빼서 구할 수 있다.

15

8 %의 소금물 400 g에 물을 더 넣어 농도가 5 % 이하가 되게 하려고 한다. 더 넣어야 하는 물의 양은 최소 몇 g인지 구하시오.

16 🏆 **만점 KILL** (서울 | 목동)

설탕물 1000 g에서 물 250 g을 증발시킨 후 설탕 50 g을 넣었더니 설탕물의 농도가 처음의 농도의 2.5배 이상이 되었다. 이 설탕물의 처음의 농도는 몇 % 이하인지 구하시오.

01 어느 워터파크 매표소에 100명의 사람들이 입장권을 사기 위해 줄을 서 있는데 1분마다 4명의 새로운 사람들이 입장권을 사기 위해 줄을 선다. 이때 매표소의 창구 3개를 열면 줄을 선 사람들이 모두 입장권을 사는 데 50분이 걸린다고 한다. 20분 이내에 줄을 선 모든 사람들이 입장권을 살 수 있게 하려면 최소 몇 개의 창구를 열어야 하는지 구하시오.
(단, 한 사람당 입장권을 한 장씩 사고, 각 창구에서 입장권 한 장을 구매하는 시간은 동일하다.)

02 오른쪽 그림과 같이 시속 4 km로 일정하게 흐르는 강을 따라 전기 보트를 타고 탑승장에서 출발하여 A, B, C, D의 네 지점 중 한 지점에 갔다가 되돌아 오려고 한다. 강을 따라 내려갈

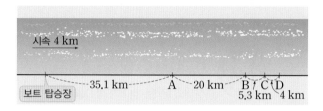

때에는 보트의 계기판이 시속 20 km가 되도록 설정하고, 강을 거슬러 올라올 때에는 보트의 계기판이 시속 40 km가 되도록 설정하려고 한다. A, B, C, D의 네 지점 중 출발한 지 4시간 이내에 돌아올 수 있는 지점을 모두 찾으시오.

03 다음 그림과 같이 밑면의 반지름의 길이가 15 cm이고, 높이가 6 cm인 원기둥 모양 나무토막을 반지름의 길이가 2 cm인 반구 모양으로 파내려고 한다. 반구 모양이 겹치지 않게 여러 번 파내어 만든 입체도형의 겉넓이가 처음의 원기둥 모양 나무토막의 겉넓이의 1.2배 이상이 되려면 반구 모양을 몇 개 이상 파내어야 하는지 구하시오.

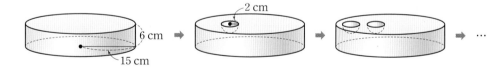

@Challenge

04 빨간색 그릇에는 x %의 소금물 400 g이 들어 있고, 노란색 그릇에는 $(x+4)$ %의 소금물 600 g이 들어 있다. 빨간색 그릇에서 소금물 100 g을 떠서 노란색 그릇에 부어 섞은 후 노란색 그릇에서 소금물 100 g을 떠서 빨간색 그릇에 부어 섞고, 물 200 g을 빨간색 그릇에 부어 섞었더니 빨간색 그릇의 소금물의 농도가 3 % 이상 4 % 이하가 되었다. 이때 자연수 x의 값을 모두 구하시오.

같은 문제

선배들의

다른 풀이

본책 52쪽 — **14** 번 문제

오른쪽 그림과 같은 사다리꼴 ABCD에서 점 P는 점 D를 출발하여 매초 1 cm의 속력으로 $\overline{CD}$를 따라 점 C까지 움직인다. 삼각형 ABP의 넓이가 사다리꼴 ABCD의 넓이의 $\frac{1}{2}$ 이상이 되는 것은 점 P가 점 D를 출발한 지 몇 초 후부터인지 구하시오.

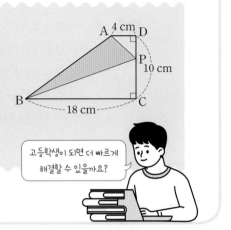

고등학생이 되면 더 빠르게 해결할 수 있을까요?

부등식을 활용하는 문제를 해결할 때에는 '부등식을 만족시키는 x의 값의 범위'를 구하는 과정이 필요해. 위의 문제는 점 P가 점 D를 출발한 지 x초 후의 $\overline{DP}$의 길이는 x cm이고, 주어진 조건을 만족시키는 가장 작은 x의 값을 구하는 것이어서 일차부등식으로 해결이 가능하지만 '삼각형 ABP의 넓이가 사다리꼴 ABCD의 넓이의 $\frac{1}{2}$ 이상이 되는 시간의 범위를 구하시오.'와 같은 문제는 고등학교 1학년 때 '연립부등식'이라는 것을 배우면 구할 수 있어.

'연립부등식'은 연립방정식과 비슷하게 두 개 이상의 부등식을 한 쌍으로 묶어놓은 것인데 이 연립부등식을 이용하면 여러 부등식을 동시에 만족시키는 x의 값의 범위를 구할 수 있어.

즉, 점 P가 점 D를 출발한 지 x초 후의 $\overline{DP}$의 길이는 x cm이므로 x의 값의 범위는 $0 \le x \le 10$이야.

다음과 같이 연립부등식을 세우면 삼각형 ABP의 넓이가 사다리꼴 ABCD의 넓이의 $\frac{1}{2}$ 이상이 되는 시간의 범위를 구할 수 있어.

$$\begin{cases} 110 - \dfrac{1}{2} \times 4x - \dfrac{1}{2} \times 18(10-x) \ge 55 & \cdots \text{㉠} \\ 0 \le x \le 10 & \cdots \text{㉡} \end{cases}$$

이때 ㉠을 풀면 $x \ge 5$이므로 두 식 ㉠, ㉡을 만족시키는 x의 값의 범위를 오른쪽 그림과 같이 수직선 위에 각각 나타낼 수 있어.
따라서 두 식을 동시에 만족시키는 x의 값의 범위는 $5 \le x \le 10$이므로 삼각형 ABP의 넓이가 사다리꼴 ABCD의 넓이의 $\frac{1}{2}$ 이상이 되는 것은 점 P가 점 D를 출발한 지 5초 후부터 10초 후까지라는 뜻이야.
이와 같이 연립부등식도 각각의 일차부등식을 정확하게 푸는 것이 중요하므로 이 단원에서 충분히 연습하도록 해!

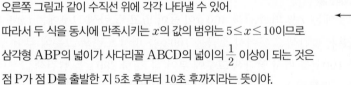

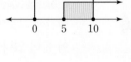

III

연립방정식

🔘 현직 교사의 학교 시험 고난도 킬러 강의

이 단원에서는 여러 가지 형태의 연립방정식 문제를 출제하므로, 그 형태에 따라
효과적인 계산 방법을 익혀야 해요. 연립방정식의 해를 구한 후에는 구한 해가 문제의
뜻에 맞는지 확인해야 실수를 줄일 수 있어요. 해의 조건이 주어진 문제나 계수가 복잡한
문제, 상황을 해석하여 연립방정식을 세워야 하는 활용 문제를 고득점 문항으로 자주
출제해요. 활용 문제의 유형에 따라 어떤 것을 미지수로 두어야 하는지 익혀 두면 큰
도움이 돼요. 특히, 여러 개의 조건을 모두 만족시키는 해의 순서쌍을 구하는 문제나
치환을 활용한 문제, 두 가지 소재가 혼합된 활용 문제 등은 이 단원에서의 kill 문제죠.

연립방정식의 풀이

① 미지수가 2개인 일차방정식

(1) **미지수가 2개인 일차방정식**: 미지수가 2개이고 그 차수가 모두 1인 방정식으로, 일반적으로 두 미지수 x, y에 대한 일차방정식은 다음과 같이 나타낸다.

$$ax+by+c=0 \ (단, \ a, \ b, \ c는 \ 상수, \ a \neq 0, \ b \neq 0)$$

(2) **미지수가 2개인 일차방정식의 해**: 두 미지수 x, y에 대한 일차방정식을 참이 되게 하는 x, y의 값 또는 그 순서쌍 (x, y)

> **참고** x, y에 대한 일차방정식 $ax+by+c=0$의 한 해가 x, y의 순서쌍 (m, n)일 때, $x=m$, $y=n$을 방정식에 대입하면 등식이 성립한다. 즉, $am+bn+c=0$이다.

(3) **방정식을 푼다**: 방정식의 해를 모두 구하는 것

> **예** $x+y=3$의 해는 x, y가 자연수일 때 $(1, 2)$, $(2, 1)$이고, x, y가 정수일 때 $\cdots$, $(-1, 4)$, $(0, 3)$, $(1, 2)$, $\cdots$
> ➡ 미지수가 2개인 일차방정식의 해는 미지수의 범위에 따라 달라지고 여러 개일 수 있다.

② 미지수가 2개인 연립일차방정식

(1) **연립방정식**: 두 개 이상의 방정식을 한 쌍으로 묶어 나타낸 것

(2) **미지수가 2개인 연립일차방정식**: 미지수가 2개인 두 일차방정식을 한 쌍으로 묶어 놓은 것

> **참고** 연립일차방정식을 연립방정식이라고도 한다.

(3) **연립방정식의 해**: 연립방정식에서 두 방정식을 동시에 참이 되게 하는 x, y의 값 또는 그 순서쌍 (x, y)

> **참고** x, y에 대한 연립방정식 $\begin{cases} ax+by=c \\ a'x+b'y=c' \end{cases}$의 해가 x, y의 순서쌍 (m, n)일 때, $x=m$, $y=n$을 두 방정식에 각각 대입하면 등식이 성립한다. 즉, $\begin{cases} am+bn=c \\ a'm+b'n=c' \end{cases}$이다.

(4) **연립방정식을 푼다**: 연립방정식의 해를 구하는 것

③ 연립방정식의 풀이

(1) **대입법**: 한 일차방정식에서 한 미지수를 다른 미지수에 대한 식으로 나타낸 후 다른 일차방정식에 대입하여 연립방정식의 해를 구하는 방법

(2) **대입법을 이용한 풀이 순서**

> ❶ 한 방정식을 $x=(y$에 대한 식$)$ 또는 $y=(x$에 대한 식$)$의 꼴로 나타낸다.
> ❷ ❶에서 구한 식을 다른 방정식에 대입하여 일차방정식의 해를 구한다.
> ❸ ❷에서 구한 해를 ❶의 식에 대입하여 다른 미지수의 값을 구한다.

(3) **가감법**: 두 일차방정식을 변끼리 더하거나 빼서 연립방정식의 해를 구하는 방법

(4) **가감법을 이용한 풀이 순서**

> ❶ 각 일차방정식의 양변에 적당한 수를 곱하여 없애려는 미지수의 계수의 절댓값이 같아지도록 한다.
> ❷ ❶의 두 일차방정식의 계수의 부호가 ⎡ 같으면 두 방정식을 변끼리 빼고 ⎤ 한 미지수를 없애고 방정식을 푼다.
> ⎣ 다르면 두 방정식의 변끼리 더하여 ⎦
> ❸ ❷에서 구한 해를 두 일차방정식 중 간단한 식에 대입하여 다른 미지수의 값을 구한다.

④ 여러 가지 연립방정식의 풀이

(1) **괄호가 있는 연립방정식** : 분배법칙을 이용하여 괄호를 풀고 동류항끼리 정리한다.

(2) **계수가 소수인 연립방정식** : 양변에 10의 거듭제곱을 곱하여 계수를 정수로 바꾼다.

(3) **계수가 분수인 연립방정식** : 양변에 분모의 최소공배수를 곱하여 계수를 정수로 바꾼다.

(4) **$A=B=C$ 꼴의 방정식** : $\begin{cases} A=B \\ A=C \end{cases}$ 또는 $\begin{cases} A=B \\ B=C \end{cases}$ 또는 $\begin{cases} A=C \\ B=C \end{cases}$ 중 간단한 식을 선택하여 푼다.

> **참고** 세 연립방정식 중 어떤 것을 선택하더라도 그 해는 모두 같다.

⑤ 특수한 형태의 연립방정식 〔심화 개념〕

(1) **비례식을 포함한 연립방정식의 풀이**

$x:y=a:b$일 때, $bx=ay$임을 이용하여 일차방정식으로 바꾸거나

$x=ak, y=bk$ (k는 상수)의 꼴로 바꾼다.

> **예** $\begin{cases} x+y=3 & \cdots \text{㉠} \\ x:y=1:2 & \cdots \text{㉡} \end{cases}$ 의 해를 구해 보자.
>
> ㉡에서 $y=2x$를 ㉠에 대입하면 $x+2x=3, 3x=3$ ∴ $x=1$
>
> $x=1$을 $y=2x$에 대입하면 $y=2$ ∴ $x=1, y=2$

> **쌤의 활용 꿀팁**
>
> 특수한 형태의 연립방정식도 식의 형태를 변형하거나 공통된 부분을 다른 문자로 바꾸는 방법을 이용하여 미지수가 2개인 연립일차방정식으로 바꾸어 풀 수 있어요.

(2) **분모에 미지수가 들어 있는 연립방정식의 풀이**

❶ 분모에 미지수가 들어 있는 식을 X, Y로 놓고 X, Y에 대한 연립방정식을 만든다.

❷ X, Y에 대한 연립방정식을 푼 후 처음 연립방정식의 해를 구한다.

> **예** $\begin{cases} \dfrac{1}{x}+\dfrac{1}{y}=3 \\ \dfrac{1}{x}-\dfrac{1}{y}=1 \end{cases}$ 의 해를 구해 보자.
>
> $\dfrac{1}{x}=X, \dfrac{1}{y}=Y$라 하면 $\begin{cases} X+Y=3 \\ X-Y=1 \end{cases}$
>
> 이 연립방정식을 풀면 $X=2, Y=1$이므로 $x=\dfrac{1}{2}, y=1$

⑥ 해가 특수한 연립방정식

연립방정식의 두 일차방정식 중 하나의 방정식에 적당한 수를 곱하여 다른 방정식과 계수, 상수항을 비교하였을 때

① 두 방정식의 x, y의 계수, 상수항이 모두 일치하면 해가 무수히 많다.

> **예** $\begin{cases} 2x+3y=4 & \cdots \text{㉠} \\ 4x+6y=8 \end{cases}$ $\xrightarrow[\text{㉠}\times 2\text{를 하면}]{x\text{의 계수가 같아지도록}}$ $\begin{cases} 4x+6y=8 \\ 4x+6y=8 \end{cases}$ ➡ 해가 무수히 많다.

② 두 방정식의 x, y의 계수는 같고 상수항만 다르면 해가 없다.

> **예** $\begin{cases} 2x+3y=4 & \cdots \text{㉠} \\ 4x+6y=6 \end{cases}$ $\xrightarrow[\text{㉠}\times 2\text{를 하면}]{x\text{의 계수가 같아지도록}}$ $\begin{cases} 4x+6y=8 \\ 4x+6y=6 \end{cases}$ ➡ 해가 없다.

> **참고** x, y에 대한 연립방정식 $\begin{cases} ax+by=c \\ a'x+b'y=c' \end{cases}$ 에서 $\begin{cases} \dfrac{a}{a'}=\dfrac{b}{b'}=\dfrac{c}{c'} \text{이면 해가 무수히 많다.} \\ \dfrac{a}{a'}=\dfrac{b}{b'}\neq\dfrac{c}{c'} \text{이면 해가 없다.} \\ \dfrac{a}{a'}\neq\dfrac{b}{b'} \text{이면 해가 한 쌍이다.} \end{cases}$

🎯 이것이 진짜 **출제율 100%** 문제

① 미지수가 2개인 일차방정식

01 (대표문제)

x, y의 순서쌍 $(a, -1), (2, -b)$가 일차방정식 $2x+y=5$의 해일 때, $a+b$의 값을 구하시오.

02

다음 중 $ax+y=b(y-1)-2x$가 미지수가 2개인 일차방정식이 되게 하는 상수 a, b의 조건은?

① $a=-2, b=-1$　　② $a\neq-2, b=1$

③ $a=-2, b=2$　　④ $a\neq-2, b\neq1$

⑤ $a\neq2, b\neq1$

03 (실수多)

x, y가 음이 아닌 정수일 때, 일차방정식 $2x+3y=24$의 해는 모두 몇 개인가?

① 3개　　　② 4개　　　③ 5개

④ 6개　　　⑤ 무수히 많다.

✍ 쌤의 오답 코칭 | 음이 아닌 정수에는 0도 있음에 주의한다.

② 미지수가 2개인 연립일차방정식

04 (대표문제)

다음 보기에서 미지수가 2개인 연립일차방정식을 모두 고른 것은?

◀ 보기 ▶

ㄱ. $xy+2x=2xy-1$　　ㄴ. $\begin{cases} 3x-y=1 \\ 2x-y\leq-1 \end{cases}$

ㄷ. $\begin{cases} y=x-1 \\ 2x+y=0 \end{cases}$　　ㄹ. $\begin{cases} \dfrac{x+y}{2}=1 \\ \dfrac{x-y}{2}=-1 \end{cases}$

ㅁ. $\begin{cases} x-y+2 \\ 2x+2y-3 \end{cases}$

① ㄱ, ㄴ　　② ㄷ, ㄹ　　③ ㄱ, ㄷ, ㅁ

④ ㄴ, ㄷ, ㄹ　　⑤ ㄷ, ㄹ, ㅁ

05

연립방정식 $\begin{cases} 2ax-y=1 \\ 3x+2y=-6 \end{cases}$의 해가 $(-1, b)$일 때, $a+b$의 값을 구하시오. (단, a는 상수)

06

연립방정식 $\begin{cases} 3x-4y=-8 \\ x+2y=b \end{cases}$의 해가 $x=2a, y=a$일 때, $a-b$의 값을 구하시오. (단, b는 상수)

③ 연립방정식의 풀이

07 (대표문제)

연립방정식 $\begin{cases} x=2y+3 & \cdots\text{㉠} \\ 2x+y=12 & \cdots\text{㉡} \end{cases}$ 에서 ㉠을 ㉡에 대입하여 x를 소거하면 $ay=b$이다. 이때 상수 a, b에 대하여 ab의 값을 구하시오.

08

연립방정식 $\begin{cases} 3x-4y=5 \\ 2x+3y=9 \end{cases}$ 의 해가 $x=a$, $y=b$일 때, 연립

방정식 $\begin{cases} ax+by=5 \\ bx+ay=-9 \end{cases}$ 의 해를 구하시오.

④ 여러 가지 연립방정식의 풀이

09 (대표문제)

연립방정식 $\begin{cases} 3(x+y)-2y=-7 \\ 4x-2(x+y)=6 \end{cases}$ 의 해가 $x=p$, $y=q$일

때, $p+q$의 값을 구하시오.

10 (실수多)

연립방정식 $\begin{cases} 0.4(x-1)-0.3(2-y)=-\dfrac{1}{2} \\ \dfrac{2(x-1)}{3}-\dfrac{2y-5}{6}=-\dfrac{3}{2} \end{cases}$ 의 해가 $x=a$,

$y=b$일 때, $a-b$의 값을 구하시오.

✎ 쌤의 오답 코칭 | 양변에 적당한 수를 곱할 때 부호에 주의한다.

11

연립방정식 $\begin{cases} 0.3x+0.1y=1.4 \\ \dfrac{3}{5}x-y=\dfrac{2}{5}a \end{cases}$ 를 만족시키는 y의 값이 x의

값보다 6만큼 작을 때, 상수 a의 값을 구하시오.

12

방정식 $\dfrac{2x-5}{2}=\dfrac{1-2y}{3}=-x+2y-1$의 해가 일차방정식 $ax-4y=1$을 만족시킬 때, 상수 a의 값을 구하시오.

⑤ 특수한 형태의 연립방정식 심화

13 (대표문제)

연립방정식 $\begin{cases} (x+1):(y-1)=2:3 \\ 2x+y=6 \end{cases}$ 의 해가 $x+2y=k$

를 만족시킬 때, 상수 k의 값을 구하시오.

14

연립방정식 $\begin{cases} \dfrac{4}{x}+\dfrac{2}{y}=3 \\ \dfrac{3}{x}-\dfrac{4}{y}=5 \end{cases}$ 의 해가 $x=a$, $y=b$일 때, $a+b$의

값을 구하시오.

⑥ 해가 특수한 연립방정식

15 (대표문제)

연립방정식 $\begin{cases} x+2y=6 \\ ax-by=2 \end{cases}$ 의 해가 무수히 많을 때, $a-b$의 값

을 구하시오. (단, a, b는 상수)

📖 이것이 진짜 **교과서에서 뽑아온** 문제

16 | 동아 유사 |

연립방정식 $\begin{cases} ax+by=2 \\ bx+ay=-8 \end{cases}$ 에서 잘못하여 상수 a와 b를 서

로 바꾸어 놓고 풀었더니 $x=-3$, $y=2$가 되었다. 처음 연립방정식의 해를 구하시오.

17 | 신사고 유사 |

다음 두 연립방정식의 해가 서로 같을 때, 상수 a, b에 대하여 $a+4b$의 값을 구하시오.

$$\begin{cases} x+3y=-4 \\ ax-by=3 \end{cases} , \begin{cases} 2ax+3by=4 \\ 0.08x-0.2y=0.12 \end{cases}$$

18 | 비상 유사 |

다음을 보고, 학생들의 대화 중에서 옳게 설명한 학생을 모두 고르시오.

연립방정식 $\begin{cases} 4(x-y)-(2x-5y)=5 \\ \dfrac{x}{9}-\dfrac{y}{3}=\dfrac{2}{3} \end{cases}$ 를 정리하면

$\begin{cases} ax+by=5 & \cdots \text{㉠} \\ cx+dy=6 & \cdots \text{㉡} \end{cases}$ (단, a, b, c, d는 정수)

지민 : ㉠의 양변에 3을 곱한 식에서 ㉡을 변끼리 빼면 y를 없애서 풀 수 있어.

민재 : ㉡의 양변에 2를 곱한 식에서 ㉠을 변끼리 빼면 x를 없애서 풀 수 있어.

서영 : ㉠을 $y=-2x+5$로 바꾼 후 ㉡에 대입하여 정리하면 x의 값을 구할 수 있어.

준서 : ㉡을 $x=-3y+6$으로 바꾼 후 ㉠에 대입하여 정리하면 y의 값을 구할 수 있어.

지원 : 해를 순서쌍으로 나타내면 $(3, -1)$이야.

01

일차방정식 $3x+2y=8$의 한 해 $x=a$, $y=b$에 대하여 $(2a-3):(3-2b)=3:5$일 때, a^2+b^2의 값을 구하시오.

쌤의 출제 Point

02

순환소수 $0.\dot{x}\dot{y}$, $0.\dot{y}\dot{x}$의 합이 $0.\dot{4}$일 때, 이를 만족시키는 서로 다른 한 자리의 자연수 x, y의 순서쌍 (x, y)는 모두 몇 개인지 구하시오.

03

일차방정식 $3x-y=18$을 만족시키는 두 자연수 x, y의 최소공배수가 36일 때, $x+y$의 값 중 가장 큰 값을 구하시오.

두 자연수 x, y의 최소공배수가 36이면 두 자연수 x, y는 36의 약수이다.

04 신유형 부산|해운대

x, y에 대한 일차방정식 $(2a-b)x+(a+2b)y=0$의 해가 $(3, -2)$일 때, 일차방정식 $ax+2b=3by+4a$를 만족시키는 x, y에 대하여 $7x-12y$의 값을 구하시오.
(단, a, b는 0이 아닌 상수)

05 교과서 **창의사고력** | 천재 유사 |

쌤의 출제 Point

연립방정식 $\begin{cases} ax+by=-3 \\ 4x+cy=5 \end{cases}$ 에서 c를 잘못 보고 풀어서 $x=0$, $y=1$을 해로 얻었다. 옳은 해

가 $x=2$, $y=3$일 때, 상수 a, b, c에 대하여 $a+b+c$의 값을 구하시오.

06

연립방정식 $\begin{cases} 0.3x-0.2y=0.5 \\ ax+by=4 \end{cases}$ 를 만족시키는 x, y의 값을 서로 바꾸면 연립방정식

$\begin{cases} ax-by=7 \\ 3x+y=9 \end{cases}$ 를 만족시킨다. 상수 a, b에 대하여 ab의 값을 구하시오.

연립방정식의 x, y의 값을 바꿔야 하는 것에 주의한다.

07 교과서 **추론** | 비상 유사 |

연립방정식 $\begin{cases} -x+3y=k+1 \\ 2x-y=3k-7 \end{cases}$ 을 만족시키는 x와 y의 값의 비가 $3:2$일 때, 상수 k의 값을

구하시오.

08 신유형 서울 | 목동

연립방정식 $\begin{cases} 2x-4y=a+6 \\ 3x+2y=4 \end{cases}$ 의 해는 $(m, n-2)$이고, 연립방정식 $\begin{cases} x-3y=-3 \\ 4x-by=20 \end{cases}$ 의 해는

$(2m-1, n+1)$일 때, 상수 a, b에 대하여 $a+b$의 값을 구하시오.

09

쌤의 출제 Point

연립방정식 $\begin{cases} (x-y):(2x+y-4)=2:3 \\ 2x-y=5 \end{cases}$ 의 해를 (a, b)라 할 때, 일차방정식

$2ax-3by=15$의 해의 개수를 구하시오. (단, x, y는 15 이하의 자연수)

10

서로 다른 두 수 x, y에 대하여 $\{x, y\}$는 x와 y 중 작은 수, $\langle x, y \rangle$는 x와 y의 평균이라 하

자. 연립방정식 $\begin{cases} \{x, y\}=2x-3y-6 \\ \langle x, y \rangle = \dfrac{3}{2}x+y-\dfrac{5}{2} \end{cases}$ 의 해를 $x=p$, $y=q$라 할 때, $p+3q$의 값을 구하시오.

값이 정해져 있지 않은 서로 다른 두 수
x, y는 $x<y$일 때와 $x>y$일 때로 나누
어 문제를 해결한다.

11

연립방정식 $\begin{cases} 3(x+5)-7y=\dfrac{2(y-3)}{5} \\ 0.\dot{1}(x+2y)-1.\dot{2}y=-2.\dot{7} \end{cases}$ 의 해를 (a, b)라 할 때, $a+b$의 값을 구하시오.

순환소수를 분수로 고친 후 계수를 정
수로 바꾸고 괄호를 푼다.

12

두 자연수 m, n에 대하여 $G(m, n)=(m, n$의 최대공약수$)$, $L(m, n)=(m, n$의 최소공배수$)$

라 하자. 방정식 $3ax+2by=-2ax-3by=12$의 해가 $x=G(12, 70)$, $y=L(3, 6)$일 때,

상수 a, b에 대하여 $a+b$의 값을 구하시오.

13

x, y에 대한 방정식 $\dfrac{x-1}{3}-\dfrac{y+1}{2}=\dfrac{x+1}{4}+\dfrac{y-a}{3}=\dfrac{x-2y}{6}$ 의 해가 $2x+y=4$를 만족시킬 때, 상수 a의 값을 구하시오.

14

방정식 $\dfrac{3x-5y+a}{2}=-x+3y-b=-\dfrac{x-4y+2}{3}$ 의 해가 $x=1-2a$, $y=2b-3$일 때, $a+b$의 값을 구하시오. (단, a, b는 상수)

15 복합 개념 　서울 | 강남

x, y가 자연수일 때, 연립방정식 $\begin{cases} 4^x \times 2^{y+1}=64 \\ \dfrac{9^{2x}}{27^y}=243 \end{cases}$ 의 해가 일차방정식 $2ax-3y-5=0$을 만족시킨다. 이때 상수 a의 값을 구하시오.

16 신유형 　분당 | 서현

연립방정식 $\begin{cases} ax-by=6 \\ x-2by=3 \end{cases}$ 을 만족시키는 x, y가 자연수일 때, x, y의 순서쌍 (x, y)를 모두 구하시오. (단, a, b는 자연수)

x, y가 모두 자연수임에 주의한다.

17

연립방정식 $\begin{cases} ax-y=b \\ 2ax-y=5b \end{cases}$ 를 만족시키는 x, y가 모두 자연수일 때, $xy=6$이 성립한다. 두 정수 a, b에 대하여 ab의 값이 가장 클 때, $a-b$의 값을 구하시오.

18

연립방정식 $\begin{cases} -\dfrac{3}{2}x+4y=6 \\ 2x+ky=6 \end{cases}$ 을 만족시키는 x, y에 대하여 $|x| : |y| = 2 : 1$일 때, 모든 상수 k의 값의 합을 구하시오.

19 만점 KILL 서울 | 강남

연립방정식 $\begin{cases} x-2y+z=0 \\ 3x+2y-3z=0 \end{cases}$ 을 만족시키는 세 자연수 x, y, z의 최소공배수가 48일 때, $x+y+z$의 값을 구하시오.

y, z를 x에 대한 식으로 각각 나타낸다.

20

연립방정식 $\begin{cases} |2x-1|-y=2 \\ 2y-|2x-1|=1 \end{cases}$ 의 해가 일차방정식 $2x-y+a=7$을 만족시킬 때, 상수 a의 값을 모두 구하시오.

21

연립방정식 $\begin{cases} x+y=3 \\ y+z=2 \\ z+x=1 \end{cases}$ 의 해가 $x=a$, $y=b$, $z=c$일 때, abc의 값을 구하시오.

쌤의 출제 Point

식끼리 더하거나 빼어서 미지수가 2개인 연립방정식으로 변형한다.

22

연립방정식 $\begin{cases} \dfrac{3}{2x+y} - \dfrac{4}{x-y} = \dfrac{1}{2} \\ \dfrac{2}{x-y} + \dfrac{1}{2x+y} = \dfrac{1}{4} \end{cases}$ 의 해가 $x=a$, $y=b$일 때, $a+b$의 값을 구하시오.

공통 부분인 $\dfrac{1}{2x+y}$, $\dfrac{1}{x-y}$ 을 다른 문자로 바꾼다.

23 신유형 (서울 | 강남)

연립방정식 $\begin{cases} ax+2y=8 \\ -3x+by=-4 \end{cases}$ 의 해가 무수히 많고, 연립방정식 $\begin{cases} 3x+y=1 \\ ax-2by=c \end{cases}$ 의 해가 없을 때, 다음 중 c의 값으로 옳지 <u>않은</u> 것은? (단, a, b, c는 상수)

① -2 ② -1 ③ 1

④ 2 ⑤ 4

24

연립방정식 $\begin{cases} \dfrac{1}{2}(-a+b)x + \left(\dfrac{a}{2}-b+\dfrac{3}{2}\right)y = 3 \\ \left(-\dfrac{a}{3}+b-\dfrac{2}{3}\right)x + (a-1)y = 2 \end{cases}$ 의 해가 무수히 많을 때, 상수 a, b에 대하여 ab의 값을 구하시오.

01 서로 다른 두 수 a, b에 대하여 $\max(a, b)$는 a, b 중에서 작지 않은 수, $\min(a, b)$는 a, b 중에서 크지 않은 수를 나타낸다. 연립방정식 $\begin{cases} 3x+2y-\max(2x, 3y)=4 \\ \min(2x, 3y)=-3x+2y+3 \end{cases}$ 의 해를 (p, q)라 할 때, $2p+3q$의 값을 구하시오.

02 연립방정식 $\begin{cases} 2|x|+3|y|=2k+1 \\ 5|x|+2|y|=32 \end{cases}$ 를 만족시키는 x, y가 모두 정수일 때, 가능한 모든 자연수 k의 값의 합을 구하시오.

03 한 자리의 자연수 a, b, c에 대하여 $x=0.\dot{a}\dot{b}$, $y=0.\dot{b}\dot{c}$, $z=0.\dot{c}\dot{a}$는 연립방정식 $\begin{cases} x+y+z=1 \\ x-2y+z=\dfrac{c}{10} \end{cases}$ 를 만족시킬 때, abc의 값을 구하시오.

04 Challenge

다음 연립방정식을 만족시키는 a, b, c, d, e, f, g, h에 대하여 $a+2b+3c+4d+5e+6f+7g+8h$의 값을 구하시오.

$$\begin{cases} a+b+c=3 \\ b+c+d=2 \\ c+d+e=-1 \\ d+e+f=-3 \\ e+f+g=4 \\ f+g+h=-2 \\ g+h+a=1 \\ h+a+b=-4 \end{cases}$$

연립방정식의 활용

① 수에 대한 문제

(1) 자연수에 대한 문제

십의 자리의 숫자가 x, 일의 자리의 숫자가 y인 두 자리의 자연수 ➡ $10x+y$

> **참고** 십의 자리의 숫자 x와 일의 자리의 숫자 y를 바꾼 두 자리의 자연수 ➡ $10y+x$

(2) 몫과 나머지에 대한 문제

a를 b로 나누면 몫이 q, 나머지가 r이다. ➡ $a=bq+r$ (단, $0 \leq r < b$)

(3) 나이에 대한 문제

① 현재 x세인 사람의 a년 후의 나이 ➡ $(x+a)$세

② 현재 x세인 사람의 b년 전의 나이 ➡ $(x-b)$세

(4) 물건의 개수와 가격에 대한 문제

① (전체 가격)＝(물건 한 개의 가격)×(물건의 개수)

② (거스름돈)＝(지불한 돈)−(물건의 가격)

(5) 가위바위보에 대한 문제

비기는 경우가 없을 때, A가 x번 이기고 y번 진다. ➡ B는 x번 지고 y번 이긴다.

> **연립방정식의 활용 문제 풀이 순서**
> ❶ 문제의 뜻을 파악하여 구하려는 값을 두 미지수 x, y로 나타낸다.
> ❷ 문제의 뜻에 맞게 x, y에 대한 연립방정식을 세운다.
> ❸ 연립방정식을 풀어 x, y의 값을 구한다.
> ❹ 구한 해가 문제의 조건에 맞는지 확인한다.

② 거리, 속력, 시간에 대한 문제

(1) 기차에 대한 문제

① 일정한 속력의 기차가 터널 또는 다리를 완전히 통과할 때

➡ (이동한 거리)＝(터널 또는 다리의 길이)＋(기차의 길이)

② 터널 또는 다리를 통과하는 일정한 속력의 기차가 완전히 보이지 않을 때

➡ (이동한 거리)＝(터널 또는 다리의 길이)−(기차의 길이)

(2) 원 모양의 트랙을 도는 문제

① 반대 방향으로 돌다가 만나는 경우

➡ (처음 만날 때까지 이동한 거리의 합)＝(트랙의 길이)

② 같은 방향으로 돌다가 만나는 경우

➡ (처음 만날 때까지 이동한 거리의 차)＝(트랙의 길이)

(3) 흐르는 강물에서의 배에 대한 문제

① (강을 거슬러 올라가는 배의 속력)＝(정지한 물에서의 배의 속력)−(강물의 속력)

② (강을 따라 내려오는 배의 속력)＝(정지한 물에서의 배의 속력)＋(강물의 속력)

> **참고** ① A, B 두 사람이 시간 차를 두고 출발한 경우 ➡ $\begin{cases} \text{(시간 차에 대한 식)} \\ \text{(A가 이동한 거리)} = \text{(B가 이동한 거리)} \end{cases}$
>
> ② A, B 두 사람이 거리 차를 두고 출발한 경우 ➡ $\begin{cases} \text{(거리 차에 대한 식)} \\ \text{(A가 걸린 시간)} = \text{(B가 걸린 시간)} \end{cases}$

> **주의** (거리)＝(속력)×(시간), (속력)＝$\dfrac{\text{(거리)}}{\text{(시간)}}$, (시간)＝$\dfrac{\text{(거리)}}{\text{(속력)}}$ 이므로 거리, 속력, 시간의 단위가 다를 때는 단위를 통일해야
>
> 한다. 이때 속력의 단위에 맞추면 편리하다.

③ 농도에 대한 문제 `심화 개념`

① $($ 소금물의 농도 $) = \dfrac{(소금의 양)}{(소금물의 양)} \times 100 \, (\%)$

　예 소금 60 g이 들어 있는 소금물 400 g의 농도

　　➡ $($ 소금물의 농도 $) = \dfrac{60}{400} \times 100 = 15 \, (\%)$

② $($ 소금의 양 $) = \dfrac{(농도)}{100} \times ($ 소금물의 양 $)$

　예 8 %의 소금물 300 g에 들어 있는 소금의 양

　　➡ $($ 소금의 양 $) = \dfrac{8}{100} \times 300 = 24 \, (g)$

`참고` 농도가 다른 두 소금물 A, B를 섞는 경우

　➡ $\begin{cases} (소금물 \, A의 \, 양) + (소금물 \, B의 \, 양) = (전체 \, 소금물의 \, 양) \\ (소금물 \, A의 \, 소금의 \, 양) + (소금물 \, B의 \, 소금의 \, 양) = (전체 \, 소금의 \, 양) \end{cases}$

`쌤의 활용 꿀팁`
물만 더 넣거나 증발시킬 경우 소금의 양은 변하지 않아요. 소금이나 소금물을 넣을 때만 소금의 양이 변한다는 것에 주의하세요.

④ 증가, 감소에 대한 문제

⑴ 증가, 감소에 대한 문제

　① x가 a % 증가한 경우

　　➡ a %의 증가량 : $\dfrac{a}{100} x$

　　　a % 증가한 후 전체의 양 : $\left(1 + \dfrac{a}{100}\right) x$

　② x가 b % 감소한 경우

　　➡ b %의 감소량 : $\dfrac{b}{100} x$

　　　b % 감소한 후 전체의 양 : $\left(1 - \dfrac{b}{100}\right) x$

　`주의` 증가, 감소에 대한 문제는 증가 또는 감소하기 전의 값을 기준으로 식을 세운다.

⑵ 원가, 정가에 대한 문제

　① $($ 원가 x원에 원가의 a %의 이익을 붙인 정가 $) = \left(1 + \dfrac{a}{100}\right) x \, (원)$

　② $($ 정가가 x원인 물건을 b % 할인하여 판매한 가격 $) = \left(1 - \dfrac{b}{100}\right) x \, (원)$

　`참고` (정가) = (원가) + (이익), (판매 가격) = (정가) − (할인 금액), (이익) = (판매 가격) − (원가)

⑤ 일에 대한 문제 `심화 개념`

전체 일의 양을 1로 놓고, 단위 시간당 할 수 있는 일의 양을 미지수로 놓고 식을 세운다.

⑴ 일을 완성하는 데 n일이 걸릴 때 하루 동안 하는 일의 양은 $\dfrac{1}{n}$

　예 A가 일을 하는데 12일 동안 하면 완성할 수 있고, A가 하루에 할 수 있는 일의 양을 x라 하면

　　$12x = 1$　　$\therefore x = \dfrac{1}{12}$

　　따라서 A가 하루에 할 수 있는 일의 양은 $\dfrac{1}{12}$이다.

⑵ 물을 채우는 데 n시간이 걸릴 때 1시간 동안 채울 수 있는 물의 양은 $\dfrac{1}{n}$

`쌤의 활용 꿀팁`
단위 시간은 1분, 1시간, 1일 등이 될 수 있어요. 걸리는 시간을 구하는 문제가 자주 출제되므로 구하는 답이 무엇인지 꼭 확인하세요.

🎯 이것이 진짜 **출제율 100%** 문제

① **수에 대한 문제**

01 대표문제
두 자리의 자연수가 있다. 각 자리의 숫자의 합은 9이고, 십의 자리의 숫자와 일의 자리의 숫자를 바꾼 수는 처음 수의 3배보다 9만큼 작다고 할 때, 처음 자연수를 구하시오.

02
두 자연수에 대하여 큰 수를 작은 수로 나누면 몫이 4이고 나머지가 3이다. 또, 작은 수에 5를 곱하여 큰 수로 나누면 몫이 1이고 나머지가 2일 때, 두 수 중 큰 수를 구하시오.

03
현재 아빠의 나이는 딸의 나이의 3배이고, 10년 전에는 아빠의 나이가 딸의 나이의 7배였다. 현재 아빠의 나이를 구하시오.

04
서준이네 가족은 시우네 가족과 국립 공원에 놀러가기로 하였다. 이 국립 공원의 어른 4명과 어린이 5명의 입장료는 11400원이고, 어른 2명의 입장료는 어린이 3명의 입장료보다 200원이 더 비쌀 때, 어린이 한 명의 입장료를 구하시오.

05
지윤이는 동생과 가위바위보를 하여 이긴 사람은 3계단을 올라가고, 진 사람은 2계단을 내려가기로 하였다. 얼마 후 지윤이는 처음보다 14계단, 동생은 처음보다 4계단을 올라가 있었다. 이때 지윤이가 이긴 횟수를 구하시오.

(단, 비기는 경우는 없다.)

② **거리, 속력, 시간에 대한 문제**

06 대표문제 실수多
민서는 집에서 18 km 떨어진 놀이동산에 가려고 한다. 놀이동산에 가기 위해 오전 9시에 출발하여 처음에는 분속 900 m로 달리는 버스를 타고 가다가 도중에 내려서 분속 90 m로 걸었더니 9시 45분에 놀이동산에 도착하였다. 민서가 버스를 타고 간 거리는 몇 km인지 구하시오.

✍️ **쌤의 오답 코칭** | 거리, 속력, 시간의 단위가 다르면 방정식을 세우기 전에 단위를 통일한다.

07

길이가 50 m인 기차가 일정한 속력으로 다리를 완전히 건너는 데 8초가 걸리고, 다리의 길이의 2배인 터널을 완전히 통과하는 데 14초가 걸린다. 이때 다리의 길이는 몇 m인지 구하시오.

08

둘레의 길이가 800 m인 원형 트랙을 진영이와 수연이가 자전거를 타고 돌고 있다. 같은 지점에서 두 사람이 동시에 출발하여 반대 방향으로 돌면 2분 후에 처음으로 만나고, 같은 방향으로 돌면 8분 후에 처음으로 만난다고 한다. 진영이가 수연이보다 빠르게 달릴 때, 진영이의 속력을 구하시오.

09

속력이 일정한 배를 타고 길이가 24 km인 강을 거슬러 올라가는 데 2시간, 내려오는 데 1시간 30분이 걸렸다. 이때 흐르지 않는 물에서의 배의 속력을 구하시오.
(단, 강물의 속력은 일정하다.)

③ 농도에 대한 문제 심화

10 대표문제

15 %의 소금물과 24 %의 소금물을 섞어서 18 %의 소금물 600 g을 만들려고 한다. 이때 24 %의 소금물은 몇 g을 섞어야 하는지 구하시오.

11 실수多

8 %의 소금물과 12 %의 소금물을 섞은 후 물을 더 넣어서 10 %의 소금물 500 g을 만들었다. 8 %의 소금물과 더 넣은 물의 양의 비가 1 : 3일 때, 더 넣은 물의 양을 구하시오.

✍ 쌤의 오답 코칭 | 물을 더 넣어도 소금의 양은 변하지 않는다.

④ 증가, 감소에 대한 문제

12 대표문제

어느 학교의 작년 전체 학생은 440명이었다. 올해는 작년보다 남학생은 5 % 감소하고, 여학생은 4 % 감소하여 전체 학생은 420명이 되었다. 이때 올해 남학생은 몇 명인지 구하시오.

13

채연이네 꽃 가게에서는 A, B 두 종류의 꽃바구니를 판매하기 위해 원가에 각각 20 %, 35 %의 이익을 붙여서 정가를 정하였다. 두 꽃바구니의 정가의 합은 57300원이고 원가의 차는 9500원일 때, A 꽃바구니의 정가를 구하시오.

(단, A 꽃바구니가 더 비싸다.)

⑤ 일에 대한 문제 심화

14 대표문제

소윤이와 도연이가 함께 하면 4일 만에 끝마칠 수 있는 일을 소윤이가 8일 동안 한 후 나머지를 도연이가 2일 동안 하여 끝마쳤다. 소윤이가 이 일을 혼자 끝마치려면 며칠이 걸리는지 구하시오.

15

A, B 두 호스로 12분 동안 물을 넣으면 가득 차는 물탱크가 있다. 이 물탱크에 A 호스로 18분 동안 물을 넣은 후 B 호스로 10분 동안 물을 넣었더니 가득 찼다. A 호스로만 이 물탱크를 가득 채우는 데 몇 분이 걸리는지 구하시오.

📖 이것이 진짜 교과서에서 뽑아온 문제

16
| 동아 유사 |

어느 지역의 시청에서 박물관을 거쳐서 먹거리 타운까지 운행하는 버스의 구간별 요금은 오른쪽과

시청 ↔ 박물관 : 600원
박물관 ↔ 먹거리 : 800원
시청 ↔ 먹거리 : 1200원

같다. 이 버스가 시청을 출발할 때, 버스를 탄 승객은 50명이고, 먹거리 타운에 도착하여 내린 승객은 44명이다. 이 버스의 승차권의 판매 요금이 총 58200원일 때, 박물관에서 탄 승객과 내린 승객의 합은 몇 명인지 구하시오.

17
| 미래엔 유사 |

모양과 크기가 같은 직사각형 모양의 나무판자를 오른쪽 그림과 같이 이어 붙여 ㈎, ㈏와 같이 길이를 측정하였다. 이때 나무판자 1개의 넓이를 구하시오.

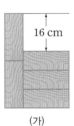

18
| 금성 유사 |

오른쪽은 민정이가 마트에서 과일을 구입하고 받은 영수증인데 일부분이 얼룩져 보이지 않는다. 민정이가 구입한 참외의 개수를 구하시오.

영 수 증 NO.			
품목	단가(원)	수량(개)	금액(원)
사과	800		2400
배	1000		
포도		4	2000
참외	600		
합계		13	9200
위 금액을 정히 영수함.			

01

백의 자리의 숫자가 2인 세 자리의 자연수가 있다. 이 자연수의 각 자리의 숫자의 합은 13이고, 이 자연수의 십의 자리의 숫자와 일의 자리의 숫자를 바꾼 수는 처음 수보다 27만큼 작다고 할 때, 처음 수를 구하시오.

쌤의 출제 Point

02

현재 수정이의 큰 삼촌과 작은 삼촌의 나이의 합은 63세이다. 몇 년 전 작은 삼촌의 나이가 현재 큰 삼촌의 나이의 절반이었을 때, 큰 삼촌의 나이는 작은 삼촌의 현재의 나이와 같았다고 한다. 큰 삼촌과 작은 삼촌의 나이의 차를 구하시오.

큰 삼촌과 작은 삼촌의 나이의 차는 항상 일정하다.

03

한 개에 1200원 하는 과자 A와 한 개에 1800원 하는 과자 B를 합하여 10개를 주문하였다. 그런데 과자 A와 과자 B의 개수가 서로 바뀌어 배달되어 처음 주문했던 금액보다 1200원이 더 나왔다. 처음 주문한 과자 A의 개수를 구하시오.

04

어떤 직사각형의 가로의 길이를 5 cm 줄이고, 세로의 길이를 1 cm 늘여서 만든 직사각형의 둘레의 길이는 처음 직사각형의 둘레의 길이의 $\frac{2}{3}$이다. 또, 처음 직사각형의 가로의 길이를 2 cm 줄이고 세로의 길이를 2배로 늘여서 만든 직사각형의 둘레의 길이가 28 cm라 할 때, 처음 직사각형의 넓이를 구하시오.

05

가영이의 기말고사 수학 점수는 중간고사 수학 점수의 2배이고, 나영이의 기말고사 수학 점수는 중간고사 수학 점수보다 18점이 올랐다. 두 사람의 중간고사 수학 점수의 평균은 58점이고, 기말고사 수학 점수의 평균은 91점이라 할 때, 기말고사 수학 점수의 차를 구하시오.

06

나현이는 학원에 가는 날에는 1시간 40분씩, 학원에 가지 않는 날에는 3시간 10분씩 공부를 한다. 나현이가 하루도 빠지지 않고 며칠 동안 공부한 시간의 합은 총 39시간이고, 이는 하루에 평균 2시간 10분씩 공부한 것과 같다고 할 때, 나현이가 학원에 가지 않은 날은 며칠인지 구하시오.

07 신유형 서울 | 서초

민석, 서영, 재원 3명의 후보 중에서 2명의 대표자를 뽑는 선거에서 민석이와 서영이가 대표자로 뽑혔다. 선거 결과, 총투표수는 250, 무효 투표수는 12이고 민석이의 득표수는 재원이의 득표수보다 18이 많았다. 서영이의 득표수의 10 % 만큼의 학생이 서영이 대신 재원이에게 투표했다면 서영이의 득표수는 재원이보다 6이 적어져 대표자로 뽑히지 못했을 것이다. 이때 민석이의 득표수를 구하시오. (단, 학생 한 명당 한 후보에게만 투표할 수 있다.)

쌤의 출제 Point

$\left(1-\dfrac{10}{100}\right) \times ($서영이의 득표수$)$
$=($재원이의 득표수$)$
$\quad +\dfrac{10}{100} \times ($서영이의 득표수$)-6$

08

흥부네 집에서 주막을 거쳐 놀부네 집까지 분속 80 m로 걸어가면 15분이 걸린다. 어느 날 흥부와 놀부가 각자 집에서 출발하여 주막에서 만나기로 하였는데, 놀부는 흥부가 출발한 지 3분 후에 출발하여 둘이 동시에 도착했다. 흥부는 분속 80 m로 걷고, 놀부는 분속 40 m로 걸었다고 할 때, 흥부가 주막까지 걸어간 거리를 구하시오.

09 만점 KILL 〔부산 | 해운대〕

둘레의 길이가 2.5 km인 호수 공원의 둘레를 민수와 진희가 같은 지점에서 오전 8시 30분에 동시에 출발하여 같은 방향으로 걸었더니 1시간 15분 후에 처음으로 만났고, 만난 지점에서 30분간 휴식을 취한 후 서로 반대 방향으로 동시에 출발하였다. 민수와 진희의 걷는 속력의 비가 3 : 2일 때, 두 사람이 다시 만난 시각을 구하시오.

10

일정한 거리만큼 떨어진 두 지점 A, B를 왕복하는 배가 있다. 정지한 물에서의 속력이 시속 6 km로 일정한 배가 오전 9시 30분에 A 지점을 출발하여 B 지점까지 강을 거슬러 올라가는 데 2시간 30분이 걸렸다. B 지점에서 3시간 30분을 쉬고 난 후 다시 출발한 배는 강을 내려와 그날 오후 4시 45분에 A 지점에 도착하였다. 강물의 속력은 일정할 때, 두 지점 A, B 사이의 거리를 구하시오.

11

농도가 다른 두 소금물 A, B가 있다. 두 소금물 A, B를 3 : 2의 비율로 섞었더니 농도가 8 %인 소금물이 되었고, 1 : 2의 비율로 섞었더니 농도가 12 %인 소금물이 되었다. 이때 소금물 B의 농도를 구하시오.

12

A, B 두 병에 오렌지 원액의 농도가 다른 오렌지 과즙 음료가 각각 500 g씩 들어 있다. 두 병에서 음료를 각각 200 g씩 덜어 내어 서로 바꾸어 넣었더니 병 A에 들어 있는 오렌지 원액의 농도는 12 %가 되었고, 병 B에 들어 있는 오렌지 원액의 농도는 16 %가 되었다. 병 B에 들어 있는 오렌지 원액의 처음 농도를 구하시오.

$$\left(단, \, (오렌지 \, 원액의 \, 농도) = \frac{(오렌지 \, 원액의 \, 양)}{(오렌지 \, 과즙 \, 음료의 \, 양)} \times 100 \, (\%) 이다. \right)$$

13

쌤의 출제 Point

A, B 두 상품을 합하여 10000원에 사서 상품 A에는 35 %의 이익을 붙이고 상품 B에는 25 %의 이익을 붙여서 정가를 정하였더니 하나도 팔리지 않아 두 상품 A, B 모두 정가의 20 %를 할인하여 팔았다. 총이익이 600원일 때, 상품 A의 원가를 구하시오.

14

우성이는 옷을 사기 위해 용돈을 모았는데, 사고 싶은 옷의 가격의 $\dfrac{2}{3}$밖에 모으지 못하였다. 우성이는 모아 놓은 돈을 6개월간 예금하면 만기 시 예금액의 5 %의 이자가 붙는 은행에 6개월간 예금하였다. 그런데 사고 싶던 옷이 6개월 후에 20 %를 할인하여 예금한 돈에 다시 모은 용돈 3000원을 보태었더니 옷을 살 수 있었다. 우성이가 산 옷의 할인하기 전의 가격을 구하시오.

(만기 시 돌려받는 금액)
=(예금액)+(이자)
=(예금액)×{1+(이율)}

15

오른쪽 표는 두 식품 A, B에 들어 있는 단백질과 지방의 함유 비율을 백분율로 나타낸 것이다. 두 식품을 먹어서 단백질 35 g과 지방 6 g을 얻으려면 B 식품을 몇 g 섭취해야 하는지 구하시오.

식품	단백질(%)	지방(%)
A	25	2
B	18	4

16 복합 개념 (서울|송파)

구리와 주석의 합금을 청동이라 한다. 청동 A에는 구리와 주석이 2 : 3의 비율로 포함되어 있고, 청동 B에는 구리와 주석이 2 : 1의 비율로 포함되어 있다. 이 두 종류의 청동을 녹여서 구리와 주석의 비율이 3 : 2인 새로운 청동 500 g을 만들려고 할 때, 필요한 청동 A, B의 양을 각각 구하시오.

쌤의 출제 Point

17

어느 중학교 2학년 학생 250명이 문화 체험 활동을 하였다. 문화 체험 활동은 A, B 두 종류로 구성되어 있으며, A, B 활동에 참여한 학생 수의 비는 3 : 2이었다. 문화 체험 활동에 간식을 준비해 온 학생과 준비해 오지 못한 학생이 있었는데, 간식을 준비해 온 학생 중 A 활동에 참여한 학생 수와 B 활동에 참여한 학생 수의 비는 2 : 1, 간식을 준비해 오지 못한 학생 중 A 활동에 참여한 학생 수와 B 활동에 참여한 학생 수의 비는 3 : 4이었다. 간식을 준비하고 A 활동에 참여한 학생 수와 간식을 준비해 오지 못하고 B 활동에 참여한 학생 수의 합을 구하시오. (단, 학생 1명당 한 종류의 문화 체험 활동만 한다.)

쌤의 출제 Point

$x : y = m : n$이고 $x+y$가 전체

➡ $x = \dfrac{m}{m+n} \times (x+y)$,

$y = \dfrac{n}{m+n} \times (x+y)$

18 신유형 서울 | 강남

나무 블록을 일정한 간격으로 세운 뒤 플라스틱 블록을 일정한 간격으로 세워 도미노를 만들었다. 나무 블록은 1초에 6개씩, 플라스틱 블록은 1초에 5개씩 일정한 속력으로 넘어진다고 한다. 나무 블록과 플라스틱 블록을 합하여 1000개의 블록을 세운 후 나무 블록부터 시작하여 모든 블록이 넘어질 때까지의 시간을 측정하였더니 2분 50초가 걸렸다고 할 때, 나무 블록은 총 몇 개 세웠는지 구하시오.

1초에 6개씩 넘어진다.

➡ 1개가 넘어지는 데 $\dfrac{1}{6}$초가 걸린다.

19 교과서 추론 신사고 유사

어떤 물탱크에 두 호스 A, B를 사용하여 물을 가득 채우려고 한다. A 호스로 4분 동안 물을 넣은 후 A, B 호스로 동시에 6분 동안 물을 넣었더니 물탱크가 가득 찼고, A, B 호스로 동시에 5분 동안 물을 넣은 후 B 호스로 6분 동안 물을 넣어도 물탱크가 가득 찬다고 한다. 이때 B 호스로만 이 물탱크를 가득 채우는 데 몇 분이 걸리는지 구하시오.

20

어느 목수가 장식장 1개를 만드는 데 4일이 걸리고, 책상 1개를 만드는 데 3일이 걸린다. 목수는 장식장이나 책상을 1개씩 만들 때마다 하루의 휴일을 보내며, 일요일은 항상 쉰다고 한다. 만약 휴일과 일요일이 겹친다면 그 다음날인 월요일도 쉰다. 목수는 장식장과 책상을 합하여 21개를 주문 받고 수요일부터 일을 시작하여 105일이 지난 후에 모두 완성하였다고 할 때, 목수는 이 기간 동안 장식장을 몇 개 만들었는지 구하시오.

(단, 목수는 한 번에 1개의 가구만 만든다.)

쌤의 출제 Point

장식장이나 책상 1개를 만드는 데 필요한 기간은 (만드는 기간)＋(휴일)이다.

21 교과서 창의사고력 | 교학사 유사 |

어느 드라마 방송을 편성할 때 광고 시간은 드라마 방송 시간의 15 %를 사용할 수 있다고 한다. 방송 시간이 60분인 드라마에 대하여 방송 중간에 1분짜리 상품 광고를 1개 삽입하고, 방송 전후로 20초와 30초짜리 상품 광고를 삽입하려고 한다. 상품 광고를 21개 편성하고자 할 때, 30초짜리 상품 광고는 몇 개 편성할 수 있는지 구하시오.

(단, 광고 내용이 바뀔 때마다 시간의 간격은 없다.)

22 만점 KILL 서울 | 강남

어느 중학교 축제에서 공연팀 안내를 10분 동안 하고, 공연 시간이 8분인 팀과 6분인 팀을 섞어서 공연한 후 1시간 55분 만에 끝내려고 계획하였다. 그런데 공연 시간을 늘리기 위하여 8분인 팀과 6분인 팀의 수를 바꾸어서 2시간 7분 만에 끝내기로 수정하였다. 공연과 공연 사이에도 1분간 휴식 시간을 두려고 할 때, 처음 계획한 공연 시간이 8분인 팀은 몇 팀이었는지 구하시오.

공연 시간이 8분, 6분인 팀의 수를 각각 x, y라 하면 공연 시간은 $8x$분, $6y$분이고, 공연 사이의 휴식 시간은 $(x+y-1)$분이다.

01 어느 자격 시험에 60명이 응시하여 시험을 본 결과 40명이 합격하였다. 합격자의 최저 점수는 합격자의 평균 점수보다 5점이 더 낮았으며 불합격자의 평균 점수의 3배보다 20점이 더 높았고, 전체 응시자의 평균 점수보다 16점이 더 높았다. 합격자의 최저 점수와 전체 응시자의 평균 점수의 합을 구하시오.

02 소연이의 스마트폰 음악 저장소에는 재생 시간이 2분, 3분, 4분짜리의 세 종류의 음악 파일이 있다. 4분짜리 파일은 3분짜리 파일과 2분짜리 파일의 개수를 더한 것보다 1개 더 많고, 2분짜리 파일의 총 재생 시간은 3분짜리 파일의 총 재생 시간보다 12분 더 길다. 파일과 파일 사이에 30초 간격을 두고 전체 파일을 재생하면 5시간 42분이 소요된다고 할 때, 소연이의 스마트폰 음악 저장소에 재생 시간이 4분짜리 파일은 몇 개 있는지 구하시오.

03 (🌐Challenge)

민혁이와 나율이가 어떤 물건을 함께 구입한 후 3개월 동안 그 값을 나누어 지불하기로 하였다. 첫 번째 달에 민혁이와 나율이 중 한 사람이 다른 한 사람보다 돈을 많이 지불하였고 두 번째 달부터는 전달에 많이 지불한 사람은 전달보다 40 % 적은 금액을 지불하고, 전달에 적게 지불한 사람이 전달보다 5000원을 더 지불하여 전달에 적게 낸 사람이 더 많이 지불하기로 하였다. 두 번째 달의 나율이의 지불 금액이 민혁이의 지불 금액보다 10000원 더 많았고, 3개월 동안 민혁이와 나율이가 각각 지불한 총금액이 같아졌다고 할 때, 이 물건의 가격을 구하시오.

04 어느 도시에서 현재 운행하고 있는 기차는 길이가 240 m인 철교를 완전히 통과하는 데 10초가 걸린다. 보다 효율적인 운행을 위하여 현재 기차보다 같은 시간에 40 % 더 멀리 이동할 수 있고, 길이가 60 % 더 긴 기차를 만들려고 한다. 새로 만들어지는 기차는 같은 철교를 완전히 통과하는 데 시간이 20 % 단축된다고 할 때, 새로 만들어지는 기차의 길이와 속력을 각각 구하시오.

(단, 기차는 일정한 속력으로 달린다.)

같은 문제
선배들의
다른 풀이

본책 65쪽 ● **18** 번 문제

연립방정식 $\begin{cases} -\dfrac{3}{2}x + 4y = 6 \\ 2x + ky = 6 \end{cases}$ 을 만족시키는 x, y에 대하여 $|x| : |y| = 2 : 1$일 때, 모든

상수 k의 값의 합을 구하시오.

고등학생이 되면 더 빠르게
해결할 수 있을까요?

이 문제는 'x의 값의 범위'에 따라 절댓값을 풀어서 $|x| : |y| = 2 : 1$을 일차방정식의 형태로 바꾸는 과정이 중요하지. 그런데 '10. 일차함수와 일차방정식의 관계' 단원에서 '연립방정식의 해는 두 일차방정식의 그래프의 교점의 좌표와 같다.'는 것을 배우고, 고등학교 1학년 때 절댓값 기호를 포함한 식의 그래프를 배우면 이 문제를 그래프를 이용하여 풀 수 있어.

$-\dfrac{3}{2}x + 4y = 6$과 $|x| : |y| = 2 : 1$은 각각 $y = \dfrac{3}{8}x + \dfrac{3}{2}$, $|y| = \dfrac{1}{2}|x|$로 나타낼 수 있어.

이때 $|y| = \dfrac{1}{2}|x|$의 그래프는 $y = \dfrac{1}{2}x$의 그래프를 x축, y축 및 원점에 대하여 각각 대칭이동한 그래프이므로 두 그래프는 각각 오른쪽 그림과 같아.

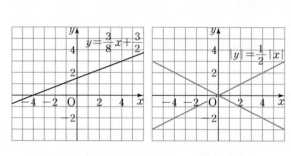

두 그래프를 한 좌표평면 위에 나타내면 오른쪽 그림과 같이 두 점 A, B에서 만나.

따라서 두 점 A, B의 좌표를 $2x + ky = 6$에 각각 대입하면 상수 k의 값의 합은 $-3 + 11 = 8$임을 알 수 있어.

이때 점 A의 좌표는 모눈종이 위에서 찾을 수 있지만 점 B의 좌표는 두 그래프를 나타내는 식을 연립해야 정확히 구할 수 있어.

즉, $y = -\dfrac{1}{2}x$와 $y = \dfrac{3}{8}x + \dfrac{3}{2}$을 연립하여 풀면 $x = -\dfrac{12}{7}$, $y = \dfrac{6}{7}$이야.

이와 같이 연립방정식의 풀이는 뒷 단원에서도 활용되니 이 단원에서 충분히 연습하도록 해.

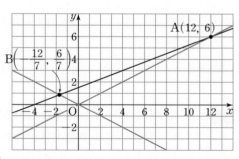

IV

함수

현직 교사의 학교 시험 고난도 킬러 강의

이 단원에서는 함수인지 아닌지 판단하는 문제와 주어진 상황 또는 식에 해당하는 일차함수의 그래프를 그려서 해결하는 문제를 반드시 출제해요. 또한, 주어진 일차함수의 그래프를 지나는 한 점의 좌표를 미지수로 놓고 식을 세워서 풀이하는 문제, 두 일차함수의 그래프에서 교점을 구한 후 도형의 넓이를 구하는 문제 등을 통해 일차함수의 그래프에 대한 이해의 정도를 판단해요. 특히, 미지수가 포함된 일차함수의 그래프에서 주어진 성질을 만족시키는 미지수의 값이나 범위를 구하는 문제는 이 단원에서의 kill 문제죠.

08 일차함수와 그래프 (1)

① 함수와 함숫값

(1) **함수**

① 두 변수 x, y에 대하여 x의 값이 변함에 따라 y의 값이 하나씩 정해지는 관계가 있을 때, y를 x의 함수라 한다.

> **참고** 정비례 관계, 반비례 관계도 함수이다.

② y가 x의 함수일 때, 기호로 $y=f(x)$와 같이 나타낸다.

> **참고** x의 값 하나에 y의 값이 정해지지 않거나 두 개 이상 정해지면 y는 x의 함수가 아니다.

(2) **함숫값** : 함수 $y=f(x)$에서 x의 값에 따라 하나씩 정해지는 y의 값, 즉 $f(x)$

> **참고** 함수 $y=f(x)$에서 '$f(a)$'는 '$x=a$일 때의 함숫값', '$x=a$일 때의 y의 값', '$f(x)$에 x 대신 a를 대입하여 얻은 값'을 뜻한다.

② 일차함수의 뜻과 그래프

(1) **일차함수** : 함수 $y=f(x)$에서 y가 x에 대한 일차식 $y=ax+b$ (a, b는 상수, $a\neq0$)로 나타내어질 때, 이 함수를 x의 일차함수라 한다.

(2) **함수의 그래프** : 함수 $y=f(x)$에서 x의 값에 따라 정해지는 y의 값의 순서쌍 (x, y)를 좌표평면 위에 모두 나타낸 것

> **참고** 점 (m, n)이 일차함수 $y=ax+b$의 그래프 위의 점이다.
> ➡ 일차함수 $y=ax+b$의 그래프가 점 (m, n)을 지난다.
> ➡ $y=ax+b$에 $x=m$, $y=n$을 대입하면 등식이 성립한다.

(3) **일차함수 $y=ax+b$의 그래프**

① **평행이동** : 한 도형을 일정한 방향으로 일정한 거리만큼 옮기는 것

② 일차함수 $y=ax+b$ ($b\neq0$)의 그래프는 일차함수 $y=ax$의 그래프를 y축의 방향으로 b만큼 평행이동한 직선이다.

> **참고** 일차함수 $y=ax$ ($a\neq0$)의 그래프는 다음 그림과 같이 원점을 지나는 직선이다.

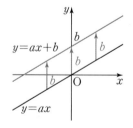

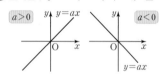

③ 일차함수의 그래프의 절편

(1) x**절편** : 함수의 그래프가 x축과 만나는 점의 x좌표, 즉 $y=0$일 때의 x의 값

(2) y**절편** : 함수의 그래프가 y축과 만나는 점의 y좌표, 즉 $x=0$일 때의 y의 값

(3) 일차함수 $y=ax+b$의 그래프에서

① x절편 : $-\dfrac{b}{a}$ ② y절편 : b

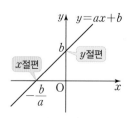

④ 일차함수의 그래프의 기울기

(1) 일차함수 $y=ax+b$의 그래프에서 $(\text{기울기})=\dfrac{(y\text{의 값의 증가량})}{(x\text{의 값의 증가량})}=a$

(2) 일차함수의 그래프의 기울기 구하기

① 두 점 (x_1, y_1), (x_2, y_2)가 주어질 때, $(\text{기울기})=\dfrac{y_2-y_1}{x_2-x_1}=\dfrac{y_1-y_2}{x_1-x_2}$ (단, $x_1\neq x_2$)

② x절편, y절편이 주어질 때, $(\text{기울기})=-\dfrac{(y\text{절편})}{(x\text{절편})}$

⑤ 일차함수의 그래프와 도형의 넓이 〔심화 개념〕

(1) 두 일차함수의 그래프가 ⎡ x축에서 만나면 두 그래프의 x절편이 같다.
⎣ y축에서 만나면 두 그래프의 y절편이 같다.

(2) 일차함수의 그래프와 좌표축으로 둘러싸인 도형의 넓이

일차함수 $y=ax+b$의 그래프와 x축 및 y축으로 둘러싸인 도형은
직각삼각형이므로 도형의 넓이는

$\dfrac{1}{2}\times\left|-\dfrac{b}{a}\right|\times|b|$

> **쌤의 활용 꿀팁**
> 일차함수의 그래프가 x축 또는 y축과 만나는 점의 좌표를 구하면 도형의 변의 길이를 알 수 있어요. 이때 좌표가 음수인 경우에는 절댓값을 구해야 함에 주의하세요.

⑥ 일차함수 $y=ax+b$의 그래프의 성질

(1) a의 부호

① $a>0$이면 x의 값이 증가할 때, y의 값도 증가 ➡ 그래프가 오른쪽 위를 향하는 직선

② $a<0$이면 x의 값이 증가할 때, y의 값은 감소 ➡ 그래프가 오른쪽 아래를 향하는 직선

〔참고〕 $y=ax+b$의 그래프에서 $|a|$가 클수록 그래프는 y축에 가깝다.

(2) b의 부호

① $b>0$이면 y축과 양의 부분에서 만난다. ➡ y절편이 양수

② $b<0$이면 y축과 음의 부분에서 만난다. ➡ y절편이 음수

(3) 일차함수 $y=ax+b$의 그래프의 모양

$a>0, b>0$일 때	$a>0, b<0$일 때	$a<0, b>0$일 때	$a<0, b<0$일 때
➡ 제1, 2, 3사분면	➡ 제1, 3, 4사분면	➡ 제1, 2, 4사분면	➡ 제2, 3, 4사분면

⑦ 일차함수의 그래프의 평행, 일치

두 일차함수 $y=ax+b$와 $y=cx+d$의 그래프에 대하여

(1) 평행하면 기울기가 같다. $(a=c)$

(2) 기울기가 같으면 평행하거나 일치한다.

① $a=c$, $b\neq d$이면 두 그래프는 평행하다.

② $a=c$, $b=d$이면 두 그래프는 일치한다.

〔참고〕 기울기가 같은 두 일차함수의 그래프는 y절편이 같으면 일치하고, y절편이 다르면 평행하다.

① **함수와 함숫값**

01 대표문제

다음 보기에서 y가 x의 함수인 것을 모두 고르시오.

┤ 보기 ├
ㄱ. 자연수 x의 배수 y
ㄴ. 자연수 x의 약수 y
ㄷ. 자연수 x의 약수의 개수 y
ㄹ. 자연수 x를 3으로 나눈 나머지 y
ㅁ. 자연수 x의 절댓값 y

02

함수 $f(x) = -2x + b$에 대하여 $f(-3) = 3$일 때, $f(p+1) = 7$을 만족시키는 p의 값은? (단, b는 상수)

① -6 ② -4 ③ 2
④ 4 ⑤ 6

03

함수 $f(x) =$ (자연수 x의 약수 중 x보다 작은 약수의 개수)에 대하여 $f(36) - f(15)$의 값을 구하시오.

② **일차함수의 뜻과 그래프**

04 대표문제

다음 보기에서 y가 x의 일차함수인 것을 모두 고르시오.

┤ 보기 ├
ㄱ. x각형의 대각선의 개수는 y이다.
ㄴ. 반지름의 길이가 x cm인 원의 넓이는 y cm²이다.
ㄷ. 시속 x km로 5시간 동안 달린 거리는 y km이다.
ㄹ. 넓이가 10 cm²이고 밑변의 길이가 x cm인 삼각형의 높이는 y cm이다.
ㅁ. 총 500쪽인 책을 하루에 x쪽씩 읽을 때 y일이 걸린다.
ㅂ. 물의 온도가 매분 3 ℃씩 올라갈 때, 현재 18 ℃인 물의 x분 후의 온도는 y ℃이다.

05

$y + 10x = 5(3 - ax)$가 x에 대한 일차함수가 되도록 하는 상수 a의 조건을 구하시오.

06 실수多

일차함수 $y = ax + 2$의 그래프는 점 $(1, 3)$을 지나고, 이 그래프를 y축의 방향으로 b만큼 평행이동하면 점 $(2, 3)$을 지난다고 할 때, 상수 a, b에 대하여 ab의 값을 구하시오.

✎ 쌤의 오답 코칭 | 일차함수 $y = ax + 2$의 그래프를 y축의 방향으로 b만큼 평행이동한 그래프의 식은 $y = ax + 2 + b$이다.

③ 일차함수의 그래프의 절편

07 (대표문제)

일차함수 $y=x+1$의 그래프를 y축의 방향으로 a만큼 평행 이동한 그래프의 y절편과 일차함수 $y=x+5-3a$의 그래프의 x절편이 같을 때, 상수 a의 값을 구하시오.

④ 일차함수의 그래프의 기울기

08 (대표문제)

일차함수 $y=f(x)$에서 x의 값이 2만큼 증가할 때, y의 값은 6만큼 감소한다. 이때 $\dfrac{f(6)-f(3)}{3}$의 값을 구하시오.

09

세 점 $(-1, 2)$, $(2, 5)$, $(k, 2k)$가 한 직선 위에 있을 때, k의 값은?

① 2   ② 3   ③ 4

④ 5   ⑤ 6

⑤ 일차함수의 그래프와 도형의 넓이 심화

10 (대표문제)

일차함수 $y=ax-8$의 그래프와 x축 및 y축으로 둘러싸인 도형의 넓이가 8일 때, 상수 a의 값을 구하시오. (단, $a<0$)

11 실수多

오른쪽 그림과 같이 두 일차함수 $y=ax+5$, $y=-x+b$의 그래프가 y축 위의 점 A에서 만나고, 두 일차함수의 그래프와 x축으로 둘러싸인 삼각형 ABC의 넓이가 30일 때, 상수 a, b에 대하여 $\dfrac{b}{a}$의 값을 구하시오.

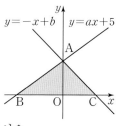

✎ 쌤의 오답 코칭 | a, b의 부호에 주의한다.

⑥ 일차함수 $y=ax+b$의 그래프의 성질

12 (대표문제)

일차함수 $y=-\dfrac{a}{b}x+\dfrac{c}{a}$의 그래프가 오른쪽 그림과 같을 때, 일차함수 $y=-bcx+ac$의 그래프가 지나지 <u>않는</u> 사분면을 구하시오.

(단, a, b, c는 상수)

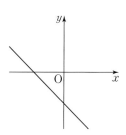

13

일차함수 $y=ax+b$의 그래프가 제1, 2, 4사분면을 지날 때, 다음 중 일차함수 $y=(b-a)x+b$의 그래프는?

(단, a, b는 상수)

① 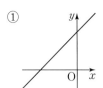 ② 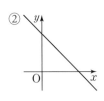 ③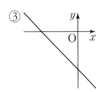

④ 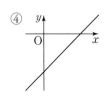 ⑤

---

⑦ **일차함수의 그래프의 평행, 일치**

14 대표문제

일차함수 $y=ax+b$의 그래프는 일차함수 $y=x+3$의 그래프와 평행하고, 일차함수 $y=2x-1$의 그래프와 y축 위에서 만날 때, $a+b$의 값은? (단, a, b는 상수)

① -2 ② -1 ③ 0

④ 1 ⑤ 2

15

점 $(2, 5)$를 지나는 일차함수 $y=ax+1$의 그래프를 y축의 방향으로 b만큼 평행이동하였더니 일차함수 $y=cx-3$의 그래프와 일치하였다. 이때 상수 a, b, c에 대하여 abc의 값을 구하시오.

📖 이것이 진짜 **교과서에서 뽑아온** 문제

16 | 동아 유사 |

어느 온라인 쇼핑몰에 가입을 하면 2000포인트를 기본으로 적립해 주고 구매 금액 100원마다 1포인트를 적립해 준다고 한다. 예나가 이 쇼핑몰에 회원 가입을 하고 x원의 물건을 구입하여 y포인트를 적립했다고 할 때, 다음 물음에 답하시오.

(1) $y=f(x)$라 할 때, $f(x)$를 구하시오.

(2) $f(10000)=3b$인 b의 값을 구하시오.

17 | 신사고 유사 |

오른쪽 그림과 같은 세 직선 ㈎, ㈏, ㈐는 각각 다음 세 일차함수의 그래프를 그린 것이다. 알맞은 것을 찾아 짝 지으시오. (단, $a>0$, $b<0$)

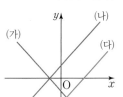

(1) $y=ax-b$

(2) $y=ax-(b+3)$

(3) $y=-\dfrac{1}{a}x+b$

18 | 천재 유사 |

좌표평면 위의 두 점 A$(-3, 1)$, B$(1, 1)$에 대하여 일차함수 $y=2x+b$의 그래프가 $\overline{AB}$와 만나게 되는 상수 b의 값 중 가장 큰 값과 가장 작은 값의 합을 구하시오.

01

다음 보기에서 y가 x의 함수인 것은 모두 몇 개인지 구하시오.

◀ 보기 ▶

ㄱ. 자연수 x와 서로소인 자연수 y

ㄴ. 절댓값이 자연수 x가 되는 자연수 y

ㄷ. 키가 x cm인 사람의 몸무게 y kg

ㄹ. 자연수 x로 나눈 나머지가 2가 되는 자연수 y

ㅁ. 넓이가 16 cm^{2}인 평행사변형의 밑변의 길이 x cm와 높이 y cm

ㅂ. 농도가 5 %인 소금물 x g에 들어 있는 소금의 양 y g

02

함수 $y=f(x)$에 대하여 $f(1)=2$, $f\left(\dfrac{2x-1}{3}\right)=6x-a$일 때, 상수 a의 값을 구하시오.

03 신유형 서울|목동

양의 유리수 x의 정수 부분을 $f(x)$라 할 때, 다음 중 옳지 <u>않은</u> 것은?

① $f(1.5)=1$
② $f(x)\leq x$
③ $f(x)\leq f(2x)$
④ $f(x)+1=f(x+1)$
⑤ $f(x)+f(x+1)=f(2x+1)$

$0\leq x-f(x)<1$

04

$y=2x(1-ax)+2bx+3$이 x에 대한 일차함수가 되도록 하는 상수 a, b의 조건을 각각 구하시오.

05

오른쪽 그림과 같이 두 점 A, D는 각각 일차함수 $y = \dfrac{7}{3}x$,

$y = -x + 10$의 그래프 위에 있다. 두 점 A, D에서 x축에 내린 수선의 발을 각각 B, C라 하고 사각형 ABCD가 정사각형일 때, $\overline{AB}$의 길이를 구하시오.

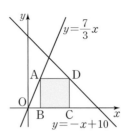

06

일차함수 $y = ax + 2$의 그래프의 x절편과 y절편이 절댓값은 같으나 부호는 서로 다르다. 이 그래프가 점 $(-3, k)$를 지날 때, k의 값을 구하시오. (단, a는 상수)

07

오른쪽 그림과 같이 두 일차함수 $y = -4x + n$과 $y = \dfrac{1}{2}x - m$의 그래프와 y축과의 교점을 각각 A, B라 하고, x축과의 교점을 각각 C, D라 하자. $\overline{AB} = 10$, $\overline{CD} = 2$일 때, 상수 m, n에 대하여 $m - n$의 값을 구하시오.

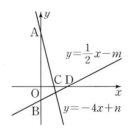

08

오른쪽 그림과 같이 두 일차함수 $y = \dfrac{4}{3}x$, $y = \dfrac{1}{3}x$의 그래프 사이에 있는 점 P에서 x축, y축에 각각 평행한 선분을 그어 두 그래프와 만나는 점을 각각 A, B, C, D라 할 때, $\dfrac{\overline{PA} \times \overline{PB}}{\overline{PC} \times \overline{PD}}$의 값을 구하시오.

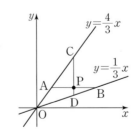

x축, y축에 각각 평행한 선분을 이용하여 x의 값의 증가량과 y의 값의 증가량을 알 수 있다.

09

좌표평면 위에 오른쪽 그림과 같이 16개의 점이 있다. 일차함수 $y=-\dfrac{1}{2}x$의 그래프를 y축의 방향으로 평행이동한 그래프 중에서 좌표평면 위에 표시된 두 점을 지나는 것은 모두 몇 개인지 구하시오.

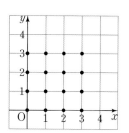

쌤의 출제 Point

10

점 A$(4, 3)$을 지나는 일차함수의 그래프의 기울기를 p, 점 B$(-2, 3)$을 지나는 일차함수의 그래프의 기울기를 q라 하자. 이 두 일차함수의 그래프의 x절편이 같을 때, $\dfrac{p-q}{pq}$의 값을 구하시오. (단, $p<0$, $q<0$)

일차함수의 그래프가 지나는 한 점과 x절편을 이용하여 기울기를 나타낸다.

11 신유형 대구 | 수성

원점에서 출발하고 점 $(1, 0)$을 첫 번째 점으로 하여 오른쪽 그림과 같은 규칙에 의해 점이 찍혀진다고 할 때, 10번째 점과 50번째 점을 연결하는 직선을 그래프로 하는 일차함수의 기울기를 구하시오.

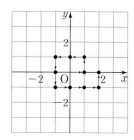

12 신유형 분당 | 서현

두 일차함수 $y=\dfrac{1}{2}x+2$, $y=ax+7$의 그래프와 y축으로 둘러싸인 삼각형의 내부에 있는 점들 중 x좌표, y좌표가 모두 정수인 것은 2개뿐이다. 이때 상수 a의 값의 범위를 구하시오.
(단, 두 그래프와 y축 위에 있는 점은 포함하지 않고, $a<0$이다.)

13 교과서 **창의사고력** | 신사고 유사 |

쌤의 출제 Point

좌표평면 위의 세 점 $A(4, 3)$, $B(-2, -1)$, $C(5, -2)$를 꼭짓점으로 하는 $\triangle ABC$가 있다. 일차함수 $y = x + b$의 그래프가 $\triangle ABC$와 만날 때, 상수 b의 가장 큰 값과 가장 작은 값의 합을 구하시오.

14

좌표평면 위에 네 점 $A(2, 2)$, $B(5, 2)$, $C(6, 5)$, $D(10, 5)$가 있다. 일차함수 $y = ax + 1$의 그래프가 $\overline{AB}$, $\overline{CD}$와 동시에 만나기 위한 상수 a의 값의 범위를 구하시오.

15 만점 **KILL** 부산 | 해운대

오른쪽 그림과 같은 두 일차함수 $y = ax + 1$, $y = \dfrac{1}{3}x + 1$의 그래프 사이에 있는 점 D에서 x축, y축에 각각 평행한 선분을 그어 두 그래프와 만나는 점을 각각 A, E, G, C라 하자. 두 사각형 ABCD, DEFG가 모두 정사각형이고, 점 E의 x좌표가 6일 때, $\overline{AD}$의 길이를 구하시오. (단, a는 상수)

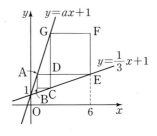

일차함수의 그래프의 기울기를 이용하여 각 선분의 길이를 나타내고 필요한 점의 좌표를 구한다.

16

일차함수 $y = \dfrac{3}{2}x$의 그래프를 y축의 방향으로 k만큼 평행이동하면 오른쪽 그림과 같은 직사각형 ABCD의 넓이를 이등분할 때, 상수 k의 값을 구하시오.

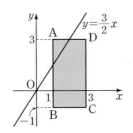

17

오른쪽 그림과 같이 두 일차함수 $y=-x+6$, $y=-\dfrac{1}{2}x+2$의 그래프와 x축 및 y축으로 둘러싸인 도형의 넓이를 구하시오.

쌤의 출제 Point

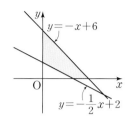

18 복합 개념 분당 | 서현

일차함수 $y=-\dfrac{2}{3}x+4$의 그래프와 x축 및 y축으로 둘러싸인 평면도형을 x축, y축을 회전축으로 하여 1회전 시킬 때 생기는 회전체의 부피를 각각 A, B라 할 때, $\dfrac{A}{B}$의 값을 구하시오.

19 교과서 추론 | 교학사 유사 |

오른쪽 그림과 같이 두 일차함수 $y=2x$와 $y=ax+b$의 그래프가 점 P에서 만난다. 일차함수 $y=ax+b$의 그래프가 x축, y축과 만나는 점을 각각 A, B라 하자. 점 P의 x좌표가 1이고, 삼각형 BAO의 넓이가 삼각형 PBO의 넓이의 3배일 때, 상수 a, b에 대하여 $a-b$의 값을 구하시오.

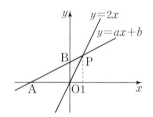

20

일차함수 $y=ax+4$의 그래프가 네 점 O(0, 0), A(8, 0), B(8, 8), C(0, 8)을 꼭짓점으로 하는 정사각형 OABC의 넓이를 5 : 3으로 나눌 때, 상수 a의 값을 모두 구하시오.

주어진 조건을 만족시키는 정사각형을 좌표평면 위에 그린다.

21 교과서 추론 | 비상 유사 |

일차함수 $f(x)=ax+b$에 대하여 $0<f(0)$, $f(-1)-f(1)>0$일 때, 일차함수 $f(x)=bx-a$의 그래프가 지나지 <u>않는</u> 사분면을 구하시오. (단, a, b는 상수)

22

두 일차함수 $y=ax+b$, $y=cx+d$의 그래프가 오른쪽 그림과 같을 때, 보기에서 옳은 것의 개수를 구하시오. (단, a, b, c, d는 상수)

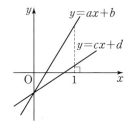

◀ 보기 ▶

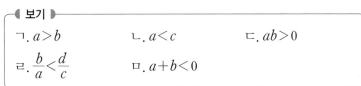

ㄱ. $a>b$　　　　ㄴ. $a<c$　　　　ㄷ. $ab>0$

ㄹ. $\dfrac{b}{a}<\dfrac{d}{c}$　　　ㅁ. $a+b<0$

23

두 일차함수 $y=ax+6$과 $y=2x+b$의 그래프가 평행하고 이 두 그래프가 x축과 만나는 점을 각각 A, B라 할 때, $\overline{AB}=7$이다. 상수 a, b에 대하여 $a+b$의 값 중 큰 값을 구하시오.

두 일차함수의 그래프가 평행하다.
➡ 두 일차함수의 그래프가 만나지 않는다.
➡ 기울기가 같고 y절편은 다르다.

24

일차함수 $y=ax+4$의 그래프가 일차함수 $y=-2x-3$의 그래프와 만나지 않고, 일차함수 $y=-\dfrac{1}{2}x-b$의 그래프와 x축 위에서 만날 때, 상수 a, b에 대하여 $a+b$의 값을 구하시오.

01 두 일차함수 $y=ax+b$와 $y=bx+a$의 그래프가 만나는 점이 제4사분면 위에 있을 때, 점 $(ab,\ a+b)$는 제몇 사분면 위에 있는지 구하시오. (단, $a>0,\ a\neq b$)

🌐Challenge

02 좌표평면 위의 점 P는 일차함수 $y=ax+b(b>0)$의 그래프 위를 움직인다. 세 점 O$(0,\ 0)$, A$(2,\ 1)$, P를 꼭짓점으로 하는 △OAP의 넓이가 항상 4일 때, 상수 $a,\ b$에 대하여 ab의 값을 구하시오.

03 일차함수 $y=-\dfrac{4}{3}x+4$의 그래프가 x축, y축과 만나는 점을 각각 A, B라 하자. 일차함수 $y=a(x+1)-2$의 그래프가 △OAB를 삼각형과 사각형으로 나누어지게 하는 자연수 a의 값은 모두 몇 개인지 구하시오. (단, O는 원점)

04 오른쪽 그림과 같이 일차함수 $y=-\dfrac{1}{3}x+a(a>0)$의 그래프 위의 네 점 A, B, C, D와 세 정사각형 AEOF, BGHI, CJKH가 있고, 점 B의 x좌표가 -6이다. 정사각형 AEOF의 둘레의 길이가 3일 때, △BCG와 △CDJ의 넓이의 합을 구하시오. (단, a는 상수, O는 원점)

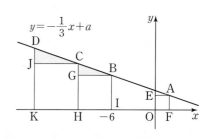

09 일차함수와 그래프 (2)

① 일차함수의 식 구하기

(1) 기울기가 a이고 y절편이 b인 직선을 그래프로 하는 일차함수의 식

➡ $y=ax+b$

(2) 기울기가 a이고 점 (x_1, y_1)을 지나는 직선을 그래프로 하는 일차함수의 식

➡ $y=ax+b$라 하고 $x=x_1$, $y=y_1$을 대입하여 b의 값을 구한다.

➡ $y-y_1=a(x-x_1)$

(3) 서로 다른 두 점 (x_1, y_1), (x_2, y_2)를 지나는 직선을 그래프로 하는 일차함수의 식

① 기울기 $a=\dfrac{y_2-y_1}{x_2-x_1}=\dfrac{y_1-y_2}{x_1-x_2}$를 구한 후, $y=ax+b$에 한 점의 좌표를 대입하여 b의 값을 구한다.

➡ $y-y_1=\dfrac{y_2-y_1}{x_2-x_1}(x-x_1)$ (단, $x_1\neq x_2$)

② 두 점의 좌표를 $y=ax+b$에 각각 대입한 후, 연립하여 구한다.

예 두 점 $(1, 2)$, $(3, 5)$를 지나는 직선을 그래프로 하는 일차함수의 식을 구해 보자.

$y=ax+b$라 하고 $x=1$, $y=2$를 대입하면 $a+b=2$ ⋯⋯㉠

$x=3$, $y=5$를 대입하면 $3a+b=5$ ⋯⋯㉡

㉠과 ㉡을 연립하여 풀면 $a=\dfrac{3}{2}$, $b=\dfrac{1}{2}$

따라서 구하는 일차함수의 식은 $y=\dfrac{3}{2}x+\dfrac{1}{2}$이다.

(4) x절편이 m, y절편이 n인 직선을 그래프로 하는 일차함수의 식

➡ 두 점 $(m, 0)$, $(0, n)$을 지나므로 기울기가 $\dfrac{n-0}{0-m}=-\dfrac{n}{m}$이고, y절편이 n이다.

➡ $y=-\dfrac{n}{m}x+n$ (단, $m\neq 0$)

예 x절편이 -1, y절편이 2인 직선을 그래프로 하는 일차함수의 식을 구해 보자.

두 점 $(-1, 0)$, $(0, 2)$를 지나므로 기울기가 $\dfrac{2-0}{0-(-1)}=2$이고, y절편이 2이므로

구하는 일차함수의 식은 $y=2x+2$이다.

② 일차함수의 활용

일차함수를 활용한 문제는 다음과 같은 순서로 풀면 편리하다.

❶ 문제의 뜻을 파악하여 변하는 두 양을 x, y로 정한다.

❷ x와 y 사이의 관계를 일차함수 $y=ax+b$로 나타낸다.

주의 단위에 주의한다.

❸ 함수의 식이나 그래프를 이용하여 구하는 값을 찾는다.

❹ 구한 값이 문제의 뜻에 맞는지 확인한다.

참고 일차함수의 활용 문제는 x의 값에 따른 구체적인 y의 값을 구하여 규칙성을 찾은 후 관계식을 세우거나 두 변량에서 먼저 변하는 것을 x로 놓고, 그에 따라 변하는 것을 y로 정한 후 관계식을 세운다.

🎯 이것이 진짜 **출제율 100%** 문제

① **일차함수의 식 구하기**

01 대표문제

다음 조건을 모두 만족시키는 직선을 그래프로 하는 일차함수의 식을 구하시오.

㈎ 점 $(0, 2)$를 지난다.
㈏ 기울기의 절댓값은 1이다.
㈐ 오른쪽 위를 향하는 직선이다.

02 실수多

오른쪽 그림과 같은 일차함수의 그래프가 x축과 만나는 점의 좌표를 구하시오.

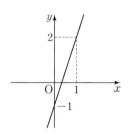

📝 쌤의 오답 코칭 | 일차함수의 그래프가 x축과 만나는 점은 x축 위의 점이므로 y좌표는 항상 0이다.

03

오른쪽 그림과 같은 일차함수의 그래프와 평행하고, 일차함수 $y = \dfrac{1}{3}x - 1$의 그래프와 x절편이 같은 직선을 그래프로 하는 일차함수의 식을 구하시오.

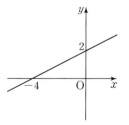

04

오른쪽 그림과 같은 일차함수의 그래프가 점 $(5, k)$를 지날 때, k의 값을 구하시오.

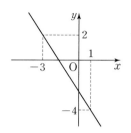

05

일차함수 $y = ax + b$의 그래프를 y축의 방향으로 3만큼 평행이동하면 두 점 $(-1, 6)$, $(3, -2)$를 지난다고 할 때, ab의 값을 구하시오. (단, a, b는 상수)

06

x절편이 1, y절편이 -2인 일차함수의 그래프에 대한 설명으로 옳은 것을 보기에서 모두 고르시오.

◀ 보기 ▶
ㄱ. 기울기는 2이다.
ㄴ. 점 $(2, 2)$를 지난다.
ㄷ. 일차함수 $y = x + 2$의 그래프와 평행하다.
ㄹ. 일차함수 $y = 2x$의 그래프를 y축의 방향으로 2만큼 평행이동한 것이다.

② 일차함수의 활용

07 (대표문제)

길이가 40 cm인 양초에 불을 붙이면 일정한 속력으로 길이가 줄어들어 모두 타는 데 160분이 걸린다고 한다. 남은 양초의 길이가 25 cm가 되는 것은 양초에 불을 붙인 지 몇 분 후인지 구하시오.

08

효주와 종윤이는 2.4 km 떨어진 각자의 집에서 서로를 향해 동시에 출발하여 걷기 시작했다. 효주는 분속 70 m의 속력으로, 종윤이는 분속 80 m의 속력으로 걸을 때, 두 사람이 출발한 지 x분 후의 두 사람 사이의 거리를 y m라 한다. 다음 물음에 답하시오.

(1) x와 y 사이의 관계를 식으로 나타내시오.

(2) 두 사람이 만나는 것은 출발한 지 몇 분 후인지 구하시오.

09 (실수多)

일반적으로 개의 나이를 사람의 나이로 환산할 때, 개가 태어난 해의 나이를 21세로 하고 1년에 4세씩 더한다고 한다. 2030년에 사람의 나이로 환산하였을 때 61세인 개의 태어난 해를 구하시오.

(단, 개가 태어났을 때의 나이를 1세라 한다.)

✍ 쌤의 오답 코칭 | 개가 태어난 해의 나이가 1세임에 유의한다.

10

오른쪽 그래프는 온도가 70 ℃인 물을 어떤 냉각기에 넣고 x분 후의 물의 온도를 y ℃라 할 때, x와 y 사이의 관계를 나타낸 것이다. 물을 냉각기에 넣은 지 10분 후의 물의 온도를 구하시오.

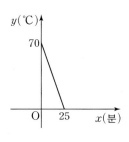

11

| 교학사 유사 |

일차함수 $y=ax+b$의 그래프가 오른쪽 그림과 같을 때, 일차함수 $y=bx+a$의 그래프의 x절편을 m, y절편을 n이라 하자. 이때 mn의 값을 구하시오.

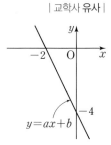

12

| 동아 유사 |

오른쪽 그림과 같은 사다리꼴 ABCD에서 점 P는 점 B를 출발하여 변 BC를 따라 점 C까지 매초 1 cm의 속력으로 움직인다. 사각형 ABPD의 넓이가 12 cm²가 되는 것은 점 P가 점 B를 출발한 지 몇 초 후인지 구하시오.

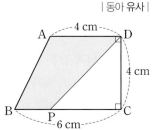

01

일차함수 $y=f(x)$에 대하여 $f(3)-f(-2)=10$이고 그 그래프는 일차함수 $y=-3x+3$의 그래프와 y축 위에서 만날 때, 일차함수 $y=f(x)$의 그래프의 x절편을 구하시오.

02

일차함수 $y=ax+b$의 그래프를 지호는 y절편 b를 잘못 보고 그려서 두 점 $(1, -6)$, $(2, 4)$를 지나게 그렸고, 희재는 기울기 a를 잘못 보고 그려서 두 점 $(-3, 4)$, $(1, 8)$을 지나게 그렸다. 일차함수 $y=ax+b$의 그래프가 점 $(1, k)$를 지날 때, k의 값을 구하시오.

(단, a, b는 상수)

03

두 점 $(2, 2a)$, $(3, b)$를 지나는 일차함수의 그래프가 점 $(a, 4)$를 지나고 y절편은 2라 할 때, $a+b$의 값을 구하시오. (단, $a \neq 2$)

일차함수의 그래프가 지나는 두 점의 좌표를 (x_1, y_1), (x_2, y_2)라 할 때, 기울기는 $\dfrac{y_2-y_1}{x_2-x_1}$임을 이용한다.

04

일차함수 $y=f(x)$에 대하여 $f(x)=ax+b$의 그래프가 다음 조건을 모두 만족시킬 때, $a-b$의 값을 구하시오. (단, a, b는 상수)

> (가) $\dfrac{f(3n)-f(2m)}{2m-3n}=1$ (단, $2m-3n \neq 0$)
>
> (나) 점 $(2, -4)$를 지난다.

05 신유형 (서울|강남)

오른쪽 그림은 일차함수의 그래프를 좌표평면 위에 그린 것인데, 일부분이 얼룩져 보이지 않는다. 이 그래프의 x절편을 a, y절편을 b라 할 때, ab의 값을 구하시오.

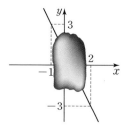

06

일차함수 $y=\dfrac{1}{2}x+3$의 그래프와 x축 위에서 만나는 일차함수 $y=ax+b$의 그래프가 다음 조건을 모두 만족시킬 때, $a+b$의 값을 구하시오. (단, a, b는 상수)

조건에 맞게 그래프를 그려본다.

(가) 일차함수 $y=ax+b$의 그래프는 오른쪽 아래를 향하는 직선이다.

(나) 일차함수 $y=\dfrac{1}{2}x+3$의 그래프와 일차함수 $y=ax+b$의 그래프가 y축과 만나는 점을 각각 A, B라 할 때, $2\overline{\text{OA}}=\overline{\text{OB}}$이다. (단, 점 O는 원점)

07 만점 KILL (서울|서초)

x축 위의 세 점 A, B, C의 x좌표를 각각 1, 5, x라 하고 점 C가 원점을 기준으로 x축 위를 양의 방향으로 움직일 때, $y=\overline{\text{CA}}+\overline{\text{CB}}$라 한다. y를 x에 대한 일차함수로 나타낼 때, 보기에서 그 그래프에 대한 설명으로 옳은 것을 모두 고르시오.

◀ 보기 ▶

ㄱ. $0 \le x < 1$일 때, x절편은 3이다.

ㄴ. $0 \le x < 1$일 때, 기울기가 2이다.

ㄷ. $x > 5$일 때, y절편은 6이다.

ㄹ. $x > 5$일 때, 이 일차함수의 그래프를 y축의 방향으로 2만큼 평행이동하면 점 $(1, -2)$를 지난다.

08 교과서 **창의사고력** | 지학사 유사 |

점 $(0, 1)$을 지나는 일차함수 $y=ax+b$의 그래프가 일차함수 $y=-\dfrac{4}{3}x+4$의 그래프와 x축, y축으로 둘러싸인 삼각형의 넓이를 이등분한다. 일차함수 $y=ax+b$의 그래프가 점 $(6, k)$를 지날 때, k의 값을 구하시오. (단, a, b는 상수)

쌤의 출제 Point

주어진 일차함수의 그래프를 그려보고 나누어진 두 도형 중 넓이를 구하기 쉬운 도형을 이용한다.

09

1 L의 휘발유로 12 km를 달리는 자동차의 연료 계기판을 확인하였더니 눈금이 전체의 $\dfrac{1}{3}$을 가리키고 있었다. 30 L의 휘발유를 더 주유한 후 연료 계기판을 다시 확인하였더니 현재 연료 계기판의 눈금이 전체의 $\dfrac{3}{4}$을 가리켰다. 현재로부터 240 km를 달린 후에 남아 있는 휘발유의 양을 구하시오.

자동차로 x km를 달린 후에 남아 있는 휘발유의 양을 y L라 하고 식을 세운다.

10

길이가 20 cm이고 10 g짜리 추를 한 개 매달 때마다 2 cm씩 늘어나는 용수철이 있다. 이 용수철에 2 g짜리 추를 x개 매달았을 때의 용수철의 길이를 y cm라 할 때, 보기에서 옳은 것을 모두 고르시오.

◀ 보기 ▶

ㄱ. 2 g짜리 추를 x개 매달 때 용수철의 길이는 $2x$ cm씩 늘어난다.

ㄴ. x와 y 사이의 관계를 식으로 나타내면 $y=\dfrac{2}{5}x+20$이다.

ㄷ. 무게가 6 g인 물체를 매달았을 때, 용수철의 길이는 $\dfrac{106}{5}$ cm가 된다.

ㄹ. 용수철의 길이가 24 cm가 되려면 2 g짜리 추를 8개 매달면 된다.

11

오른쪽 그림에서 점 P는 점 B를 출발하여 $\overline{BC}$를 따라 점 C까지 1초에 2 cm씩 움직이고 있다. 이때 점 P가 점 B를 출발한 지 x초 후의 $\triangle ABP$와 $\triangle DPC$의 넓이의 합을 y cm^{2}라 할 때, $\triangle ABP$와 $\triangle DPC$의 넓이의 합이 4200 cm^{2}가 되는 것은 점 P가 점 B를 출발한 지 몇 초 후인지 구하시오.

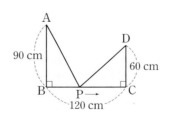

12 교과서 **추론** | 비상 유사 |

다음 그림과 같이 한 변의 길이가 1 cm인 정육각형을 한 변에 한 개씩 이어 붙여 새로운 도형을 만들려고 한다. 30개의 정육각형으로 만든 도형의 둘레의 길이를 구하시오.

1개   2개   3개   4개   5개

쌤의 출제 Point

13

알코올 램프로 물을 데우면 2분마다 물의 온도가 6 ℃씩 올라가고, 바닥에 내려놓으면 3분마다 물의 온도가 6 ℃씩 내려간다. 25 ℃의 물을 알코올 램프로 70 ℃까지 데웠다가 바닥에 내려놓아 30 ℃까지 식히는 데 몇 분이 걸리는지 구하시오.

1분에 몇 ℃씩 올라가고 내려가는지 구한다.

14

어떤 비행기가 화물, 승객, 연료를 합한 총무게 500 kg을 싣고 비행하려고 한다. 오른쪽 그래프는 이 비행기의 연료의 무게 x kg에 따른 최대 비행 시간 y시간을 나타낸 것이다. 화물의 무게가 100 kg, 승객의 무게가 160 kg일 때, 이 비행기의 최대 비행 시간은 몇 분인지 구하시오.

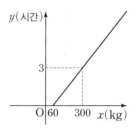

15 복합 개념 서울|서초

오른쪽 그림과 같이 밑면의 반지름의 길이가 4 cm인 원기둥 모양의 양초를 일렬로 놓고 끈으로 묶는다고 하자. 처음 가지고 있던 끈으로 양초 3개를 묶었더니 끈이 80 cm가 남았다. 처음 가지고 있던 끈을 모두 사용하면 몇 개의 양초를 묶을 수 있는지 구하시오.
(단, 끈의 두께와 매듭은 생각하지 않는다.)

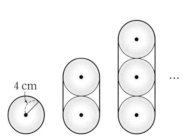

4 cm

01 좌표평면 위의 세 점 $A(-3, 9)$, $B(0, 3)$, $C(6, 6)$을 꼭짓점으로 하는 $\triangle ABC$가 있다. $\triangle ABC$의 둘레 위의 점 (x, y) 중에서 x, y가 모두 정수인 점은 모두 몇 개인지 구하시오.

🌐 **Challenge**

02 오른쪽 그림과 같이 좌표평면 위에 점 $A(3, 7)$, $B(8, 2)$가 있다. y축과 x축 위에 각각 점 $P(0, a)$, $Q(b, 0)$을 잡아 $\overline{AP}+\overline{PQ}+\overline{QB}$의 길이가 최소가 되도록 할 때, $\dfrac{a}{b}$의 값을 구하시오.

(단, 두 점 P, Q는 원점이 아니다.)

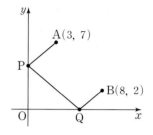

03 오른쪽 그림과 같이 세 점 $A\left(-1, \dfrac{7}{3}\right)$, $B(3, 1)$, $C(3, 5)$를 꼭짓점으로 하는 삼각형 ABC가 있다. 두 점 A, B를 지나는 직선이 y축과 만나는 점을 D라 하고 사각형 ADEC의 넓이가 삼각형 DBE의 넓이의 3배일 때, 두 점 D, E를 지나는 직선을 그래프로 하는 일차함수의 식을 구하시오.

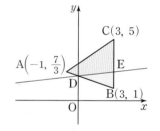

04 다음 조건을 모두 만족시키는 상수 a, b, c에 대하여 일차함수 $y=ax+2$의 그래프를 두 점 $A(b, 0)$, $B(c, 0)$을 이은 $\overline{AB}$를 지나도록 하기 위해 y축의 방향으로 k만큼 평행이동하였다. 이때 k의 값 중 가장 큰 값을 m, 가장 작은 값을 n이라 할 때, $m-n$의 값을 구하시오.

> ㈎ 은서는 기차 출발 시각까지 1시간의 여유가 있어 이 시간 동안 상점에 가서 물건을 사오려고 한다. 은서가 걷는 속력은 시속 $8\,\mathrm{km}$이고, 물건을 사는 데 15분이 걸린다면 역에서 $a\,\mathrm{km}$ 이내의 상점까지 다녀올 수 있다.
>
> ㈏ 민준이네 반 학생들이 야영을 하려고 한다. 한 개의 텐트에서 4명씩 자면 학생이 3명 남고, 5명씩 자면 텐트가 1개 남는다고 할 때, 텐트 수는 b개 이상 c개 이하이다.

10 일차함수와 일차방정식의 관계

① 일차함수와 일차방정식

(1) **미지수가 2개인 일차방정식의 그래프** : 미지수가 2개인 일차방정식의 해의 순서쌍 (x, y)를 좌표평면 위에 나타낸 것

(2) **직선의 방정식**

x, y의 값의 범위가 수 전체일 때, 일차방정식 $ax+by+c=0$(a, b, c는 상수, $a\neq0$ 또는 $b\neq0$)의 해는 무수히 많고, 그 해를 좌표평면 위에 나타내면 직선이 된다. 이때 이 일차방정식을 직선의 방정식이라 한다.

(3) **일차함수와 일차방정식의 관계** : 미지수가 2개인 일차방정식 $ax+by+c=0$(a, b, c는 상수, $a\neq0$, $b\neq0$)의 그래프는 일차함수 $y=-\dfrac{a}{b}x-\dfrac{c}{b}$의 그래프와 같다.

$$\boxed{ax+by+c=0\,(a\neq0,\,b\neq0)} \xrightleftharpoons[\text{일차방정식}]{\text{일차함수}} \boxed{y=-\dfrac{a}{b}x-\dfrac{c}{b}}$$

② 좌표축에 평행한 직선의 방정식

(1) **방정식 $x=p\,(p\neq0)$의 그래프**

점 $(p, 0)$을 지나고 y축에 평행한(x축에 수직인) 직선이다.

(2) **방정식 $y=q\,(q\neq0)$의 그래프**

점 $(0, q)$를 지나고 x축에 평행한(y축에 수직인) 직선이다.

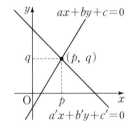

참고 방정식 $x=0$의 그래프는 y축을, 방정식 $y=0$의 그래프는 x축을 나타낸다.

③ 연립방정식의 해와 일차함수의 그래프

(1) 연립방정식 $\begin{cases} ax+by+c=0 \\ a'x+b'y+c'=0 \end{cases}$의 해는 두 일차방정식 $ax+by+c=0$, $a'x+b'y+c'=0$의 그래프의 교점의 좌표와 같다.

$$\boxed{\text{연립방정식의 해 } x=p,\ y=q} \xleftrightarrow{\quad} \boxed{\text{두 그래프의 교점의 좌표 } (p, q)}$$

참고 두 일차함수 $y=-\dfrac{a}{b}x-\dfrac{c}{b}$, $y=-\dfrac{a'}{b'}x-\dfrac{c'}{b'}$의 그래프의 교점의 좌표도 (p, q)이다.

(2) **연립방정식의 해의 개수와 두 그래프의 위치 관계**

연립방정식 $\begin{cases} ax+by+c=0 \\ a'x+b'y+c'=0 \end{cases}$의 해의 개수는 두 일차방정식 $ax+by+c=0$과 $a'x+b'y+c'=0$의 그래프의 교점의 개수와 같다.

연립방정식의 해	한 쌍이다.	없다.	무수히 많다.
두 그래프의 교점	1개	없다.	무수히 많다.
두 그래프의 위치 관계	한 점에서 만난다.	평행하다.	일치한다.
기울기와 y절편	기울기가 다르다.	기울기가 같고 y절편이 다르다.	기울기와 y절편이 각각 같다.
a, b, c와 a', b', c' 사이의 관계	$\dfrac{a}{a'}\neq\dfrac{b}{b'}$	$\dfrac{a}{a'}=\dfrac{b}{b'}\neq\dfrac{c}{c'}$	$\dfrac{a}{a'}=\dfrac{b}{b'}=\dfrac{c}{c'}$

🎯 이것이 진짜 **출제율 100%** 문제

① 일차함수와 일차방정식

01 대표문제

다음 중 일차방정식 $2x-3y-6=0$의 그래프에 대한 설명으로 옳은 것은?

① 점 $(4, 1)$을 지난다.

② 제1, 2, 3사분면을 지난다.

③ x절편은 -2이고, y절편은 3이다.

④ 일차함수 $y=\dfrac{3}{2}x-3$의 그래프와 평행하다.

⑤ x의 값이 6만큼 증가할 때, y의 값은 4만큼 증가한다.

02

일차함수 $y=f(x)$에 대하여 $f(2)-f(-2)=8$이다. 이 일차함수의 그래프가 일차방정식 $3x-2y+4=0$의 그래프와 y축 위에서 만날 때, 이 일차함수의 식을 구하시오.

03

일차방정식 $ax+by+1=0$의 그래프가 오른쪽 그림과 같을 때, $2a-b$의 값을 구하시오.

(단, a, b는 상수)

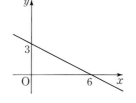

04

$a<0$, $b>0$, $c>0$일 때, 일차방정식 $ax+by+c=0$의 그래프로 알맞은 것은? (단, a, b, c는 상수)

①   ②   ③

④   ⑤

② 좌표축에 평행한 직선의 방정식

05 대표문제

일차방정식 $ax-by+2=0$의 그래프가 오른쪽 그림과 같을 때, $a+b$의 값을 구하시오.

(단, a, b는 상수)

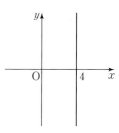

06 실수多

두 점 $(-2a+8, -4)$, $(a+4, 4a)$를 지나는 직선이 방정식 $y=1$의 그래프와 평행할 때, a의 값을 구하시오.

✏️ **쌤의 오답 코칭** | $y=1$의 그래프는 x축에 평행하다.

07

네 직선 $x=-1$, $x=k$, $y=3$, $y=-7$로 둘러싸인 도형의 넓이가 40일 때, 양수 k의 값을 구하시오.

08

네 직선 $x-2=0$, $y-3=0$, $3x=12$, $2y-10=0$으로 둘러싸인 도형과 직선 $y=kx$가 만나도록 하는 상수 k의 값의 범위를 구하시오.

③ 연립방정식의 해와 일차함수의 그래프

09 대표문제

두 일차방정식 $x+2y-3=0$, $3x-2y-1=0$의 그래프의 교점을 지나고 y축에 수직인 직선의 방정식을 구하시오.

10

두 일차방정식 $x+2y-3=0$, $-2x+y-4=0$의 그래프의 교점이 직선 $5x-ay+3=0$ 위에 있을 때, 상수 a의 값을 구하시오.

11

연립방정식 $\begin{cases} ax-6y=9 \\ x+by=4 \end{cases}$의 두 일차방정식의 그래프가 오른쪽 그림과 같을 때, 상수 a, b에 대하여 ab의 값을 구하시오.

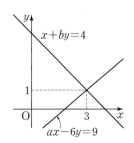

12

오른쪽 그림과 같이 두 직선 l, m이 점 $P(a, b)$에서 만날 때, $a-b$의 값을 구하시오.

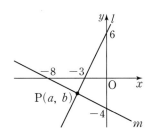

13 실수多

오른쪽 그림과 같이 두 직선 $3x-2y+3=0$, $x+y-4=0$ 과 x축으로 둘러싸인 도형의 넓이를 구하시오.

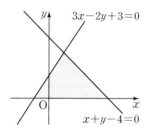

쌤의 오답 코칭 | 두 직선의 x절편과 두 직선의 교점을 이용하여 삼각형의 넓이를 구한다.

14

연립방정식 $\begin{cases} ax+by=2 \\ (a-3)x+6y=3 \end{cases}$의 두 일차방정식을 그래프로 그렸더니 두 그래프가 일치하였다. 이때 상수 a, b에 대하여 $a+b$의 값을 구하시오.

15

민이가 자전거를 타고 집에서 출발한 지 30분 후에 아버지가 자동차를 타고 집에서 출발하여 민이를 뒤따라갔다. 민이가 출발한 지 x분 후에 두 사람이 집으로부터 떨어진 거리를 y km라 할 때, x와 y 사이의 관계를 각각 그래프로 나타내면 오른쪽 그림과 같다. 아버지가 출발한 지 몇 분 후에 민이와 만나는지 구하시오.

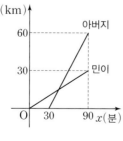

16
| 신사고 유사 |

일차방정식 $x+ay+2a+b=0$의 그래프가 오른쪽 그래프와 평행하고, 제1사분면을 지나지 않도록 하는 b의 값의 범위를 구하시오.

(단, a, b는 상수)

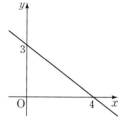

17
| 천재 유사 |

다음 두 조건을 동시에 만족시키는 상수 a, b의 값을 각각 구하시오.

㈎ 직선 $ax+2y-1=0$은 직선 $bx-4y+2=0$과 두 점 이상에서 만난다.

㈏ 직선 $ax+2y-1=0$은 직선 $(3-2b)x+4y+3=0$ 과 만나지 않는다.

18
| 비상 유사 |

라면을 생산하는 A, B 두 회사가 있다. 3월 1일로부터 x개월 후에 두 회사 A, B에서 판매한 라면의 총 개수를 y만 개라 할 때, x와 y 사이의 관계를 각각 그래프로 나타내면 오른쪽 그림과 같다. B 회사에서 판매한 라면의 총 개수가 A 회사의 2배가 되는 것은 3월 1일로부터 몇 개월 후인지 구하고, 그 때 B 회사에서 판매한 라면은 총 몇 개인지 차례대로 구하시오.

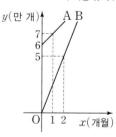

01

일차방정식 $ax+by-c=0$의 그래프가 제1, 2, 4사분면을 지날 때, 일차방정식 $cx-ay+b=0$의 그래프가 지나지 <u>않는</u> 사분면을 구하시오. (단, a, b, c는 상수)

02

두 직선 $2x+y-4=0$과 $mx+y-1=0$의 교점이 제1사분면 위에 있도록 하는 상수 m의 값의 범위를 구하시오.

03 신유형 (서울 | 서초)

다음 보기에서 일차방정식 $ax+by=1$의 그래프에 대한 설명으로 옳은 것은 모두 몇 개인지 구하시오. (단, a, b는 상수이고, $a\neq0$ 또는 $b\neq0$)

$a\neq0$ 또는 $b\neq0$이므로 a와 b 중 적어도 하나는 0이 아님을 이용하여 경우를 나누어 본다.

┤ 보기 ├
ㄱ. 좌표평면 위에 나타내면 직선이다.
ㄴ. 원점을 지나는 그래프를 그릴 수 있다.
ㄷ. y절편이 항상 존재한다.
ㄹ. $a\neq0$, $b=0$이면 x축에 수직이다.
ㅁ. $a=0$, $b\neq0$이면 x축에 평행하다.
ㅂ. $a>0$, $b<0$이면 제2사분면을 지나지 않는다.

04

좌표평면 위의 세 점 A$(3, 5)$, B$(-2, -4)$, C$(6, -1)$을 꼭짓점으로 하는 $\triangle$ABC와 y축에 평행한 직선이 두 점 P, Q에서 만난다. $\overline{PQ}$의 길이가 최대일 때, y축에 평행한 직선의 방정식을 구하시오.

05

오른쪽 그림과 같이 두 직선 $y=\dfrac{4}{3}x$, $y=2$와 y축으로 둘러싸인

도형을 $\triangle$AOB라 하고, 세 직선 $y=\dfrac{4}{3}x$, $y=2$, $x=6$으로 둘러

싸인 도형을 $\triangle$BCD라 하자. $\triangle$AOB의 넓이를 a, $\triangle$BCD의 넓

이를 b라 할 때, $b-a$의 값을 구하시오. (단, O는 원점)

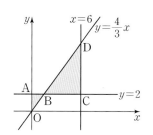

쌤의 출제 Point

06 교과서 추론 | 천재 유사 |

오른쪽 그림에서 세 직선 $ax-y+4=0$, $x=1$, $x=4$와 x축

으로 둘러싸인 사다리꼴의 넓이가 $\dfrac{15}{2}$일 때, 상수 a의 값을 구

하시오.

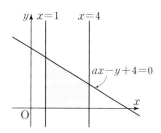

07 복합 개념 대전 | 둔산 |

네 직선 $2x-y+1=0$, $2x-2=0$, $x=0$, $y=4$로 둘러싸인 도형을 y축을 회전축으로 하여

1회전 시킬 때, 생기는 입체도형의 부피를 구하시오.

08 만점 KILL 서울 | 서초 |

오른쪽 그림에서 두 점 A, C는 각각 직선 $2x-y+4=0$과 직선

$x-2y+2=0$ 위에 있고 직사각형 ABCD의 네 변은 모두 좌표

축에 평행하다. 두 점 O, B를 지나는 직선의 기울기는 $\dfrac{5}{2}$이고 두

점 B, D를 지나는 직선의 기울기는 $\dfrac{7}{4}$일 때, 두 점 A, D를 지나

는 직선의 방정식을 구하시오. (단, O는 원점)

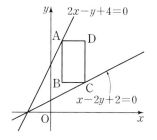

점 B의 x좌표를 $2a$라 하고 네 점
의 좌표를 각각 a를 이용하여 나타
낸다.

09

두 일차방정식 $3x+y-2=0$, $6x+ay+b=0$의 그래프가 x축과 만나는 점을 각각 A, B라 하자. 두 그래프는 서로 평행하고 $\overline{AB}=4$일 때, 상수 a, b에 대하여 $a+b$의 값을 구하시오.

(단, $b>0$)

샘의 출제 Point

10 교과서 **창의사고력** | 신사고 유사 |

오른쪽 그림과 같이 일차방정식 $2x-y+3=0$의 그래프와 두 직선 $y=3$, $y=-1$의 교점을 각각 A, B라 하자. 일차함수 $y=px+q$ 의 그래프와 두 직선 $y=-1$, $y=3$의 교점을 각각 C, D라 하면 사각형 ABCD는 넓이가 12인 평행사변형일 때, 두 상수 p, q에 대하여 pq의 값을 구하시오. (단, $q<0$)

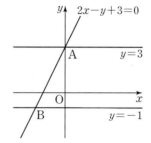

사각형 ABCD가 평행사변형이므로 마주 보는 두 변은 각각 평행하다.

11

두 직선 $3x-8y+24=0$, $3x+4y-12=0$과 x축으로 둘러싸인 삼각형의 넓이를 이등분하는 직선이 원점을 지날 때, 이 직선의 방정식을 구하시오.

12

오른쪽 그림과 같이 세 직선 $5x-y=0$, $x+y-4=0$, $x-2y+3=0$ 위의 세 점 A, B, C를 꼭짓점으로 하는 정사각형 ABCD가 있다. $\overline{AB}$는 y축에 평행하고 $\overline{BC}$는 x축에 평행할 때, 정사각형 ABCD의 넓이를 구하시오.

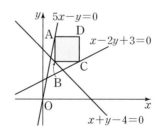

13

쌤의 출제 Point

연립방정식 $\begin{cases} 3x+ay+1=0 \\ bx-2y-\dfrac{1}{3}=0 \end{cases}$ 의 해가 무수히 많을 때, 다음 보기에서 일차방정식

$ax+2by+4=0$의 그래프에 대한 설명으로 옳은 것을 모두 고르시오. (단, a, b는 상수)

◀ 보기 ▶

ㄱ. 점 $\left(-\dfrac{7}{3}, -5\right)$를 지난다.

ㄴ. 오른쪽 아래를 향하는 직선이다.

ㄷ. x절편과 y절편의 곱은 $\dfrac{4}{3}$이다.

ㄹ. $x-\dfrac{1}{3}y-2=0$의 그래프와 만나지 않는다.

14 교과서 **창의사고력** | 천재 유사 |

세 직선 $x-2y+2=0$, $2x+y-6=0$, $ax-y+4=0$에 의해 삼각형이 만들어지지 않을 때, 모든 상수 a의 값의 합을 구하시오.

두 직선 $x-2y+2=0$, $2x+y-6=0$의 위치 관계를 알고, 어떤 경우에 삼각형이 만들어지지 않는지 모두 생각한다.

15

오른쪽 그림과 같이 세 직선 $x-y=0$, $y-3=0$, $3x-y-2=0$과 y축으로 둘러싸인 사각형 AOCB의 넓이를 구하시오.

(단, O는 원점)

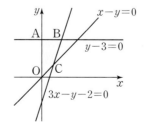

16 만점 KILL 안양 | 평촌

오른쪽 그림과 같이 두 직선 $3x+y-3=0$, $2x+3y-12=0$과 x축, y축으로 둘러싸인 사각형 ABCD가 있다. 점 C를 지나면서 사각형 ABCD의 넓이를 이등분하는 직선 l의 방정식을 $ax+by+42=0$이라 할 때, $a+b$의 값을 구하시오.

(단, a, b는 상수)

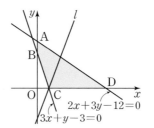

쌤의 출제 Point

직선 l에 의해 나누어지는 사각형 ABCD의 두 부분 중 삼각형의 넓이를 이용한다.

17 신유형 서울 | 강남

어느 회사에서 한 제품을 생산할 때, 제품의 생산 개수에 따른 판매 매출액과 만드는 데 드는 비용을 각각 그래프로 나타내면 오른쪽 그림과 같다. 판매 매출액이 제품을 만드는 데 드는 비용의 $\dfrac{3}{2}$배가 될 때, 판매한 제품은 몇 개인지 구하시오.

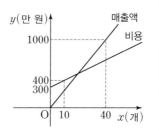

18 만점 KILL 부산 | 해운대

오른쪽 그림은 어느 공장의 생산 비용과 수익을 시간에 따라 그래프로 각각 나타낸 것이다. 이 공장은 최초로 설립했을 때 30억 원의 생산 비용이 들었으며, 생산 비용이 매월 2억 원씩 증가한다고 한다. 한편, 이 공장에서는 수익이 매월 5억 원씩 증가한다고 할 때, $a+b+c$의 값을 구하시오. (단, a, b, c는 양수)

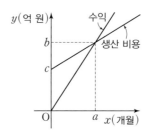

문제를 해석하여 그래프의 기울기와 y절편을 알아 낸다.

01 일차방정식 $2ax-6y+1=0$의 그래프가 오른쪽 그림의 색칠한 도형의
넓이를 이등분할 때, 상수 a의 값을 구하시오. (단, $a>0$)

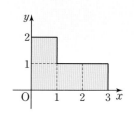

02 좌표평면 위에 오른쪽 그림과 같이 9개의 점이 있다. 일차방정식
$ax-y+b=0$의 그래프가 9개의 점 중에서 두 점 이상을 지날 때,
a, b에 대한 순서쌍 (a, b)의 개수를 구하시오. (단, a, b는 상수)

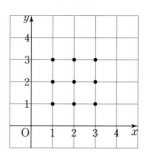

🌐 **Challenge**

03 오른쪽 그림과 같이 세 직선 $x=1$, $y=2$, $y=-x+5$로 둘러싸인
$\triangle ABC$를 x축을 회전축으로 하여 1회전 시킬 때 생기는 입체도형의
부피를 a, y축을 회전축으로 하여 1회전 시킬 때 생기는 입체도형의
부피를 b라 하자. 연립방정식 $\begin{cases} bx-ay=ak \\ 2x+3y=12 \end{cases}$의 해 (x, y)에 대하여 x,
y의 값이 모두 0보다 크거나 같을 때, 이를 만족시키는 정수 k의 값의
개수를 구하시오.

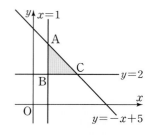

04 오른쪽 그림과 같이 두 직선 $x-2y+1=0$과 $x+y-2=0$의 교점
을 A라 하고 직선 $x-2y+1=0$이 x축, y축과 만나는 점을 각각
B, C라 하자. x축 위에 점 P를 잡아 삼각형 PAC의 둘레의 길이가
최소가 되도록 할 때, 점 P의 좌표를 구하시오.

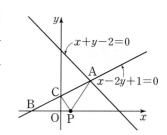

같은 문제
선배들의
다른 풀이

본책 111쪽 · 02 번 문제

좌표평면 위에 오른쪽 그림과 같이 9개의 점이 있다. 일차방정식 $ax-y+b=0$의 그래프가 9개의 점 중에서 두 점 이상을 지날 때, a, b에 대한 순서쌍 (a, b)의 개수를 구하시오.
(단, a, b는 상수)

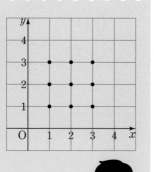

고등학생이 되면 다른 방법으로 풀 수 있을까?

이 문제에서 구하는 순서쌍의 개수는 일차방정식의 그래프가 직선임을 이용하면 같은 간격으로 놓인 9개의 점이 있을 때, 두 점 이상을 지나는 서로 다른 직선의 개수와 같아. 앞에서는 $a=0$일 때와 $a>0$일 때, $a<0$일 때로 나누어서 조건을 만족시키는 순서쌍의 개수를 일일이 구했지만 고등학교 1학년 때 '조합'이라는 것을 배우면 직선의 개수를 구하여 풀 수 있어.

서로 다른 n개에서 순서를 생각하지 않고 $r(r \leq n)$개를 택할 때, n개에서 r개를 택하는 '조합'이라 하고, 이 조합의 수를 $_nC_r$로 나타내.
이 값은 다음과 같이 구할 수 있어.

$$_nC_r = \frac{n(n-1)(n-2) \times \cdots \times (n-r+1)}{r(r-1)(r-2) \times \cdots \times 2 \times 1}$$

예를 들어 서로 다른 7개에서 순서를 생각하지 않고 3개를 택하는 방법의 수는 $_7C_3 = \dfrac{7 \times 6 \times 5}{3 \times 2 \times 1} = 35$야.

조합을 이용하여 문제를 풀어 볼까?

9개의 점 중에서 2개를 택하는 방법의 수는 $_9C_2 = \dfrac{9 \times 8}{2 \times 1} = 36$이고 한 직선 위에 3개의 점이 있는 경우는 오른쪽 그림과 같이 8개야. 3개의 점 중에서 2개를 택하는 방법의 수는 $_3C_2 = \dfrac{3 \times 2}{2 \times 1} = 3$이므로 8개의 직선은 각각 3번씩 서로 중복되게 계산되었어. 그리고 y의 계수가 0이 아니기 때문에 빨간색 직선은 그릴 수 없어. 따라서 구하는 직선의 개수는 $36-8 \times 3+(8-3)=17$이야.

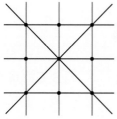

조합을 이용하여 풀 때에도 일차방정식의 그래프는 직선이라는 것을 알고 있어야 하고 하나의 직선을 그리기 위해 서로 다른 두 점이 필요하다는 것을 알아야 해!

최상위의 절대 기준

절대등급

최상위의 절대 기준

절대등급

수는 만물의 근원

Pythagoras

피타고라스 정리 발견!

정답과 풀이
중학 수학 2-1

동아출판

최상위의 절대 기준

절대등급 중학 수학 2-1 빠른 정답 안내

[모바일 빠른 정답]
QR 코드를 찍으면 **정답과 풀이**를 쉽고 빠르게 확인할 수 있습니다.

최상위의 절대 기준

절대등급

중학 **수학** 2-1

정답과 풀이

I. 수와 식의 계산

01. 유리수와 순환소수
| 본책 8쪽~17쪽

LEVEL 1 01 ③ 02 ⑤ 03 ② 04 ④ 05 ② 06 3개 07 182
08 2개 09 ④ 10 ③, ⑤ 11 22 12 14 13 ②, ③ 14 3개 15 태민
16 $1.\dot{5}\dot{4}$ 17 $2.\dot{4}$ 18 $\dfrac{1585}{9999}$

LEVEL 2 01 90 02 19 03 27 04 5 05 ㄱ, ㄴ, ㄷ 06 14개
07 20개 08 3개 09 22 10 ㄷ 11 3개 12 123 13 ④
14 (7, 1), (8, 2), (9, 3) 15 3개 16 −5 17 331 18 457 19 1
20 54 21 $0.\dot{3}$ 22 $20.\dot{3}$ 23 $11.\dot{1}$

LEVEL 3 01 4개 02 33 03 135 04 15

02. 단항식의 계산
| 본책 19쪽~25쪽

LEVEL 1 01 ㄱ, ㄹ, ㅂ 02 20 03 ④ 04 2 05 3 06 ①
07 20 08 $-\dfrac{8}{9}y^{13}$ 09 $\dfrac{a^8}{b^3}$ 10 192개 11 −77
12 (1) 2^{43} bit (2) 2^{41}개 (3) 512개 13 $\dfrac{10}{3}a^2b^2$

LEVEL 2 01 2 02 20 03 0 04 ③ 05 24 06 ④
07 $A=32, B=64, C=512$ 08 ② 09 3, 4, 5, 6 10 3개
11 B : 1800원, C : 2700원 12 $\dfrac{b^2}{4a}$ 13 $\dfrac{4b^8}{5a^7}$ 14 $\dfrac{25}{27}$배 15 a^2b^3
16 $\dfrac{25}{3}a^4b^3$

LEVEL 3 01 ㄱ, ㄷ, ㄹ 02 1 03 1
04 $\dfrac{V_1}{V_2}=\dfrac{b}{2a}$, $\dfrac{V_3}{V_4}=\dfrac{b}{2a}$, 서로 같다.

03. 다항식의 계산
| 본책 27쪽~33쪽

LEVEL 1 01 $3x+4y-19$ 02 −30 03 $-x^2+5x-5$ 04 −18
05 0 06 $-2x^2+28xy-12x$ 07 $3ab-4$ 08 $24x-28y+20$ 09 ③
10 $-y-2$ 11 $-3x^2-7x+11$ 12 $a=\dfrac{S}{16}-\dfrac{b}{2}$

LEVEL 2 01 ⑤ 02 $-x^2+x+2$ 03 $-10x-2y+2$ 04 1
05 $6x^2-2xy$ 06 119 07 14500초 08 $6x^2+4xy-\dfrac{15}{2}y^2$
09 $\dfrac{8}{7}b-\dfrac{4}{7}b^2$ 10 $\dfrac{75}{2}x^8y^5-19x^6y^3$ 11 $18x^3+2xy$ 12 1 13 −6
14 $\dfrac{2}{3}$ 15 1 16 $b=\dfrac{2S-12a+12}{15}$

LEVEL 3 01 $l=7\pi r$ 02 $52x^2y-104xy^2$ 03 $\dfrac{4}{3}$
04 $16\pi x^3+24\pi x^2y$

II. 부등식

04. 일차부등식
| 본책 37쪽~45쪽

LEVEL 1 01 ④ 02 ⑤ 03 ㄱ, ㅁ, ㅂ 04 $0\le A\le\dfrac{1}{5}$ 05 12 06 ④
07 ④ 08 4 09 3 10 $x\ge-4$ 11 $x>2$ 12 $\dfrac{2}{3}$ 13 −1 14 $a\ge\dfrac{1}{5}$
15 ≥ 16 3 17 $a\ge\dfrac{15}{2}$ 18 1

LEVEL 2 01 ② 02 ㄴ, ㄹ, ㅁ, ㅂ 03 ⑤ 04 2개 05 4
06 (1) $a\ne0, b=-1$ (2) 0 07 3 08 −2 09 12 10 ㄱ, ㄷ, ㄹ, ㅂ
11 $x>-4$ 12 $a=1, b=2$ 13 −4 14 ② 15 ③ 16 4 17 $\dfrac{5}{2}\le a<4$
18 ① 19 $a\le-3$ 20 9

LEVEL 3 01 1 02 14 03 $x\le-\dfrac{9}{5}$ 04 c, a, d, b

05. 일차부등식의 활용
| 본책 47쪽~53쪽

LEVEL 1 01 49, 51, 53 02 94점 03 7개월 04 7팩 05 15750원
06 18명 07 4 km 08 1.5 km 09 15 cm 10 $x>2$ 11 300 g
12 22 L 13 240명

LEVEL 2 01 82점 02 4명 03 19번 04 4자루 05 55 06 25000원
07 20 % 08 4개 09 41병 10 27명 11 800 m 12 17분 13 9 14 5초
15 240 g 16 5 %

LEVEL 3 01 5개 02 A, B 03 32개 04 4, 5

III. 연립방정식

06. 연립방정식의 풀이
| 본책 58쪽~67쪽

LEVEL 1 01 2 02 ④ 03 ③ 04 ② 05 $-\dfrac{5}{4}$ 06 12 07 30
08 $x=3, y=-4$ 09 -5 10 -4 11 10 12 3 13 9 14 -1 15 1
16 $x=2, y=-3$ 17 -1 18 민재, 서영, 지원

LEVEL 2 01 16 02 2개 03 54 04 20 05 -1 06 -2 07 5
08 -2 09 8 10 2 11 5 12 4 13 $-\dfrac{5}{2}$ 14 3 15 2 16 $(9, 3), (9, 1)$
17 6 18 8 19 36 20 4, 14 21 0 22 -10 23 ④ 24 2

LEVEL 3 01 43 02 25 03 24 04 -19

07. 연립방정식의 활용
| 본책 70쪽~79쪽

LEVEL 1 01 27 02 23 03 45세 04 1000원 05 10 06 15.5 km
07 150 m 08 분속 250 m 09 시속 14 km 10 200 g 11 75 g
12 228명 13 33000원 14 12일 15 48분 16 24명 17 160 cm² 18 3

LEVEL 2 01 274 02 9세 03 6 04 32 cm² 05 10점 06 6일
07 88 08 880 m 09 오전 10시 30분 10 10 km 11 17% 12 24%
13 7500원 14 30000원 15 125 g 16 A : 125 g, B : 375 g 17 160
18 900개 19 16분 20 7개 21 8개 22 4팀

LEVEL 3 01 138점 02 47개 03 120000원
04 기차의 길이 : 96 m, 속력 : 초속 42 m

IV. 함수

08. 일차함수와 그래프 (1)
| 본책 84쪽~93쪽

LEVEL 1 01 ㄷ, ㄹ, ㅁ 02 ① 03 5 04 ㄷ, ㅂ 05 $a \neq -2$
06 -1 07 3 08 -3 09 ② 10 -4 11 7 12 제2사분면 13 ①
14 ③ 15 -16 16 (1) $f(x) = \dfrac{1}{100}x + 2000$ (2) 700
17 (1) 직선 (나) (2) 직선 (다) (3) 직선 (가) 18 6

LEVEL 2 01 3개 02 10 03 ⑤ 04 $a=0, b \neq -1$ 05 $\dfrac{70}{17}$ 06 -1
07 -6 08 $\dfrac{9}{4}$ 09 6개 10 -2 11 -1 12 $-3 < a \leq -2$ 13 -6
14 $\dfrac{2}{5} \leq a \leq \dfrac{1}{2}$ 15 $\dfrac{4}{3}$ 16 -2 17 14 18 $\dfrac{2}{3}$ 19 -1 20 $-\dfrac{1}{4}, \dfrac{1}{4}$
21 제4사분면 22 1 23 22 24 -3

LEVEL 3 01 제3사분면 02 2 03 4개 04 $\dfrac{25}{6}$

09. 일차함수와 그래프 (2)
| 본책 95쪽~101쪽

LEVEL 1 01 $y=x+2$ 02 $\left(\dfrac{1}{3}, 0\right)$ 03 $y=\dfrac{1}{2}x - \dfrac{3}{2}$ 04 -10
05 -2 06 ㄱ, ㄴ 07 60분 후 08 (1) $y=-150x+2400$ (2) 16분 후
09 2020년 10 42 ℃ 11 1 12 2초 후

LEVEL 2 01 $-\dfrac{3}{2}$ 02 17 03 -5 04 1 05 $\dfrac{1}{2}$ 06 -7 07 ㄱ, ㄹ
08 2 09 34 L 10 ㄴ, ㄷ 11 20초 후 12 122 cm 13 35분 14 135분
15 8개

LEVEL 3 01 9개 02 $\dfrac{9}{11}$ 03 $y=\dfrac{1}{9}x+2$ 04 12

10. 일차함수와 일차방정식의 관계
| 본책 103쪽~111쪽

LEVEL 1 01 ⑤ 02 $y=2x+2$ 03 0 04 ④ 05 $-\dfrac{1}{2}$ 06 -1
07 3 08 $\dfrac{3}{4} \leq k \leq \dfrac{5}{2}$ 09 $y=1$ 10 -1 11 5 12 -2 13 $\dfrac{15}{2}$ 14 -2
15 15분 후 16 $b \geq -\dfrac{8}{3}$ 17 $a=-\dfrac{3}{2}, b=3$ 18 24개월 후, 60만 개

LEVEL 2 01 제4사분면 02 $m < \dfrac{1}{2}$ 03 4개 04 $x=3$ 05 12
06 $-\dfrac{3}{5}$ 07 $\dfrac{5}{3}\pi$ 08 $y=6$ 09 22 10 -6 11 $y=-\dfrac{9}{8}x$ 12 4
13 ㄱ, ㄹ 14 $-\dfrac{5}{2}$ 15 $\dfrac{19}{6}$ 16 -5 17 45개 18 90

LEVEL 3 01 $\dfrac{25}{24}$ 02 17 03 8 04 $\left(\dfrac{1}{3}, 0\right)$

I. 수와 식의 계산

01. 유리수와 순환소수

LEVEL 1 시험에 꼭 내는 문제

→ 8쪽~10쪽

01 ③	02 ⑤	03 ②	04 ④	05 ②	06 3개	07 182	08 2개
09 ④	10 ③, ⑤		11 22	12 14	13 ②, ③		14 3개
15 태민	16 1.5̇4̇		17 2.4̇	18 $\frac{1585}{9999}$			

01

③ $2.070070070\cdots=2.0\dot{7}\dot{0}$

답 ③

02

① $\frac{1}{3}=0.\dot{3}$이므로 순환마디는 3

② $\frac{4}{3}=1.\dot{3}$이므로 순환마디는 3

③ $\frac{2}{15}=0.1\dot{3}$이므로 순환마디는 3

④ $\frac{37}{300}=0.12\dot{3}$이므로 순환마디는 3

⑤ $\frac{119}{90}=1.3\dot{2}$이므로 순환마디는 2

따라서 순환마디가 나머지 넷과 다른 하나는 ⑤이다.

답 ⑤

03

순환소수 $8.5\dot{2}9\dot{1}$의 순환마디는 5291이므로 순환마디의 숫자의 개수는 4이다.

$2222=4\times555+2$에서 $8.5\dot{2}9\dot{1}$의 소수점 아래 2222번째 자리의 숫자는 순환마디가 555번 반복해서 나타난 후 순환마디의 2번째 숫자이므로 2이다.

답 ②

04

① $1.2\dot{3}4\dot{5}=1.23454545\cdots$

$1.234\dot{5}=1.234555\cdots$이므로

$1.2\dot{3}4\dot{5}<1.234\dot{5}$

② $0.\dot{1}\dot{2}=0.121212\cdots$

$0.\dot{1}2\dot{1}=0.121121121\cdots$이므로

$0.\dot{1}\dot{2}>0.\dot{1}2\dot{1}$

③ $2.5\dot{8}=2.585858\cdots$

$2.5\dot{8}=2.58888\cdots$이므로

$2.5\dot{8}<2.5\dot{8}$

④ $-1.\dot{2}=-1.222\cdots$

$-1.\dot{2}\dot{1}=-1.212121\cdots$이므로

$-1.\dot{2}<-1.\dot{2}\dot{1}$

⑤ $-2.\dot{6}\dot{0}=-2.606060\cdots$이므로 $-2.6>-2.\dot{6}\dot{0}$

따라서 두 수의 대소 관계가 옳은 것은 ④이다.

답 ④

05

기약분수로 나타내었을 때, 분모의 소인수가 2나 5뿐이면 유한소수로 나타낼 수 있다.

ㄱ. $\frac{3}{8}=\frac{3}{2^3}$

ㄴ. $\frac{1}{6}=\frac{1}{2\times3}$

ㄷ. $\frac{2}{9}=\frac{2}{3^2}$

ㄹ. $\frac{45}{2^2\times3^2}=\frac{3^2\times5}{2^2\times3^2}=\frac{5}{2^2}$

ㅁ. $\frac{34}{3\times5^2\times17}=\frac{2\times17}{3\times5^2\times17}=\frac{2}{3\times5^2}$

따라서 소수로 나타내었을 때, 유한소수인 것은 ㄱ, ㄹ의 2개이다.

답 ②

06

구하는 분수를 $\frac{a}{35}$라 하면 $35=5\times7$이므로 유한소수로 나타낼 수 있으려면 a는 7의 배수이어야 한다.

이때 $\frac{1}{7}=\frac{5}{35}$, $\frac{4}{5}=\frac{28}{35}$이므로 5와 28 사이에 있는 7의 배수는 7, 14, 21이다.

따라서 구하는 분수는 $\frac{7}{35}$, $\frac{14}{35}$, $\frac{21}{35}$의 3개이다.

답 3개

07

$\frac{3}{140}=\frac{3}{2^2\times5\times7}$, $\frac{11}{650}=\frac{11}{2\times5^2\times13}$이므로 두 분수가 모두 유한소수로 나타내어지려면 A는 7과 13의 공배수이어야 한다.

이때 7과 13의 최소공배수는 91이므로 A의 값이 될 수 있는 가장 작은 세 자리의 자연수는 182이다.

답 182

08

$\frac{18}{2^2\times3\times5\times x}=\frac{3}{2\times5\times x}$을 순환소수로 나타낼 수 있으려면 기약분수의 분모에 2나 5 이외의 소인수가 있어야 한다.

따라서 구하는 한 자리의 자연수 x의 값은 7, 9의 2개이다.

답 2개

09

① $0.\dot{8}=\dfrac{8}{9}$

② $1.\dot{3}\dot{6}=\dfrac{136-1}{99}=\dfrac{135}{99}=\dfrac{15}{11}$

③ $0.2\dot{6}=\dfrac{26-2}{90}=\dfrac{24}{90}=\dfrac{4}{15}$

④ $3.\dot{2}0\dot{3}=\dfrac{3203-3}{999}=\dfrac{3200}{999}$

⑤ $2.3\dot{6}\dot{8}=\dfrac{2368-23}{990}=\dfrac{2345}{990}=\dfrac{469}{198}$

따라서 옳지 않은 것은 ④이다. 답 ④

10

① $x=1.\dot{4}$ ➡ $10x-x$

$$10x=14.444\cdots$$
$$-)\quad x=1.444\cdots$$
$$9x=13$$

② $x=0.3\dot{5}$ ➡ $100x-10x$

$$100x=35.555\cdots$$
$$-)\quad 10x=3.555\cdots$$
$$90x=32$$

④ $x=3.2\dot{7}\dot{1}$ ➡ $1000x-10x$

$$1000x=3271.717171\cdots$$
$$-)\quad 10x=32.717171\cdots$$
$$990x=3239$$

따라서 바르게 연결한 것은 ③, ⑤이다. 답 ③, ⑤

11

$0.3\dot{4}\dot{5}=\dfrac{342}{990}=\dfrac{19}{55}=\dfrac{19}{5\times11}$

$0.3\dot{4}\dot{5}$에 어떤 자연수를 곱하여 유한소수로 나타내려면 곱하는 자연수는 11의 배수이어야 한다.

따라서 11의 배수 중 두 번째로 작은 자연수는 22이다. 답 22

12

어떤 자연수를 n이라 하면 $1.\dot{3}n-0.4\dot{6}=1.3n$

이때 $1.\dot{3}=\dfrac{13-1}{9}=\dfrac{12}{9}=\dfrac{4}{3}$,

$0.4\dot{6}=\dfrac{46-4}{90}=\dfrac{42}{90}=\dfrac{7}{15}$이므로

$\dfrac{4}{3}n-\dfrac{7}{15}=\dfrac{13}{10}n$

양변에 30을 곱하면 $40n-14=39n$ ∴ $n=14$

따라서 구하는 자연수는 14이다. 답 14

13

② 유한소수가 아닌 소수는 무한소수이고, 무한소수는 순환소수와 순환소수가 아닌 무한소수가 있다.

③ 정수가 아닌 유리수는 유한소수 또는 순환소수로 나타낼 수 있다.

따라서 옳지 않은 것은 ②, ③이다. 답 ②, ③

14

ㄱ. 유한소수 ㄴ. 유한소수 ㄷ. 순환소수가 아닌 무한소수
ㄹ. 순환소수 ㅁ. 순환소수가 아닌 무한소수

$\dfrac{a}{b}$ (a, b는 정수, $b\neq0$)는 유리수이므로 보기에서 유리수인 것은

ㄱ, ㄴ, ㄹ의 3개이다. 답 3개

15

주원 : 분수로 나타내는 식은 $\dfrac{3501-35}{990}$이다.

유안 : $3.5+0.0\dot{0}\dot{1}$의 값과 같다.

준형 : 점을 찍어 나타내면 $3.5\dot{0}\dot{1}$이다.

서연 : 순환마디는 01이다.

태민 : $1000x=3501.0101\cdots$, $10x=35.0101\cdots$이므로
$$1000x-10x=3466$$

따라서 바르게 설명한 학생은 태민이다. 답 태민

16

$0.5\dot{6}=\dfrac{56-5}{90}=\dfrac{51}{90}=\dfrac{17}{30}$에서 처음 기약분수의 분자는 17이다.

$0.\dot{4}\dot{5}=\dfrac{45}{99}=\dfrac{5}{11}$에서 처음 기약분수의 분모는 11이다.

따라서 처음 기약분수는 $\dfrac{17}{11}$이므로 $\dfrac{17}{11}$을 순환소수로 나타내면

$1.\dot{5}\dot{4}$이다. 답 $1.\dot{5}\dot{4}$

17

$0.1\dot{6}=\dfrac{16-1}{90}=\dfrac{15}{90}=\dfrac{1}{6}$ ∴ $a=6$

$2.\dot{4}\dot{5}=\dfrac{245-2}{99}=\dfrac{243}{99}=\dfrac{27}{11}$ ∴ $b=\dfrac{11}{27}$

∴ $ab=6\times\dfrac{11}{27}=\dfrac{22}{9}=2.\dot{4}$ 답 $2.\dot{4}$

18

'도솔(높은)도솔'이 반복되는 멜로디가 연주되므로 입력한 분수를 순환소수로 나타내었을 때의 순환마디가 1585이다. 이때 입력하는 분수가 0과 1 사이의 수이므로 구하는 순환소수는 $0.\dot{1}58\dot{5}$이고, 이를 기약분수로 나타내면 $\dfrac{1585}{9999}$이다. 답 $\dfrac{1585}{9999}$

01 90 **02** 19 **03** 27 **04** 5 **05** ㄱ, ㄴ, ㄷ **06** 14개
07 20개   **08** 3개 **09** 22 **10** ㄷ **11** 3개 **12** 123
13 ④ **14** $(7, 1), (8, 2), (9, 3)$ **15** 3개 **16** -5 **17** 331 **18** 457
19 1 **20** 54 **21** $0.\dot{3}$ **22** $20.\dot{3}$ **23** $11.\dot{1}$

01

[전략] 순환마디의 숫자의 개수와 그 숫자들의 합을 구한다.

$\dfrac{13}{37}=0.\dot{3}5\dot{1}$이므로 순환마디의 숫자의 개수는 3이다.

이때 $30=3\times10$이므로 소수점 아래 30번째 자리까지 순환마디가 10번 반복된다.

$\therefore x_1+x_2+x_3+\cdots+x_{30}=(3+5+1)\times10=90$ 답 90

참고 $0.351351\cdots=0.3+0.05+0.001+0.0003+\cdots$이므로 x_n은 소수점 아래 n번째 자리의 숫자를 나타낸다.

02

[전략] 순환마디가 반복되는 규칙을 찾는다.

$x_1=9$이고 $x_2=2$, $x_3=8$, $x_4=5$, $x_5=7$, $x_6=1$, $x_7=4$이다.

이후로 순환마디의 숫자 6개가 반복되므로

$x_n=x_{n+6}$ ($n>1$인 자연수)

따라서 $x_{13}=x_7=4$, $x_{23}=x_5=7$, $x_{33}=x_3=8$이므로

$x_{13}+x_{23}+x_{33}=4+7+8=19$ 답 19

참고 소수점 아래 둘째 자리부터 순환마디가 시작되는 것에 주의한다.

03

[전략] 분수를 소수로 나타낸 후 대소 관계를 비교한다.

$\dfrac{2}{11}=0.\dot{1}\dot{8}=0.181818\cdots$, $0.\dot{a}=0.aaa\cdots$, $\dfrac{7}{8}=0.875$이므로

$0.181818\cdots<0.aaa\cdots<0.875$를 만족시키는 한 자리의 자연수 a의 값은 2, 3, 4, 5, 6, 7이다.

따라서 구하는 합은

$2+3+4+5+6+7=27$ 답 27

다른 풀이

$\dfrac{2}{11}<0.\dot{a}<\dfrac{7}{8}$에서 $\dfrac{2}{11}<\dfrac{a}{9}<\dfrac{7}{8}$

$\dfrac{144}{792}<\dfrac{88a}{792}<\dfrac{693}{792}$, $144<88a<693$

따라서 한 자리의 자연수 a의 값은 2, 3, 4, 5, 6, 7이고, 그 합은 27이다.

04

[전략] $\dfrac{1}{3}$을 덜어 낸다는 것은 $1-\dfrac{1}{3}=\dfrac{2}{3}$가 남는다는 것이고 $\dfrac{1}{3}$을 더한다는 것은 $1+\dfrac{1}{3}=\dfrac{4}{3}$가 된다는 것임을 이해한다.

A_2의 길이는 $1\times\dfrac{2}{3}=\dfrac{2}{3}=0.\dot{6}$

A_3의 길이는 $\dfrac{2}{3}\times\dfrac{4}{3}=\dfrac{8}{9}=0.\dot{8}$

A_4의 길이는 $\dfrac{8}{9}\times\dfrac{2}{3}=\dfrac{16}{27}=0.\dot{5}9\dot{2}$

따라서 $a=1$, $b=1$, $c=3$이므로

$a+b+c=1+1+3=5$ 답 5

05

[전략] 1을 7로 나누는 계산 과정을 통해 분모가 7인 기약분수를 순환소수로 나타내었을 때의 순환마디의 성질을 파악한다.

ㄱ, ㄴ, ㄷ. 분모가 7인 기약분수를 순환소수로 나타내었을 때의 순환마디는 다음과 같이 1, 4, 2, 8, 5, 7이 배열 순서만 달리하여 나타난다.

$\dfrac{1}{7}=0.\dot{1}4285\dot{7}$, $\dfrac{2}{7}=0.\dot{2}8571\dot{4}$

$\dfrac{3}{7}=0.\dot{4}2857\dot{1}$, $\dfrac{4}{7}=0.\dot{5}7142\dot{8}$

$\dfrac{5}{7}=0.\dot{7}1428\dot{5}$, $\dfrac{6}{7}=0.\dot{8}5714\dot{2}$, $\cdots$

이때 소수점 아래 n번째 자리의 숫자와 $(n+6)$번째 자리의 숫자는 같다.

ㄹ. $\dfrac{4}{7}=0.\dot{5}7142\dot{8}$이므로 순환마디의 숫자의 개수는 6이다.

$100=6\times16+4$이므로 소수점 아래 100번째 자리까지 순환마디가 16번 반복하여 나오고 5, 7, 1, 4가 차례로 한번 더 나온다.

$\therefore b_1+b_2+b_3+\cdots+b_{100}$
$=(5+7+1+4+2+8)\times16+(5+7+1+4)$
$=449$

따라서 옳은 것은 ㄱ, ㄴ, ㄷ이다. 답 ㄱ, ㄴ, ㄷ

06

[전략] 먼저 분모를 소인수분해하여 소인수를 확인한다.

$\dfrac{3b}{40a}$를 소수로 나타내면 순환소수가 되기 위해서는 기약분수로 나타내었을 때, 분모의 소인수 중 2나 5 이외의 수가 존재해야 한다.

즉, $\dfrac{3b}{40a}=\dfrac{3b}{2^3\times5\times a}$이므로 a의 값이 될 수 있는 수는 7과 9뿐이다.

(ⅰ) $a=7$일 때, b의 값은 7을 제외한 모든 한 자리의 자연수이므로 b는 8개이다.

(ⅱ) $a=9$일 때, b의 값은 3의 배수인 3, 6, 9를 제외한 모든 한 자리의 자연수이므로 b는 6개이다.

따라서 (ⅰ), (ⅱ)에서 조건을 만족시키는 순서쌍 (a, b)는 14개이다.

답 14개

07

[전략] 분모를 소인수분해하여 2나 5 이외의 소인수가 있는지 확인한다.

조건 (다)에서 $\dfrac{n}{90}=\dfrac{n}{2\times3^2\times5}$이 유한소수가 되려면 n은 9의 배수이어야 한다.

또한, 조건 (나)에서 n은 90의 배수가 아니다.

200 미만의 자연수 중 9의 배수는 22개이고, 90의 배수는 2개이다.

따라서 주어진 조건을 모두 만족시키는 자연수 n의 값은 $22-2=20$(개)이다.

답 20개

참고 분수에서 분자가 분모의 배수일 때, 그 분수는 정수가 된다.

08

[전략] 세 분수의 분모를 각각 소인수분해한 후 분모의 소인수가 2나 5만 남게 하는 a의 값의 조건을 구한다.

$\dfrac{a}{140}=\dfrac{a}{2^2\times5\times7}$, $\dfrac{3a}{208}=\dfrac{3a}{2^4\times13}$, $\dfrac{7a}{390}=\dfrac{7a}{2\times3\times5\times13}$가

모두 유한소수가 되려면 세 분수의 분모의 소인수 중 2나 5 이외의 수는 모두 약분되어야 하므로 a는 3, 7, 13의 공배수이어야 한다.

이때 3, 7, 13의 최소공배수는 273이다.

따라서 a의 값이 될 수 있는 세 자리의 자연수는 273, 546, 819의 3개이다.

답 3개

09

[전략] 유한소수로 나타낼 수 있는 분수의 개수를 구한다.

$\dfrac{3}{n(n+1)}$을 소수로 나타내었을 때, 유한소수가 되는 경우는

$\dfrac{3}{1\times2}$, $\dfrac{3}{2\times3}$, $\dfrac{3}{3\times4}$, $\dfrac{3}{4\times5}$, $\dfrac{3}{5\times6}$, $\dfrac{3}{15\times16}$, $\dfrac{3}{24\times25}$

따라서 30 미만의 자연수 n에 대하여 분수 $\dfrac{3}{n(n+1)}$이 유한소수가 되게 하는 n의 값은 7개이므로 유한소수로 나타낼 수 없게 하는 n의 값의 개수는 $29-7=22$이다.

답 22

10

[전략] 주어진 분수의 분모를 소인수분해하고 분모의 소인수 중에서 2나 5 이외의 수가 약분되는지 확인한다.

두 번째, 세 번째 분수의 분자를 각각 a, b라 하고 주어진 분수의 분모를 각각 소인수분해하면

$\dfrac{9}{40}=\dfrac{9}{2^3\times5}$, $\dfrac{a}{55}=\dfrac{a}{5\times11}$

$\dfrac{b}{105}=\dfrac{b}{3\times5\times7}$, $\dfrac{33}{120}=\dfrac{11}{2^3\times5}$

ㄱ. a가 11의 배수, b가 21의 배수이면 네 개의 분수는 모두 유한소수로 나타낼 수 있다.

ㄴ. $\dfrac{9}{40}=\dfrac{9}{2^3\times5}$, $\dfrac{33}{120}=\dfrac{11}{2^3\times5}$이므로 이 두 개의 분수는 유한소수로 나타낼 수 있고, 나머지 두 분수는 알 수 없다.

ㄷ. a가 11의 배수, b가 21의 배수이면 네 개의 분수는 모두 유한소수로 나타낼 수 있으므로 분자가 11과 21의 공배수인 231이면 네 개의 분수는 모두 유한소수로 나타낼 수 있다.

ㄹ. 분모에 있는 2나 5 이외의 소인수가 분자의 소인수에 의해 약분되면 유한소수로 나타낼 수 있다.

따라서 옳은 것은 ㄷ뿐이다.

답 ㄷ

11

[전략] 순환소수를 분수로 나타내어 a, b 사이의 관계식을 구한다.

$0.25\dot{b}=\dfrac{250+b-25}{900}=\dfrac{225+b}{900}$

즉, $\dfrac{a}{300}=\dfrac{225+b}{900}$이므로 $3a=225+b$

$\therefore a=\dfrac{225+b}{3}$

이때 a는 자연수이므로 $225+b$는 3의 배수이어야 하고, b는 한 자리의 자연수이므로 이를 만족시키는 b의 값은 3, 6, 9의 3개이다.

답 3개

12

[전략] 순환소수 $b.\dot{2}\dot{4}$를 기약분수로 나타내면 $\dfrac{a}{33}$가 됨을 이용한다.

$b.\dot{2}\dot{4}=\dfrac{100b+24-b}{99}=b+\dfrac{24}{99}=b+\dfrac{8}{33}$

즉, $b+\dfrac{8}{33}=\dfrac{a}{33}$이므로

$a=33b+8$

이때 $\dfrac{a}{33}$가 기약분수이므로 a의 값은 33과 서로소인 100 이하의 자연수이다.

즉, $b=0$일 때 $a=8$, $b=1$일 때 $a=41$, $b=2$일 때 $a=74$이다.

따라서 구하는 합은 $8+41+74=123$

답 123

13

[전략] 소수점 아래 부분이 같아지도록 양변에 10의 거듭제곱을 곱하여 두 식의 차가 정수가 되도록 한다.

① $100x-x=13$

② $1000x-10x=131-1=130$

③ $10000x-x=1313$

⑤ $10000x-100x=1313-13=1300$

따라서 이용할 수 없는 식은 ④이다.

답 ④

14

[**전략**] 순환소수를 분수로 나타내어 a, b 사이의 관계식을 구한다.

$0.\dot{a}\dot{b}=\dfrac{10a+b}{99}$, $0.\dot{b}\dot{a}=\dfrac{10b+a}{99}$ 이고 $a>b$이므로

$0.\dot{a}\dot{b}$와 $0.\dot{b}\dot{a}$의 차는

$\dfrac{10a+b}{99}-\dfrac{10b+a}{99}=\dfrac{9(a-b)}{99}=\dfrac{a-b}{11}$

이때 $0.\dot{5}\dot{4}=\dfrac{54}{99}=\dfrac{6}{11}$이므로

$\dfrac{a-b}{11}=\dfrac{6}{11}$ $\therefore a-b=6$

따라서 a, b는 한 자리의 자연수이므로 a, b의 순서쌍은 $(7, 1)$, $(8, 2)$, $(9, 3)$이다.   답 $(7, 1)$, $(8, 2)$, $(9, 3)$

15

[**전략**] $0.\dot{a}\dot{b}$를 분수로 나타내면 $\dfrac{10a+b}{99}$이다.

$0.\dot{a}\dot{b}=\dfrac{10a+b}{99}$ 를 기약분수로 나타내었을 때, 분모가 될 수 있는 수는 99의 약수이므로 3, 9, 11, 33, 99이다.

이때 분모가 3, 9인 기약분수는 순환마디의 숫자의 개수가 1이므로 순환소수로 나타내면 $0.\dot{a}\dot{b}$가 될 수 없다.

따라서 구하는 수는 11, 33, 99의 3개이다.   답 3개

16

[**전략**] 순환소수를 분수로 나타낸다.

$(0.\dot{0}\dot{q})^2=0.\dot{0}\dot{p}\times0.\dot{0}\dot{r}$에서

$\left(\dfrac{q}{99}\right)^2=\dfrac{p}{99}\times\dfrac{r}{99}$ $\therefore q^2=pr$

이때 p, q, r는 $p<q<r$인 한 자리의 자연수이므로 p, q, r의 값과 $p+q-r$의 값을 각각 구하면 다음과 같다.

p	q	r	$p+q-r$
1	2	4	-1
1	3	9	-5
2	4	8	-2
4	6	9	1

따라서 $p+q-r$의 값 중 가장 작은 값은 -5이다.   답 -5

17

[**전략**] (홀수)$-$(홀수)$=$(짝수), (짝수)$-$(짝수)$=$(짝수)임을 이용한다.

조건 (개)에서 $\dfrac{b}{a}$를 소수로 나타내었을 때, 소수점 아래 홀수 번째 자리의 숫자와 짝수 번째 자리의 숫자가 각각 모두 같으므로 $\dfrac{b}{a}$는 순환마디의 숫자가 2개인 순환소수로 나타낼 수 있음을 알 수 있다.

즉, $\dfrac{b}{a}=p.\dot{q}\dot{r}$의 꼴이다.

조건 (내)에서 소수점 아래 홀수 번째 자리의 숫자는 3, 짝수 번째 자리의 숫자는 4이므로 $\dfrac{b}{a}=p.\dot{3}\dot{4}$의 꼴이다.

조건 (대)에서 $2<p.\dot{3}\dot{4}<3$이므로 $\dfrac{b}{a}=2.\dot{3}\dot{4}$

$2.\dot{3}\dot{4}=\dfrac{234-2}{99}=\dfrac{232}{99}$이므로

$a=99$, $b=232$

$\therefore a+b=331$ 답 331

18

[**전략**] 각 분수를 소수로 고친 후 규칙을 찾는다.

(주어진 식)

$=2+0.3+0.0723(1+0.001+0.000001+\cdots)$

$=2+0.3+0.0723+0.0000723+0.0000000723+\cdots$

$=2.\dot{3}7\dot{2}$

$2.\dot{3}7\dot{2}$를 기약분수로 나타내면

$2.\dot{3}7\dot{2}=\dfrac{2372-2}{999}=\dfrac{2370}{999}=\dfrac{790}{333}$

따라서 $a=333$, $b=790$이므로

$b-a=790-333=457$ 답 457

다른 풀이

$1+\dfrac{1}{10^3}+\dfrac{1}{10^6}+\dfrac{1}{10^9}+\cdots$

$=1+0.001+0.000001+0.000000001+\cdots$

$=1.\dot{0}0\dot{1}=\dfrac{1001-1}{999}=\dfrac{1000}{999}$

$\therefore$ (주어진 식)$=2+\dfrac{3}{10}+\dfrac{723}{10^4}\times\dfrac{1000}{999}$

$=2+\dfrac{3}{10}+\dfrac{241}{3330}$

$=\dfrac{6660+999+241}{3330}$

$=\dfrac{7900}{3330}=\dfrac{790}{333}$

따라서 $a=333$, $b=790$이므로 $b-a=457$

19

[**전략**] a, b, c를 기약분수로 나타낸 후 주어진 규칙에 따라 계산한다.

$a=1+0.1+0.02+0.001+0.0002+\cdots$

$=1.\dot{1}\dot{2}=\dfrac{112-1}{99}=\dfrac{111}{99}=\dfrac{37}{33}$

$\therefore a=\dfrac{37}{33}$, $b=\dfrac{74}{33}$, $c=\dfrac{3}{9}=\dfrac{1}{3}$

$\dfrac{a}{b}=\dfrac{37}{33}\div\dfrac{74}{33}=\dfrac{37}{33}\times\dfrac{33}{74}=\dfrac{1}{2}$ (유한소수)이므로 $a\triangle b=2$

$\dfrac{c}{2}=\dfrac{1}{3}\div 2=\dfrac{1}{3}\times\dfrac{1}{2}=\dfrac{1}{6}$ (무한소수)이므로 $c\triangle 2=1$

$\therefore c\triangle(a\triangle b)=1$

답 1

20

[전략] $[1,2,3]$, $[2,3,4]$를 주어진 식에 대입한 후 분수로 나타낸다.

$[1,2,3]=0.\dot{1}+0.1\dot{2}+0.12\dot{3}$

$\qquad\quad=\dfrac{1}{9}+\dfrac{11}{90}+\dfrac{111}{900}=\dfrac{321}{900}$

$[2,3,4]=0.\dot{2}+0.2\dot{3}+0.23\dot{4}$

$\qquad\quad=\dfrac{2}{9}+\dfrac{21}{90}+\dfrac{211}{900}=\dfrac{621}{900}$

$[1,2,3]+[2,3,4]=\dfrac{321+621}{900}=\dfrac{942}{900}=\dfrac{157}{150}$

$0.3\dot{6}\times x=\dfrac{33}{90}\times x=\dfrac{11}{30}x$

즉, $\dfrac{157}{150}=\dfrac{11}{30}x$이므로

$x=\dfrac{157}{150}\times\dfrac{30}{11}=\dfrac{157}{55}=2.85\dot{4}$

따라서 순환소수 x의 순환마디는 54이다.

답 54

참고 다음 식에 대입하여 풀 수도 있다.

$[a,b,c]=0.\dot{a}+0.a\dot{b}+0.ab\dot{c}$

$\qquad\quad=\dfrac{a}{9}+\dfrac{10a+b-a}{90}+\dfrac{100a+10b+c-10a-b}{900}$

$\qquad\quad=\dfrac{a}{9}+\dfrac{9a+b}{90}+\dfrac{90a+9b+c}{900}$

$\qquad\quad=\dfrac{280a+19b+c}{900}$

21

[전략] $0.\dot{3}$을 분수로 나타낸 후 $\dfrac{1}{a}$의 값을 구한다.

$a=0.\dot{3}=\dfrac{3}{9}=\dfrac{1}{3}$이므로 $\dfrac{1}{a}=3$

$\therefore 1-\cfrac{1}{1-\cfrac{1}{1-\cfrac{1}{a}}}=1-\cfrac{1}{1-\cfrac{1}{1-3}}$

$\qquad\qquad\qquad\qquad=1-\cfrac{1}{1+\cfrac{1}{2}}=1-\dfrac{1}{\dfrac{3}{2}}=1-\dfrac{2}{3}=\dfrac{1}{3}$

따라서 주어진 식의 값을 순환소수로 나타내면 $\dfrac{1}{3}=0.\dot{3}$이다.

답 $0.\dot{3}$

다른 풀이

$1-\cfrac{1}{1-\cfrac{1}{1-\cfrac{1}{a}}}=1-\cfrac{1}{1-\cfrac{1}{\cfrac{a-1}{a}}}$

$\qquad\qquad\qquad\quad=1-\cfrac{1}{1-\cfrac{a}{a-1}}=1-\cfrac{1}{\cfrac{-1}{a-1}}$

$\qquad\qquad\qquad\quad=1+a-1=a$

따라서 주어진 식의 값은 $a=0.\dot{3}$

22

[전략] 삼각형의 내각과 외각의 크기 사이의 관계를 이용하여 x에 대한 일차방정식을 세운다.

$24.\dot{6}=\dfrac{246-24}{9}=\dfrac{222}{9}=\dfrac{74}{3}$

$3.\dot{3}=\dfrac{33-3}{9}=\dfrac{30}{9}=\dfrac{10}{3}$

삼각형의 한 외각의 크기는 이웃하지 않는 두 내각의 크기의 합과 같으므로

$24.\dot{6}+x+60=3.\dot{3}+5x$

$\dfrac{74}{3}+x+60=\dfrac{10}{3}+5x$

$4x=60+\dfrac{64}{3}=\dfrac{244}{3}$

$\therefore x=\dfrac{61}{3}=20.\dot{3}$

답 $20.\dot{3}$

23

[전략] A_1, A_2, A_3, $\cdots$의 넓이를 차례대로 구해 보면서 규칙을 찾는다.

$S=10+10\times\dfrac{1}{10}+10\times\dfrac{1}{10}\times\dfrac{1}{10}+10\times\dfrac{1}{10}\times\dfrac{1}{10}\times\dfrac{1}{10}+\cdots$

$\quad=10+10\times\dfrac{1}{10}+10\times\dfrac{1}{100}+10\times\dfrac{1}{1000}+\cdots$

$\quad=10(1+0.1+0.01+0.001+\cdots)$

$\quad=10\times 1.\dot{1}$

이때 $1.\dot{1}=\dfrac{11-1}{9}=\dfrac{10}{9}$이므로

$S=10\times\dfrac{10}{9}=\dfrac{100}{9}=11.\dot{1}$

답 $11.\dot{1}$

LEVEL 3 최고난도 문제 → 17쪽

01 4개 **02** 33 **03** 135 **04** 15

01 solution 미리 보기

step ❶	주어진 방정식의 해 구하기
step ❷	주어진 방정식의 해가 유한소수가 됨을 이용하여 a의 값의 조건 구하기
step ❸	자연수 a의 값은 몇 개인지 구하기

$6(6x+1)=10a+1$에서 $36x+6=10a+1$

$36x=10a-5$ $\therefore x=\dfrac{5(2a-1)}{36}$ ....❶

이때 $\dfrac{5(2a-1)}{36}=\dfrac{5(2a-1)}{2^2\times 3^2}$ 을 소수로 나타내었을 때, 유한소수가 되려면 $2a-1$의 값은 9의 배수이어야 한다.

즉, $2a-1=9k$(k는 자연수)라 하면 $a=\dfrac{9k+1}{2}$ ....❷

따라서 $10<a<50$을 만족시키는 자연수 a의 값은

$k=3$일 때 $a=14$, $k=5$일 때 $a=23$, $k=7$일 때 $a=32$, $k=9$일 때 $a=41$의 4개이다. ....❸

답 4개

02 solution 미리 보기

step ❶	두 분수의 분모를 소인수분해하기
step ❷	두 분수에 a를 곱한 수가 유한소수가 되도록 하는 자연수 a의 값의 조건 구하기
step ❸	조건을 만족시키는 순서쌍 (n, a)의 개수 구하기

$$\dfrac{1}{3^n+3^{n+1}+3^{n+2}+3^{n+3}}=\dfrac{1}{3^n(1+3+9+27)}$$

$$=\dfrac{1}{3^n\times 40}=\dfrac{1}{3^n\times 2^3\times 5}$$

$$\dfrac{1}{5^n+5^{n+1}+5^{n+2}+5^{n+3}}=\dfrac{1}{5^n(1+5+25+125)}$$

$$=\dfrac{1}{5^n\times 156}=\dfrac{1}{5^n\times 2^2\times 39}$$ ....❶

두 분수에 자연수 a를 각각 곱하여 소수로 나타내었을 때, 모두 유한소수가 되려면 a는 3^n과 39의 공배수이다. 즉, 3^n과 39의 최소공배수인 $3^n\times 13$의 배수이어야 한다. ....❷

(i) $n=1$일 때, 조건을 만족시키는 세 자리의 자연수 a의 값은
$3\times 13\times 3=117$, $3\times 13\times 4=156$, $\cdots$, $3\times 13\times 25=975$의 23개이다.

(ii) $n=2$일 때, 조건을 만족시키는 세 자리의 자연수 a의 값은
$3^2\times 13\times 1=117$, $3^2\times 13\times 2=234$, $\cdots$, $3^2\times 13\times 8=936$의 8개이다.

(iii) $n=3$일 때, 조건을 만족시키는 세 자리의 자연수 a의 값은
$3^3\times 13\times 1=351$, $3^3\times 13\times 2=702$의 2개이다.

(iv) $n\geq 4$일 때, 조건을 만족시키는 세 자리의 자연수 a의 값은 존재하지 않는다.

(i)~(iv)에서 자연수 n, a의 값의 순서쌍 (n, a)의 개수는
$23+8+2=33$이다. ....❸

답 33

03 solution 미리 보기

step ❶	달력을 이용하여 나타낼 수 있는 분수의 개수 구하기
step ❷	❶의 분수 중에서 소수로 나타내었을 때, 유한소수가 되는 분수의 개수 구하기
step ❸	$\dfrac{a}{b}$를 순환소수로 나타내기
step ❹	소수점 아래 100번째 자리까지의 숫자 중에서 짝수 번째 자리의 숫자들의 합 구하기

주어진 달력을 이용하여 나타낼 수 있는 분수는 $\dfrac{1}{8}$, $\dfrac{2}{9}$, $\dfrac{3}{10}$, $\cdots$, $\dfrac{23}{30}$, $\dfrac{24}{31}$의 24개이다.

$\therefore a=24$ ....❶

이 중에서 소수로 나타내면 유한소수가 되는 분수는 기약분수로 나타내었을 때, 분모의 소인수가 2나 5뿐이어야 하므로 $\dfrac{1}{8}$, $\dfrac{3}{10}$, $\dfrac{7}{14}$, $\dfrac{9}{16}$, $\dfrac{13}{20}$, $\dfrac{18}{25}$, $\dfrac{21}{28}$의 7개이다.

$\therefore b=7$ ....❷

$\dfrac{24}{7}$를 순환소수로 나타내면 $3.\dot{4}2857\dot{1}$ ....❸

이때 $x_2+x_4+x_6+\cdots+x_{100}$은 소수점 아래 100번째 자리까지의 숫자 중에서 짝수 번째 자리의 숫자들의 합이다.

$3.\dot{4}2857\dot{1}$의 순환마디의 숫자의 개수는 6이고, $100=6\times 16+4$이므로 소수점 아래 100번째 자리까지 짝수 번째 자리의 숫자는 2, 5, 1이 16번 반복해서 나오고 2, 5가 각각 한 번씩 더 나온다.

$\therefore x_2+x_4+x_6+\cdots+x_{100}=(2+5+1)\times 16+(2+5)=135$ ....❹

답 135

04 solution 미리 보기

step ❶	소수점 아래 첫 번째 자리에서부터 순환마디가 시작하는 분수의 분모의 규칙 알기
step ❷	$f(13)$, $f(41)$, $f(101)$의 값 각각 구하기
step ❸	$f(13)+f(41)+f(101)$의 값 구하기

소수점 아래 첫 번째 자리에서부터 순환마디가 시작하는 분수의 분모는 9, 99, 999, 9999, $\cdots$의 9가 연속되는 자연수 또는 이 수들의 약수의 꼴이다. ....❶

$f(13)$은 $\dfrac{1}{13}$을 소수로 나타내었을 때, 소수점 아래 첫 번째 자리에서부터 시작하는 순환마디의 숫자의 개수이므로 분모가 13을 소인수로 하고 9가 연속되는 자연수의 꼴이어야 한다.

즉, $\dfrac{1}{13}=\dfrac{3^3\times 7\times 11\times 37}{13\times(3^3\times 7\times 11\times 37)}=\dfrac{3^3\times 7\times 11\times 37}{999999}$

이고, 분모의 연속되는 9가 6개이므로 $f(13)=6$

마찬가지 방법으로

$\dfrac{1}{41}=\dfrac{3^2\times 271}{41\times(3^2\times 271)}=\dfrac{3^2\times 271}{99999}$이므로 $f(41)=5$

$\dfrac{1}{101}=\dfrac{3^2\times 11}{101\times(3^2\times 11)}=\dfrac{3^2\times 11}{9999}$이므로 $f(101)=4$ ....❷

$\therefore f(13)+f(41)+f(101)=6+5+4=15$ ....❸

답 15

02. 단항식의 계산

→ 19쪽~20쪽

LEVEL 1 시험에 꼭 내는 문제

01 ㄱ, ㄹ, ㅂ	**02** 20	**03** ④	**04** 2	**05** 3	**06** ①	**07** 20
08 $-\dfrac{8}{9}y^{13}$	**09** $\dfrac{a^8}{b^3}$	**10** 192개		**11** -77		
12 (1) 2^{43} bit	(2) 2^{41}개	(3) 512개		**13** $\dfrac{10}{3}a^2b^2$		

01

ㄱ. $x^5 \times x^7 = x^{5+7} = x^{12}$

ㄴ. $\left(\dfrac{y^3}{x^2}\right)^3 = \dfrac{y^{3\times3}}{x^{2\times3}} = \dfrac{y^9}{x^6}$

ㄷ. $x^{12} \div x^6 = x^{12-6} = x^6$

ㄹ. $(x^3y^5)^3 = x^{3\times3} \times y^{5\times3} = x^9y^{15}$

ㅁ. $(-2x^2y^3)^3 = (-2)^3 x^{2\times3} y^{3\times3} = -8x^6y^9$

ㅂ. $(x^3)^4 \times x^5 = x^{3\times4} \times x^5 = x^{12+5} = x^{17}$

따라서 옳은 것은 ㄱ, ㄹ, ㅂ이다.　　　　**답** ㄱ, ㄹ, ㅂ

02

$\left(-\dfrac{y^5}{3x^a}\right)^b = \dfrac{y^{5b}}{(-3)^b x^{ab}} = -\dfrac{y^c}{27x^6}$ 이므로

$(-3)^b = -27$, $ab = 6$, $5b = c$

$(-3)^b = -27$에서 $b = 3$

$3a = 6$에서 $a = 2$이고 $c = 5 \times 3 = 15$

$\therefore a + b + c = 2 + 3 + 15 = 20$　　　　**답** 20

03

이 암석에 포함된 라듐의 양은

1620년 후에는 $\left(\dfrac{1}{2}\right)^2$ g

(1620×2)년 후에는 $\left(\dfrac{1}{2}\right)^3$ g

(1620×3)년 후에는 $\left(\dfrac{1}{2}\right)^4$ g

$\vdots$

$(1620 \times n)$년 후에는 $\left(\dfrac{1}{2}\right)^{n+1}$ g

따라서 라듐의 양이 $\dfrac{1}{512} = \left(\dfrac{1}{2}\right)^9$ g이 되는 데 걸리는 시간은

$1620 \times (9-1) = 12960$(년)이다.　　　　**답** ④

쌤의 오답 피하기 특강

현재 어떤 암석에 포함된 라듐의 양이 1 g이 아니라 $0.5 = \dfrac{1}{2}$ (g)이므로

$(1620 \times n)$년 후 라듐의 양은 $\left(\dfrac{1}{2}\right)^{n+1}$ g임에 주의한다.

04

$\dfrac{9^3 + 9^3 + 9^3}{3^4 + 3^4 + 3^4} = \dfrac{3 \times 9^3}{3 \times 3^4} = \dfrac{3 \times (3^2)^3}{3^5} = \dfrac{3^7}{3^5} = 3^2$

$\therefore n = 2$　　　　**답** 2

05

$3^{x+2} + 3^{x+1} + 3^x = 3^2 \times 3^x + 3 \times 3^x + 3^x$

$\qquad\qquad\qquad\qquad = (3^2 + 3 + 1) \times 3^x = 13 \times 3^x$

즉, $13 \times 3^x = 351$이므로

$3^x = \dfrac{351}{13} = 27 = 3^3$　　$\therefore x = 3$　　　　**답** 3

06

$A = 3^x \times 3$이므로 $3^x = \dfrac{A}{3}$

$\therefore 9^{x-1} = 9^x \div 9 = 9^x \times \dfrac{1}{9} = (3^x)^2 \times \dfrac{1}{9}$

$\qquad\qquad = \left(\dfrac{A}{3}\right)^2 \times \dfrac{1}{9} = \dfrac{A^2}{81}$　　　　**답** ①

07

$2^{17} \times 3^2 \times 5^{19} = (2 \times 5)^{17} \times 3^2 \times 5^2 = 225 \times 10^{17}$

따라서 주어진 수는 20자리의 자연수이다.

$\therefore n = 20$　　　　**답** 20

08

$(2x^3y^4)^2 \times \dfrac{3}{4}y^2 \times \left(-\dfrac{2y}{3x^2}\right)^3$

$= 4x^6y^8 \times \dfrac{3}{4}y^2 \times \left(-\dfrac{8y^3}{27x^6}\right)$

$= 4 \times \dfrac{3}{4} \times \left(-\dfrac{8}{27}\right) \times x^6y^8 \times y^2 \times \dfrac{y^3}{x^6}$

$= -\dfrac{8}{9}y^{13}$　　　　**답** $-\dfrac{8}{9}y^{13}$

09

$(-2a^3b^2)^3 \div \boxed{} \div (-6ab) = \dfrac{4}{3}b^8$에서

$(-8a^9b^6) \div \boxed{} \div (-6ab) = \dfrac{4}{3}b^8$

$(-8a^9b^6) \div \boxed{} = \dfrac{4}{3}b^8 \times (-6ab) = -8ab^9$

$\therefore \boxed{} = (-8a^9b^6) \div (-8ab^9)$

$\qquad\quad = \dfrac{-8a^9b^6}{-8ab^9} = \dfrac{a^8}{b^3}$　　　　**답** $\dfrac{a^8}{b^3}$

$A \div \square \div B = C$

$\Rightarrow A \times \dfrac{1}{\square} \times \dfrac{1}{B} = C$

$\Rightarrow \square = \dfrac{A}{BC}$

10

직육면체 모양의 찰흙의 부피는

$(2x^2y^2)^2 \times \dfrac{\pi x^2}{y} = 4x^4y^4 \times \dfrac{\pi x^2}{y} = 4\pi x^6 y^3$

구 모양의 구슬 1개의 부피는

$\dfrac{4}{3}\pi \times \left(\dfrac{1}{4}x^2y\right)^3 = \dfrac{4}{3}\pi \times \dfrac{1}{64}x^6y^3 = \dfrac{\pi}{48}x^6y^3$

따라서 만들 수 있는 구 모양의 구슬은

$4\pi x^6 y^3 \div \dfrac{\pi}{48}x^6y^3 = 4\pi x^6 y^3 \times \dfrac{48}{\pi x^6 y^3} = 192$(개)이다.

답 192개

11

$(-3x^2y^3)^A \times \dfrac{5}{6x^By^4} \div \left(\dfrac{5x^2y}{3}\right)^2$

$= (-3)^A x^{2A}y^{3A} \times \dfrac{5}{6x^By^4} \times \dfrac{9}{25x^4y^2}$

$= \dfrac{(-3)^A \times 3}{10} \times \dfrac{x^{2A}}{x^{B+4}} \times \dfrac{y^{3A}}{y^6} = Cxy^3$

즉, $\dfrac{(-3)^A \times 3}{10} = C$, $\dfrac{x^{2A}}{x^{B+4}} = x$, $\dfrac{y^{3A}}{y^6} = y^3$이므로

$3A - 6 = 3$에서 $A = 3$

$2A - (B+4) = 1$에서 $6 - B - 4 = 1$ $\therefore B = 1$

$C = \dfrac{(-3)^3 \times 3}{10} = -\dfrac{81}{10}$

따라서 $A = 3$, $B = 1$, $C = -\dfrac{81}{10}$이므로

$A + B + 10C = 3 + 1 - 81 = -77$

답 -77

음수를 거듭제곱할 때

① 지수가 짝수이면 부호는 $+$

② 지수가 홀수이면 부호는 $-$

12

(1) $2^3 \times 2^{10} \times 2^{10} \times 2^{10} \times 2^{10} = 2^{43}$이므로 $1\,\text{TiB} = 2^{43}\,\text{bit}$

(2) 한 자리의 숫자가 $4 = 2^2(\text{bit})$의 저장 공간을 차지하므로 $1\,\text{TiB}$의 저장 공간에는 한 자리의 숫자를 $2^{43} \div 2^2 = 2^{41}$(개)까지 저장할 수 있다.

(3) $1\,\text{GiB} = 2^{10}\,\text{MiB}$이고,

$2^{10} \div 2 = 2^{10-1} = 2^9 = 512$이므로

$1\,\text{GiB}$의 저장 공간에는 $2\,\text{MiB}$의 사진 파일을 512개까지 저장할 수 있다. **답** (1) $2^{43}\,\text{bit}$ (2) 2^{41}개 (3) 512개

13

$5a^2b^3 \times 2ab^2 = \dfrac{1}{2} \times 6ab^3 \times$ (삼각형의 높이)

$\therefore$ (삼각형의 높이) $= 5a^2b^3 \times 2ab^2 \times \dfrac{1}{3ab^3}$

$= \dfrac{10}{3}a^2b^2$ **답** $\dfrac{10}{3}a^2b^2$

LEVEL 2 필수 기출 문제 →21쪽~24쪽

01 2	02 20	03 0	04 ③	05 24	06 ④
07 $A=32, B=64, C=512$			08 ②	09 3, 4, 5, 6	
10 3개	11 B : 1800원, C : 2700원			12 $\dfrac{b^2}{4a}$	13 $\dfrac{4b^8}{5a^7}$
14 $\dfrac{25}{27}$배		15 a^2b^3		16 $\dfrac{25}{3}a^4b^3$	

01

[전략] 2의 거듭제곱에서 일의 자리의 숫자의 규칙성을 알아본다.

2의 거듭제곱의 일의 자리의 숫자는 2, 4, 8, 6이 순서대로 반복된다.

$111 = 4 \times 27 + 3$, $222 = 4 \times 55 + 2$

따라서 $\{2^{111}\} = 8$, $\{2^{222}\} = 4$이므로

$\{\{2^{111}\} + \{2^{222}\}\} = \{12\} = 2$ **답** 2

02

[전략] 지수법칙을 이용하여 a, b, c의 값을 각각 구한다.

$7 \times 7^2 \times 7^3 = 7^6$이므로 $a = 6$

$5^{15} + 5^{15} + 5^{15} + 5^{15} + 5^{15} = 5 \times 5^{15} = 5^{16}$이므로 $b = 16$

$(243^5)^5 = \{(3^5)^5\}^5 = 3^{125}$이므로 $c = 125$

$\therefore (bc)^a = (16 \times 125)^6 = (2^4 \times 5^3)^6 = 2^{24} \times 5^{18}$

$= 2^6 \times (2 \times 5)^{18} = 64 \times 10^{18}$

따라서 $(bc)^a$은 20자리의 자연수이므로 $n = 20$ **답** 20

03

[전략] 덧셈식을 곱셈식으로 바꾸어 간단히 한다.

$x = \dfrac{16^3 + 16^3 + 16^3 + 16^3}{4^6 + 4^6 + 4^6 + 4^6} = \dfrac{4 \times 16^3}{4 \times 4^6} = \dfrac{(4^2)^3}{4^6} = \dfrac{4^6}{4^6} = 1$

$\therefore (-1) + (-1)^2 + (-1)^3 + \cdots + (-1)^{100}$

$= -1 + 1 - 1 + \cdots - 1 + 1 = 0$ **답** 0

다른 풀이

$16^3=(4^2)^3=4^6$이므로

$$x=\frac{16^3+16^3+16^3+16^3}{4^6+4^6+4^6+4^6}=\frac{4^6+4^6+4^6+4^6}{4^6+4^6+4^6+4^6}=1$$

$$\therefore (-1)+(-1)^2+(-1)^3+\cdots+(-1)^{100}$$
$$=-1+1-1+\cdots-1+1=0$$

04

[**전략**] 지수법칙을 이용하여 A, B, C의 값을 각각 구한다.

(가) $2^{2A}+4^{A+1}=2^{2A}+4\times4^A=2^{2A}+4\times2^{2A}=5\times2^{2A}$

즉, $5\times2^{2A}=320$이므로

$2^{2A}=64=2^6$, $2A=6$ $\qquad \therefore A=3$

(나) $(x^B\times x^5)^2\div x^{12}=(x^{B+5})^2\div x^{12}=x^2$이므로

$2B+10-12=2$, $2B=4$ $\qquad \therefore B=2$

(다) $3\times4^4\times5^7=3\times2^8\times5^7=3\times2\times(2\times5)^7=6\times10^7$이므로

$3\times4^4\times5^7$은 8자리의 자연수이다. $\qquad \therefore C=8$

따라서 주어진 조건을 모두 만족시키는 세 자연수 A, B, C의 대소 관계를 나타내면 $B<A<C$ **답** ③

05

[**전략**] 1부터 16까지의 자연수를 각각 소인수분해하여 주어진 수에 2, 3, 5가 몇 번 곱해져 있는지 확인한다.

$4=2^2$, $6=2\times3$, $8=2^3$, $9=3^2$, $10=2\times5$, $12=2^2\times3$,

$14=2\times7$, $15=3\times5$, $16=2^4$이므로

$1\times2\times3\times\cdots\times14\times15\times16=2^{15}\times3^6\times5^3\times(7^2\times11\times13)$

따라서 가장 작은 자연수 d는 $7^2\times11\times13$이므로

$a=15$, $b=6$, $c=3$ $\qquad \therefore a+b+c=24$ **답** 24

(참고) d의 값이 가장 작으려면 소인수 2, 3, 5의 지수인 a, b, c의 값이 가장 커야 한다.

06

[**전략**] k의 값이 될 수 있는 자연수는 2, 3, 5의 지수의 공약수임을 이용한다.

$(2^a\times3^b\times5^c)^k=2^{12}\times5^{24}\times9^9$에서

$2^{ak}\times3^{bk}\times5^{ck}=2^{12}\times3^{18}\times5^{24}$이므로

$ak=12$, $bk=18$, $ck=24$

이를 만족시키는 자연수 k의 값은 12, 18, 24의 최대공약수인 6의 약수이다.

즉, $k=1$, 2, 3, 6이고 이때의 $a+b+c$의 값을 각각 구하면 다음과 같다.

k	a	b	c	$a+b+c$
1	12	18	24	54
2	6	9	12	27
3	4	6	8	18
6	2	3	4	9

따라서 $a+b+c$의 값이 될 수 있는 것은 9, 18, 27, 54이므로 될 수 없는 것은 ④이다. **답** ④

07

[**전략**] 8, 256, 128의 곱을 먼저 구한다.

$8\times256\times128=2^3\times2^8\times2^7=2^{18}$이므로 가로, 세로, 대각선에 있는 세 수의 곱이 모두 2^{18}이어야 한다.

즉, $A=2^a$, $B=2^b$, $C=2^c$ (a, b, c는 자연수)라 하면

$256\times B\times16=2^8\times2^b\times2^4=2^{18}$에서

$8+b+4=18$, $b=6$ $\qquad \therefore B=2^6$

$8\times B\times C=2^3\times2^6\times2^c=2^{18}$에서

$3+6+c=18$, $c=9$ $\qquad \therefore C=2^9$

$A\times16\times C=2^a\times2^4\times2^9=2^{18}$에서

$a+4+9=18$, $a=5$ $\qquad \therefore A=2^5$

따라서 구하는 A, B, C의 값은

$A=2^5=32$, $B=2^6=64$, $C=2^9=512$이다.

답 $A=32$, $B=64$, $C=512$

쌤의 만점 특강

마방진은 정사각형 모양에 1부터 연속하는 자연수를 가로, 세로, 대각선에 있는 수의 합이 일정하도록 배열한 것이다. 이 마방진을 이용하여 다음과 같이 가로, 세로, 대각선에 있는 수 또는 문자의 곱이 일정한 새로운 배열을 만들 수 있다.

4	9	2
3	5	7
8	1	6

➡

2^4	2^9	2^2
2^3	2^5	2^7
2^8	2^1	2^6

➡

x^4	x^9	x^2
x^3	x^5	x^7
x^8	x^1	x^6

08

[**전략**] 지수법칙을 이용하여 좌변을 간단히 한 후 우변과 비교한다.

$\dfrac{2^x\times16^x}{4^x}=\dfrac{2^x\times2^{4x}}{2^{2x}}=2^{3x}$, $64=2^6$이므로 $3x=6$ $\qquad \therefore x=2$

$\dfrac{9^{3y}}{3^y\times3^y}=\dfrac{3^{6y}}{3^{2y}}=3^{4y}$, $81=3^4$이므로 $4y=4$ $\qquad \therefore y=1$

y가 x에 정비례하는 그래프의 식을 $y=ax$ ($a\neq0$)라 하면 이 그래프가 점 $(2, 1)$을 지난다.

$y=ax$에 $x=2$, $y=1$을 대입하면

$1=2a$, $a=\dfrac{1}{2}$

따라서 구하는 식은 $y=\dfrac{1}{2}x$이다. **답** ②

쌤의 복합 개념 특강

정비례 관계

두 변수 x, y에 대하여 x의 값이 2배, 3배, 4배, $\cdots$로 변함에 따라 y의 값도 2배, 3배, 4배, $\cdots$로 변할 때, y는 x에 정비례한다고 한다. 이때 y가 x에 정비례하면 그 관계식은 $y=ax$ ($a\neq0$)와 같이 나타낼 수 있다.

09

[전략] 지수를 같게 하여 밑의 크기를 비교한다.

$5^{200} < x^{300} < 4^{400}$에서 $(5^2)^{100} < (x^3)^{100} < (4^4)^{100}$이므로

$5^2 < x^3 < 4^4$ $\quad \therefore 25 < x^3 < 256$

이때 $2^3=8$, $3^3=27$, $4^3=64$, $5^3=125$, $6^3=216$, $7^3=343$이므로 주어진 조건을 만족시키는 자연수 x의 값은 3, 4, 5, 6이다.

달 3, 4, 5, 6

10

[전략] 지수법칙을 사용하여 식을 간단히 하고 x의 값에 자연수를 차례로 대입한다.

$16^x \times 3 \times 5^3 \div (2^3)^x = 2^{4x} \times 3 \times 5^3 \div 2^{3x} = 3 \times 2^x \times 5^3$

$x=1$일 때, $3 \times 2^1 \times 5^3 = 3 \times 5^2 \times (2 \times 5) = 75 \times 10$이므로 세 자리의 자연수이다.

$x=2$일 때, $3 \times 2^2 \times 5^3 = 3 \times 5 \times (2 \times 5)^2 = 15 \times 10^2$이므로 네 자리의 자연수이다.

$x=3$일 때, $3 \times 2^3 \times 5^3 = 3 \times (2 \times 5)^3 = 3 \times 10^3$이므로 네 자리의 자연수이다.

$x=4$일 때, $3 \times 2^4 \times 5^3 = 2 \times 3 \times (2 \times 5)^3 = 6 \times 10^3$이므로 네 자리의 자연수이다.

$x=5$일 때, $3 \times 2^5 \times 5^3 = 2^2 \times 3 \times (2 \times 5)^3 = 12 \times 10^3$이므로 다섯 자리의 자연수이다.

따라서 구하는 자연수 x의 값은 2, 3, 4의 3개이다.

달 3개

11

[전략] 세 제품의 부피의 비를 구한 후 제품 A의 가격과 비교하여 제품 B, C의 가격을 계산한다.

제품 A의 부피는 $\dfrac{4}{3}\pi r^3$

제품 B의 부피는 $\dfrac{1}{3}\pi r^2 \times 2r = \dfrac{2}{3}\pi r^3$

제품 C의 부피는 $\pi r^2 \times r = \pi r^3$

따라서 제품 A, B, C의 부피의 비는 $\dfrac{4}{3} : \dfrac{2}{3} : 1 = 4 : 2 : 3$이다.

이때 제품 A의 가격이 3600원이므로

$3600 : (\text{제품 B의 가격}) = 4 : 2$

$\therefore (\text{제품 B의 가격}) = \dfrac{3600 \times 2}{4} = 1800(\text{원})$

$3600 : (\text{제품 C의 가격}) = 4 : 3$

$\therefore (\text{제품 C의 가격}) = \dfrac{3600 \times 3}{4} = 2700(\text{원})$

달 B : 1800원, C : 2700원

12

[전략] 6^x과 12^x을 각각 a, b를 사용하여 나타낸다.

$a = 6^{x+2} = 6^x \times 36$이므로 $6^x = \dfrac{a}{36}$

$b = 12^{x+1} = 12^x \times 12$이므로 $12^x = \dfrac{b}{12}$

$2^x = \left(\dfrac{12}{6}\right)^x = \dfrac{12^x}{6^x} = \dfrac{b}{12} \div \dfrac{a}{36} = \dfrac{b}{12} \times \dfrac{36}{a} = \dfrac{3b}{a}$

$\therefore 24^x = (2 \times 12)^x = 2^x \times 12^x = \dfrac{3b}{a} \times \dfrac{b}{12} = \dfrac{b^2}{4a}$

달 $\dfrac{b^2}{4a}$

참고 $24^x = (2 \times 2 \times 2 \times 3)^x$으로 나타내면 6^{x+2}과 12^{x+1}을 어떻게 변형해야 하는지 알 수 있다.

13

[전략] 주어진 규칙에 따라 식을 계산한다.

$\langle [ab] \div 5a^3 \rangle = \left\langle a^2b^2 \times \dfrac{1}{5a^3} \right\rangle$

$\qquad = \left\langle \dfrac{b^2}{5a} \right\rangle = \left(\dfrac{b^2}{5a}\right)^3 = \dfrac{b^6}{5^3 a^3}$

$[-2 \div \langle ab \rangle \times [b]] = [-2 \div (ab)^3 \times b^2] = \left[-2 \times \dfrac{1}{a^3b^3} \times b^2\right]$

$\qquad = \left[\dfrac{-2}{a^3 b}\right] = \left(\dfrac{-2}{a^3 b}\right)^2 = \dfrac{4}{a^6 b^2}$

$\left[\dfrac{1}{5ab^2}\right] = \left(\dfrac{1}{5ab^2}\right)^2 = \dfrac{1}{5^2 a^2 b^4}$

따라서 주어진 식을 계산하면

$\dfrac{b^6}{5^3 a^3} \times \dfrac{4}{a^6 b^2} \times 5^2 a^2 b^4 = \dfrac{4b^8}{5a^7}$

달 $\dfrac{4b^8}{5a^7}$

쌤의 만점 특강

기호 [ ]는 기호 안의 식을 제곱하고 기호 〈 〉는 기호 안의 식을 세제곱하는 규칙이 있음을 이해하고 기호 안의 식부터 차례로 계산한다.

14

[전략] 직육면체 ㈎의 밑면의 한 변의 길이를 a, 직육면체 ㈏의 높이를 h라 하고, 두 직육면체의 부피를 각각 구한다.

직육면체 ㈎의 밑면의 한 변의 길이를 a, 직육면체 ㈏의 높이를 h라 하고 두 직육면체의 부피를 각각 구하면 다음과 같다.

	㈎	㈏
높이	$\dfrac{3}{4}h$	h
밑면의 한 변의 길이	a	$0.8\dot{3}a = \dfrac{75}{90}a = \dfrac{5}{6}a$
부피	$a^2 \times \dfrac{3}{4}h = \dfrac{3}{4}a^2 h$	$\left(\dfrac{5}{6}a\right)^2 h = \dfrac{25}{36}a^2 h$

㈏의 부피가 ㈎의 부피의 k배라 하면

$\dfrac{25}{36}a^2 h = k \times \dfrac{3}{4}a^2 h$

$\therefore k = \dfrac{25}{36}a^2 h \div \dfrac{3}{4}a^2 h = \dfrac{25}{36} \times \dfrac{4}{3} = \dfrac{25}{27}$

따라서 ㈏의 부피는 ㈎의 부피의 $\dfrac{25}{27}$배이다.

달 $\dfrac{25}{27}$배

쌤의 복합 개념 특강

개념1 순환소수의 분수 표현

① 분모 : 소수점 아래에서 순환마디의 숫자의 개수만큼 9를 쓰고, 그 뒤에 순환마디에 포함되지 않는 숫자의 개수만큼 0을 쓴다.

② 분자 : (전체의 수) − (순환하지 않는 부분의 수)

③ 분모와 분자를 각각 구하여 분수를 만든 후, 기약분수로 나타낸다.

개념2 직육면체의 부피

(직육면체의 부피) = (밑넓이) × (높이)

15

[전략] 가장 작은 정육면체 모양을 만들려면 정육면체의 한 모서리의 길이는 a^2b^3, a^3b^2, a^2b^4의 최소공배수이어야 한다.

가장 작은 정육면체의 한 모서리의 길이는 a^2b^3, a^3b^2, a^2b^4의 최소공배수인 a^3b^4이다.

이때 가로로 $a^3b^4 \div a^2b^3 = ab$(개),

세로로 $a^3b^4 \div a^3b^2 = b^2$(개),

높이로 $a^3b^4 \div a^2b^4 = a$(개)

의 벽돌이 필요하다.

따라서 필요한 벽돌의 총 개수는

$ab \times b^2 \times a = a^2b^3$　　　　　　　🅐 a^2b^3

> **쌤의 복합 개념 특강**
>
> **최소공배수 구하기**
>
> ❶ 각 수를 소인수분해한다.
>
> ❷ 공통인 소인수와 공통이 아닌 소인수를 모두 곱한다. 이때 지수가 같으면 그대로, 다르면 큰 것을 택하여 곱한다.

16

[전략] 원래 있던 물의 부피와 쇠구슬의 부피의 합을 구한다.

쇠구슬의 부피는 $\dfrac{4}{3}\pi \times (a^2b)^3 = \dfrac{4}{3}\pi a^6b^3$이므로

원래 있던 물의 부피와 쇠구슬의 부피의 합은

$32\pi a^6b^3 + \dfrac{4}{3}\pi a^6b^3 = \dfrac{100}{3}\pi a^6b^3$

구하는 물의 높이를 h라 하면

$\pi(2a)^2 h = \dfrac{100}{3}\pi a^6b^3$이므로

$h = \dfrac{100}{3}\pi a^6b^3 \times \dfrac{1}{4\pi a^2} = \dfrac{25}{3}a^4b^3$

따라서 쇠구슬을 넣은 후의 물의 높이는 $\dfrac{25}{3}a^4b^3$이다.　🅐 $\dfrac{25}{3}a^4b^3$

LEVEL 3 최고난도 문제
→25쪽

01 ㄱ, ㄷ, ㄹ	02 1	03 1
04 $\dfrac{V_1}{V_2} = \dfrac{b}{2a}$, $\dfrac{V_3}{V_4} = \dfrac{b}{2a}$, 서로 같다.		

01 solution (미리 보기)

step ❶	두 종이를 각각 1번 접었을 때, 종이의 두께 구하기
step ❷	두 종이를 각각 n번 접었을 때, 종이의 두께 구하기
step ❸	두 종이를 각각 2번, 3번 접었을 때, 종이의 두께 비교하기

ㄱ. 종이 A를 1번 접었을 때, 종이 A의 두께는 $0.2 \times 3 = 0.6$(mm)

　종이 B를 1번 접었을 때, 종이 B의 두께는 $0.5 \times 2 = 1$(mm)　❶

ㄴ. 종이 A를 삼등분하여 접을 때마다 종이 A의 두께는 3배가 된다.

　종이 A를 1번 접었을 때, 종이 A의 두께는 (0.2×3)mm

　종이 A를 2번 접었을 때, 종이 A의 두께는

　$0.2 \times 3 \times 3 = 0.2 \times 3^2$(mm)

　종이 A를 3번 접었을 때, 종이 A의 두께는

　$0.2 \times 3^2 \times 3 = 0.2 \times 3^3$(mm)

　즉, 종이 A를 n번 접었을 때, 종이 A의 두께는 (0.2×3^n)mm

ㄷ. 같은 방법으로 종이 B를 반으로 접을 때마다 종이 B의 두께는 2배가 되므로 종이 B를 n번 접었을 때, 종이 B의 두께는

　(0.5×2^n)mm　　　　　　　　　　　　❷

ㄹ. 두 종이 A, B를 각각 2번 접었을 때

　(종이 A의 두께) $= 0.2 \times 3^2 = 1.8$(mm)

　(종이 B의 두께) $= 0.5 \times 2^2 = 2$(mm)

　두 종이 A, B를 각각 3번 접었을 때

　(종이 A의 두께) $= 0.2 \times 3^3 = 5.4$(mm)

　(종이 B의 두께) $= 0.5 \times 2^3 = 4$(mm)

　즉, 두 종이 A, B를 각각 3번 접었을 때부터 종이 A의 두께가 종이 B의 두께보다 두꺼워진다.

따라서 옳은 것은 ㄱ, ㄷ, ㄹ이다.　　　　　　❸

🅐 ㄱ, ㄷ, ㄹ

02 solution (미리 보기)

step ❶	지수법칙을 이용하여 주어진 식 정리하기
step ❷	❶의 식의 양변이 같아지도록 하는 조건을 찾고 a, b에 대한 관계식 세우기
step ❸	조건을 만족시키는 순서쌍 (a, b)의 개수 구하기

$(-1)^{ab} \times (-32)^b \times \{(-2)^a\}^b = (-4)^3 \times (-64)$에서

$(-1)^{ab} \times (-1)^b \times 2^{5b} \times (-1)^{ab} \times 2^{ab} = (-2^6) \times (-2^6)$

$(-1)^{2ab+b} \times 2^{5b+ab} = 2^{12}$　　……㉠　　　　❶

이때 ㉠의 우변이 양수이므로 $(-1)^{2ab+b}$의 지수 $2ab+b$가 짝수이어야 한다.

그런데 $2ab$가 짝수이므로 b도 짝수이어야 한다.

또한, ㉠에서 $2^{5b+ab} = 2^{12}$이므로

$5b + ab = 12$, $b(5+a) = 12$　　　　　　　　❷

따라서 b가 짝수이고 $b(5+a) = 12$를 만족시키는 순서쌍 (a, b)는 $(1, 2)$의 1개이다.　　　　　　　　　　　　❸

🅐 1

03 solution (미리 보기)

step ❶	$\overline{AB}$, $\overline{BC}$ 위의 숫자판에 적힌 이웃하는 두 수의 비 구하기
step ❷	$\overline{AB}$, $\overline{BC}$ 위의 숫자판에 적힌 15개의 수를 구하여 S를 나타내기
step ❸	$2^{15} - S$의 값 구하기

두 점 A, B의 숫자판에 적힌 수가 각각 1, 2^7이므로 $\overline{AB}$ 위의 숫자판에 적힌 이웃하는 두 수의 비는 1 : 2로 일정하다. 또한, 두 점 B, C의 숫자판에 적힌 수가 각각 2^7, $4^7 = 2^{14}$이므로 $\overline{BC}$ 위의 숫자판에 적힌 이웃하는 두 수의 비도 1 : 2로 일정하다.　　　　　　❶

따라서 $\overline{AB}$, $\overline{BC}$ 위의 숫자판에 적힌 15개의 수들은 점 A부터 순서대로 $1, 2^1, 2^2, 2^3, \cdots, 2^{14}$이므로

$S = 1 + 2^1 + 2^2 + 2^3 + \cdots + 2^{14}$ ············❷

$2^{15} - S = 2^{15} - (1 + 2^1 + 2^2 + 2^3 + \cdots + 2^{14})$

$2^{15} - S = 2^{15} - 2^{14} - 2^{13} - 2^{12} - \cdots - 2^1 - 1$

이때 $2^{15} - 2^{14} = 2^{14}(2-1) = 2^{14}$이므로

$2^{15} - S = 2^{14} - 2^{13} - 2^{12} - \cdots - 2^1 - 1$

$2^{14} - 2^{13} = 2^{13}(2-1) = 2^{13}$이므로

$2^{15} - S = 2^{13} - 2^{12} - \cdots - 2^1 - 1$

같은 방법으로 반복하면

$2^{15} - S = 2^1 - 1 = 1$ ············❸

답 1

04 solution 미리 보기

step ❶	V_1, V_2를 각각 구하여 $\dfrac{V_1}{V_2}$의 값 구하기
step ❷	V_3, V_4를 각각 구하여 $\dfrac{V_3}{V_4}$의 값 구하기
step ❸	$\dfrac{V_1}{V_2}$과 $\dfrac{V_3}{V_4}$의 값 비교하기

$V_1 = \pi(ab^2)^2 \times 2a^2 b$

$\quad = \pi a^2 b^4 \times 2a^2 b = 2\pi a^4 b^5$

$V_2 = \pi(2a^2 b)^2 \times ab^2$

$\quad = \pi \times 4a^4 b^2 \times ab^2 = 4\pi a^5 b^4$

$\therefore \dfrac{V_1}{V_2} = \dfrac{2\pi a^4 b^5}{4\pi a^5 b^4} = \dfrac{b}{2a}$ ············❶

$V_3 = \dfrac{1}{3}\pi(ab^2)^2 \times 2a^2 b$

$\quad = \dfrac{1}{3}\pi a^2 b^4 \times 2a^2 b = \dfrac{2}{3}\pi a^4 b^5$

$V_4 = \dfrac{1}{3}\pi(2a^2 b)^2 \times ab^2$

$\quad = \dfrac{1}{3}\pi \times 4a^4 b^2 \times ab^2 = \dfrac{4}{3}\pi a^5 b^4$

$\therefore \dfrac{V_3}{V_4} = \dfrac{\dfrac{2}{3}\pi a^4 b^5}{\dfrac{4}{3}\pi a^5 b^4} = \dfrac{b}{2a}$ ············❷

따라서 $\dfrac{V_1}{V_2}$의 값과 $\dfrac{V_3}{V_4}$의 값은 서로 같다. ············❸

답 $\dfrac{V_1}{V_2} = \dfrac{b}{2a}$, $\dfrac{V_3}{V_4} = \dfrac{b}{2a}$, 서로 같다.

참고 원뿔의 부피는 원기둥의 부피의 $\dfrac{1}{3}$이므로 $V_1 : V_2 = V_3 : V_4$

03. 다항식의 계산

LEVEL 1 시험에 꼭 내는 문제
→ 27쪽~28쪽

01 $3x + 4y - 19$	**02** -30	**03** $-x^2 + 5x - 5$
04 -18	**05** 0	**06** $-2x^2 + 28xy - 12x$ **07** $3ab - 4$
08 $24x - 28y + 20$	**09** ③	**10** $-y - 2$
11 $-3x^2 - 7x + 11$	**12** $a = \dfrac{S}{16} - \dfrac{b}{2}$	

01

$\boxed{} = -3x + 7y - 8 - (-6x + 3y + 11)$

$\quad = -3x + 7y - 8 + 6x - 3y - 11$

$\quad = 3x + 4y - 19$ 답 $3x + 4y - 19$

02

$x - [9y - 2x - \{3x - (x - 3y)\}]$

$= x - \{9y - 2x - (3x - x + 3y)\}$

$= x - \{9y - 2x - (2x + 3y)\}$

$= x - (9y - 2x - 2x - 3y)$

$= x - (-4x + 6y)$

$= x + 4x - 6y$

$= 5x - 6y$

즉, $5x - 6y = ax + by$이므로

$a = 5$, $b = -6$

$\therefore ab = -30$ 답 -30

03

조건 ㈎에서

$A + (x^2 - x + 2) = -x^2 + 3x + 1$이므로

$A = -x^2 + 3x + 1 - (x^2 - x + 2)$

$\quad = -x^2 + 3x + 1 - x^2 + x - 2$

$\quad = -2x^2 + 4x - 1$

조건 ㈏에서

$B = A - (-x^2 + x + 1)$

$\quad = -2x^2 + 4x - 1 + x^2 - x - 1$

$\quad = -x^2 + 3x - 2$

$\therefore -A + 3B = -(-2x^2 + 4x - 1) + 3(-x^2 + 3x - 2)$

$\quad = 2x^2 - 4x + 1 - 3x^2 + 9x - 6$

$\quad = -x^2 + 5x - 5$ 답 $-x^2 + 5x - 5$

04

$4x^2 y\left(2x - \dfrac{6}{xy} + \dfrac{3}{2y}\right) = 8x^3 y - 24x + 6x^2$

따라서 $a = 6$, $b = -24$이므로

$a + b = 6 + (-24) = -18$ 답 -18

05

$(12x^2-15xy)\div(-3x)-(6x^2y-6xy+12xy^2)\div\dfrac{6}{7}xy$

$=\dfrac{12x^2-15xy}{-3x}-(6x^2y-6xy+12xy^2)\times\dfrac{7}{6xy}$

$=\dfrac{12x^2}{-3x}+\dfrac{-15xy}{-3x}-(7x-7+14y)$

$=-4x+5y-7x+7-14y$

$=-11x-9y+7$

$x=-1$, $y=2$를 $-11x-9y+7$에 대입하면

$-11\times(-1)-9\times2+7=11-18+7=0$ 답 0

06

$\dfrac{4}{3}x\{9y-(6x-12y)\}-(8xy-4x^2y)\div\dfrac{2}{3}y$

$=\dfrac{4}{3}x(9y-6x+12y)-(8xy-4x^2y)\times\dfrac{3}{2y}$

$=\dfrac{4}{3}x(-6x+21y)-(12x-6x^2)$

$=-8x^2+28xy-12x+6x^2$

$=-2x^2+28xy-12x$ 답 $-2x^2+28xy-12x$

쌤의 오답 피하기 특강

소괄호 ( ) ➡ 중괄호 { }의 순으로 괄호를 풀어 식을 간단히 하고, 나눗셈은 곱셈으로 바꾸어 계산한다.

07

직육면체의 높이를 h라 하면

(직육면체의 부피)

=(밑면의 가로의 길이)$\times$(밑면의 세로의 길이)$\times$(높이)

이므로 $6a^2b^3-8ab^2=2a\times b^2\times h$

$\therefore h=\dfrac{6a^2b^3-8ab^2}{2ab^2}=\dfrac{6a^2b^3}{2ab^2}-\dfrac{8ab^2}{2ab^2}=3ab-4$

따라서 구하는 직육면체의 높이는 $3ab-4$이다.   답 $3ab-4$

08

$B-\{2(A-3B)-(B-2A)\}=B-(2A-6B-B+2A)$

$=B-(4A-7B)$

$=B-4A+7B$

$=-4A+8B$

$A=2x-3y+1$, $B=4x-5y+3$을 $-4A+8B$에 대입하면

$-4(2x-3y+1)+8(4x-5y+3)$

$=-8x+12y-4+32x-40y+24$

$=24x-28y+20$ 답 $24x-28y+20$

09

$x:y=2:3$에서 $3x=2y$, $y=\dfrac{3}{2}x$

$\therefore \dfrac{-3x^2+y^2}{2x^2-y^2}=\dfrac{-3x^2+\left(\dfrac{3}{2}x\right)^2}{2x^2-\left(\dfrac{3}{2}x\right)^2}=\dfrac{-3x^2+\dfrac{9}{4}x^2}{2x^2-\dfrac{9}{4}x^2}=\dfrac{-\dfrac{3}{4}x^2}{-\dfrac{1}{4}x^2}$

$=-\dfrac{3}{4}\times(-4)=3$ 답 ③

다른 풀이

$x:y=2:3$에서 $x=2k$, $y=3k$ ($k\neq0$인 상수)라 하면

$\dfrac{-3x^2+y^2}{2x^2-y^2}=\dfrac{-3\times(2k)^2+(3k)^2}{2\times(2k)^2-(3k)^2}$

$=\dfrac{-12k^2+9k^2}{8k^2-9k^2}=\dfrac{-3k^2}{-k^2}=3$

10

$3x-2y+12=-x+2y$에서 $4x=4y-12$이므로 $x=y-3$

$\therefore 2x-3y+4=2(y-3)-3y+4$

$=2y-6-3y+4$

$=-y-2$ 답 $-y-2$

11

어떤 식을 A라 하면

$A+(x^2+3x-4)=-x^2-x+3$이므로

$A=-x^2-x+3-(x^2+3x-4)$

$=-x^2-x+3-x^2-3x+4$

$=-2x^2-4x+7$

따라서 바르게 계산하면

$-2x^2-4x+7-(x^2+3x-4)$

$=-2x^2-4x+7-x^2-3x+4$

$=-3x^2-7x+11$ 답 $-3x^2-7x+11$

12

직사각형 1개의 넓이를 A라 하면

$A=4\left(a+\dfrac{1}{2}b\right)=4a+2b$

직각삼각형 1개의 넓이를 B라 하면

$B=\dfrac{1}{2}\times2\times\left(a+\dfrac{1}{2}b\right)=a+\dfrac{1}{2}b$

$S=2A+8B=2(4a+2b)+8\left(a+\dfrac{1}{2}b\right)$

$=8a+4b+8a+4b=16a+8b$

즉, $S=16a+8b$에서 $16a=S-8b$

$\therefore a=\dfrac{S-8b}{16}=\dfrac{S}{16}-\dfrac{b}{2}$ 답 $a=\dfrac{S}{16}-\dfrac{b}{2}$

쌤의 오답 피하기 특강

직사각형 1개의 넓이와 직각삼각형 1개의 넓이를 각각 구하여 간단히 한 후 전체 넓이 S를 구한다. 또한, $S=(a, b$에 대한 식)에서 a가 포함된 항은 좌변으로, a가 포함되지 않은 항은 우변으로 이항하여 a를 S, b에 대한 식으로 나타낸다.

LEVEL **2** 필수 기출 문제 → 29쪽~32쪽

01 ⑤	**02** $-x^2+x+2$	**03** $-10x-2y+2$	**04** 1
05 $6x^2-2xy$	**06** 119	**07** 14500초	**08** $6x^2+4xy-\dfrac{15}{2}y^2$
09 $\dfrac{8}{7}b-\dfrac{4}{7}b^2$	**10** $\dfrac{75}{2}x^8y^5-19x^6y^3$	**11** $18x^3+2xy$	**12** 1
13 -6	**14** $\dfrac{2}{3}$	**15** 1	**16** $b=\dfrac{2S-12a+12}{15}$

01

[**전략**] 주어진 규칙에 따라 다항식의 덧셈과 뺄셈을 할 때, 괄호를 풀고 동류항끼리 모아서 간단히 한다.

① $-3x+6y-8-(-4x+5y)=x+y-8$ ······㉠

② $5x-4y-(-2x-3y)=7x-y$ ······㉡

③ $-3x+6y-8+(5x-4y)=2x+2y-8$ ······㉢

④ $-4x+5y+(-2x-3y)=-6x+2y$ ······㉣

⑤ ㉠$+$㉡$=x+y-8+(7x-y)=8x-8$

따라서 옳지 않은 것은 ⑤이다. 🔲 ⑤

참고 ⑤에 들어갈 식은 다음과 같이 구할 수도 있다.

㉢$-$㉣$=2x+2y-8-(-6x+2y)=8x-8$

02

[**전략**] (소괄호), {중괄호}, [대괄호] 순으로 괄호를 풀어 주어진 식을 계산한다.

$3x-2[2x^2+4-2x-\{-3x-(x^2-A)+x^2\}]$

$=3x-2\{2x^2+4-2x-(-3x-x^2+A+x^2)\}$

$=3x-2\{2x^2+4-2x-(-3x+A)\}$

$=3x-2(2x^2+4-2x+3x-A)$

$=3x-2(2x^2+x+4-A)$

$=3x-4x^2-2x-8+2A$

$=-4x^2+x-8+2A$

즉, $-4x^2+x-8+2A=-6x^2+3x-4$이므로

$2A=-6x^2+3x-4-(-4x^2+x-8)$

$\quad\ =-2x^2+2x+4$

$\therefore A=-x^2+x+2$ 🔲 $-x^2+x+2$

03

[**전략**] 어떤 다항식은 x, y에 대한 일차식이므로 $ax+by+c(a, b, c$는 상수$)$라 하고 a, b, c의 값을 먼저 구한다.

어떤 다항식을 $ax+by+c(a, b, c$는 상수$)$라 하면 x의 계수와 y의 계수를 바꾼 식은 $bx+ay+c$이므로

$-3x+2y+5-(bx+ay+c)=-7x-5y+2$

즉, $(-3-b)x+(2-a)y+(5-c)=-7x-5y+2$이므로

$-3-b=-7,\ 2-a=-5,\ 5-c=2$

$\therefore a=7,\ b=4,\ c=3$

따라서 어떤 다항식은 $7x+4y+3$이므로 바르게 계산한 식은

$-3x+2y+5-(7x+4y+3)=-10x-2y+2$

🔲 $-10x-2y+2$

04

[**전략**] 어떤 다항식을 몫과 나머지를 이용하여 식으로 나타낸다.

어떤 다항식을 A라 하면

$A=3xy(3x-2y-1)+3x$

$\quad=9x^2y-6xy^2-3xy+3x$

어떤 다항식을 $3x$로 나누면

$(9x^2y-6xy^2-3xy+3x)\div3x=\dfrac{9x^2y-6xy^2-3xy+3x}{3x}$

$\qquad\qquad\qquad\qquad\qquad\qquad=3xy-2y^2-y+1$

따라서 xy의 계수는 3, y^2의 계수는 -2이므로 그 합은

$3+(-2)=1$ 🔲 1

05

[**전략**] 주어진 규칙에 따라 구하는 식을 정리한 후 계산한다.

$\begin{vmatrix} 2x & 3x \\ -4x+\dfrac{4}{3}y & -(3x-y) \end{vmatrix}$

$=2x\{-(3x-y)\}-3x\left(-4x+\dfrac{4}{3}y\right)$

$=2x(-3x+y)-3x\left(-4x+\dfrac{4}{3}y\right)$

$=-6x^2+2xy+12x^2-4xy$

$=6x^2-2xy$ 🔲 $6x^2-2xy$

06

[**전략**] 주어진 식의 좌변을 간단히 한 후 세 다항식 A, B, C를 대입한다.

$6A-[3A-4C-\{A-3B-(2A-5B-3C)\}]$

$=6A-\{3A-4C-(A-3B-2A+5B+3C)\}$

$=6A-\{3A-4C-(-A+2B+3C)\}$

$=6A-(3A-4C+A-2B-3C)$

$=6A-(4A-2B-7C)$

$=6A-4A+2B+7C$

$=2A+2B+7C$

$A=2x^2+x-5,\ B=\dfrac{1}{3}x^2-14,\ C=x^2-x+3$을

$2A+2B+7C$에 대입하면

$2A+2B+7C$

$=2(2x^2+x-5)+2\left(\dfrac{1}{3}x^2-14\right)+7(x^2-x+3)$

$=4x^2+2x-10+\dfrac{2}{3}x^2-28+7x^2-7x+21$

$=\left(4+\dfrac{2}{3}+7\right)x^2+(2-7)x+(-10-28+21)$

$=\dfrac{35}{3}x^2-5x-17$

따라서 $a=\dfrac{35}{3}$, $b=-5$, $c=-17$이므로

$\dfrac{3ac}{b}=\dfrac{3\times\dfrac{35}{3}\times(-17)}{-5}=\dfrac{35\times17}{5}=119$ 🔲 119

07

[**전략**] 지구에서 해왕성까지의 거리를 구한 후, $(\text{시간}) = \dfrac{(\text{거리})}{(\text{속력})}$ 임을 이용한다.

태양, 지구, 해왕성의 순서로 일직선 상에 위치해 있으므로

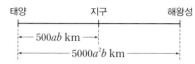

(지구에서 해왕성까지의 거리)

$= (\text{태양에서 해왕성까지의 거리}) - (\text{태양에서 지구까지의 거리})$

$= 5000a^2b - 500ab \ (\text{km})$

이때 $(\text{시간}) = \dfrac{(\text{거리})}{(\text{속력})}$ 이므로 지구에서 해왕성까지 빛의 속력으로 가는 데 걸리는 시간은

$$\frac{5000a^2b - 500ab}{ab} = 5000a - 500 \ (\text{초})$$

$a = 3$을 $5000a - 500$에 대입하면

$5000 \times 3 - 500 = 14500$

따라서 지구에서 해왕성까지 빛의 속력으로 가는 데 14500초가 걸린다.

🖪 14500초

08

[**전략**] 직육면체를 만들었을 때, 마주 보는 두 면에 적힌 두 식을 각각 찾아 곱한다.

마주 보는 두 면에 각각 적힌 식의 곱이 모두 같으므로

$3xy \times A = 2x^2 \times B = 3x^2y \times (6x - 5y) = 18x^3y - 15x^2y^2$

$A = \dfrac{18x^3y - 15x^2y^2}{3xy} = 6x^2 - 5xy$

$B = \dfrac{18x^3y - 15x^2y^2}{2x^2} = 9xy - \dfrac{15}{2}y^2$

$\therefore A + B = 6x^2 - 5xy + 9xy - \dfrac{15}{2}y^2$

$\qquad = 6x^2 + 4xy - \dfrac{15}{2}y^2$

🖪 $6x^2 + 4xy - \dfrac{15}{2}y^2$

09

[**전략**] 회전시킬 때 생기는 입체도형은 밑면의 반지름의 길이가 같고, 높이가 다른 두 원뿔의 밑면이 붙어 있는 모양이다.

S는 밑면의 반지름의 길이가 $2b$이고, 모선의 길이가 각각 $2a$, $\dfrac{3}{2}a$ 인 원뿔의 옆넓이의 합과 같으므로

$S = \pi \times 2b \times 2a + \pi \times 2b \times \dfrac{3}{2}a$

$\quad = 4\pi ab + 3\pi ab = 7\pi ab$

$V = \dfrac{1}{3}\pi \times (2b)^2 \times (6a - 3ab) = \dfrac{4}{3}\pi b^2(6a - 3ab)$

$\quad = 8\pi ab^2 - 4\pi ab^3$

$\therefore \dfrac{V}{S} = \dfrac{8\pi ab^2 - 4\pi ab^3}{7\pi ab} = \dfrac{8\pi ab^2}{7\pi ab} - \dfrac{4\pi ab^3}{7\pi ab} = \dfrac{8}{7}b - \dfrac{4}{7}b^2$

🖪 $\dfrac{8}{7}b - \dfrac{4}{7}b^2$

쌤의 복합 개념 특강

개념1 회전체

평면도형을 한 직선을 축으로 하여 1회전 시킬 때 생기는 입체도형을 회전체라 하고 원기둥, 원뿔, 원뿔대, 구가 있다.

	원기둥	원뿔	원뿔대	구
회전체				

개념2 원뿔의 겉넓이와 부피

밑면의 반지름의 길이가 r, 모선의 길이가 l, 높이가 h인 원뿔에서

① $(\text{원뿔의 겉넓이}) = (\text{밑넓이}) + (\text{옆넓이}) = \pi r^2 + \pi r l$

② $(\text{원뿔의 부피}) = \dfrac{1}{3} \times (\text{밑넓이}) \times (\text{높이}) = \dfrac{1}{3}\pi r^2 h$

10

[**전략**] 병의 부피는 ⑦에서 물을 마신 후에 남은 물의 부피와 ⑭에서 비어 있는 부분의 부피를 더하면 된다.

⑦에서 물을 마신 후에 남은 물의 부피는

$\pi(2y)^2 \times (3x^2y)^3 - 32\pi x^6 y^5$

$= 4\pi y^2 \times 27x^6y^3 - 32\pi x^6 y^5$

$= 108\pi x^6 y^5 - 32\pi x^6 y^5$

$= 76\pi x^6 y^5 \quad\cdots\cdots \ ㉠$

병의 부피는 ㉠과 ⑭에서 비어 있는 부분의 부피의 합이므로

$150\pi x^8 y^7 = 76\pi x^6 y^5 + \pi(2y)^2 \times h$

$4\pi y^2 h = 150\pi x^8 y^7 - 76\pi x^6 y^5$

$\therefore h = \dfrac{150\pi x^8 y^7 - 76\pi x^6 y^5}{4\pi y^2}$

$\quad = \dfrac{75}{2}x^8 y^5 - 19x^6 y^3$

🖪 $\dfrac{75}{2}x^8 y^5 - 19x^6 y^3$

11

[**전략**] ⑦에서 작은 직육면체와 큰 직육면체의 높이를 각각 구한다.

⑦에서 작은 직육면체의 높이를 h_1이라 하면 작은 직육면체의 부피는 $x \times 5y \times h_1 = 15x^3y - 10xy^2$

$\therefore h_1 = \dfrac{15x^3y - 10xy^2}{5xy} = 3x^2 - 2y$

큰 직육면체의 높이를 h_2라 하면 큰 직육면체의 부피는

$3x \times 5y \times h_2 = 30x^3y + 15xy^2$

$\therefore h_2 = \dfrac{30x^3y + 15xy^2}{15xy} = 2x^2 + y$

⑭에서 빗금친 부분의 넓이는 큰 직사각형의 넓이에서 작은 직사각형의 넓이를 빼면 된다.

이때 큰 직사각형의 가로의 길이는 $3x$, 세로의 길이는

$h_1 + 2h_2 = 3x^2 - 2y + 2(2x^2 + y) = 7x^2$

작은 직사각형의 가로의 길이는 $3x - (x + x) = x$, 세로의 길이는

$h_1 = 3x^2 - 2y$

따라서 빗금친 부분의 넓이는

$3x \times 7x^2 - x(3x^2 - 2y) = 21x^3 - 3x^3 + 2xy = 18x^3 + 2xy$

$\boxed{\text{답}}$ $18x^3 + 2xy$

쌤의 만점 특강

새로 만든 도형을 큰 직육면체와 작은 직육면체로 나누어 각 모서리의 길이를 생각한다.

12

[전략] 잘못 구한 평균을 이용하여 x와 y 사이의 관계식을 구한다.

A반의 남학생 수를 $3a$명, 여학생 수를 $2a$명(a는 자연수)이라 하면 남학생의 수학 성적의 평균이 x점이므로 남학생의 수학 성적의 총점은 $3ax$점이고 여학생의 수학 성적의 평균이 y점이므로 여학생의 수학 성적의 총점은 $2ay$점이다.

즉, 바르게 구한 평균은 $\dfrac{3ax + 2ay}{5a} = \dfrac{3x + 2y}{5}$(점)이므로

$\dfrac{2x + 3y}{5} = \dfrac{3x + 2y}{5} - \dfrac{x - y}{3}$에서

$\dfrac{x - y}{3} = \dfrac{3x + 2y}{5} - \dfrac{2x + 3y}{5}$

$\dfrac{x - y}{3} = \dfrac{x - y}{5}$

양변에 15를 곱하면

$5x - 5y = 3x - 3y$이므로 $2x = 2y$, $x = y$

$\therefore \dfrac{y}{x} = 1$

$\boxed{\text{답}}$ 1

쌤의 복합 개념 특강

평균

평균은 자료의 총합을 자료의 개수로 나눈 값이다.

참고 $\dfrac{x - y}{3} = \dfrac{x - y}{5}$에서 분모가 다른 두 분수의 값이 같으려면 분자가 0이어야 한다. 즉, $x - y = 0$이므로 $y = x$ $\therefore \dfrac{y}{x} = 1$

13

[전략] 분수에서 분자와 분모에 같은 문자만 남도록 $x + y + z = 0$을 변형하여 주어진 식에 대입한다.

$x + y + z = 0$의 양변에 2를 곱하면

$2x + 2y + 2z = 0$ ······㉠

㉠에서 $2y + 2z = -2x$, $2x + 2z = -2y$, $2x + 2y = -2z$이므로

$\dfrac{2y + 2z}{x} + \dfrac{2x + 2z}{y} + \dfrac{2x + 2y}{z} = \dfrac{-2x}{x} + \dfrac{-2y}{y} + \dfrac{-2z}{z}$

$= (-2) + (-2) + (-2)$

$= -6$

$\boxed{\text{답}}$ -6

14

[전략] $\dfrac{1}{a} - \dfrac{1}{b} = 3$에서 $b - a$를 ab에 대한 식으로 나타낸 후, 주어진 식을 간단히 한 식에 대입한다.

$\dfrac{1}{a} - \dfrac{1}{b} = 3$에서 $\dfrac{b - a}{ab} = 3$이므로 $b - a = 3ab$

$\therefore \dfrac{3a(a - 3b) - a(3a - 7b)}{a - b} = \dfrac{3a^2 - 9ab - 3a^2 + 7ab}{a - b}$

$= \dfrac{-2ab}{a - b} = \dfrac{2ab}{b - a}$

$= \dfrac{2ab}{3ab} = \dfrac{2}{3}$

$\boxed{\text{답}}$ $\dfrac{2}{3}$

쌤의 특강

주어진 식을 간단히 나타내면 조건인 등식을 어떻게 변형해야 하는지 파악할 수 있다. 또한, $\dfrac{1}{a} - \dfrac{1}{b} = 3$에서 $\dfrac{b - a}{ab} = 3$이므로 $\dfrac{ab}{b - a} = \dfrac{1}{3}$임을 이용하여

(주어진 식) $= \dfrac{2ab}{b - a} = 2 \times \dfrac{1}{3} = \dfrac{2}{3}$로 구할 수도 있다.

15

[전략] $\dfrac{1}{a}$과 $2c$를 b에 대한 식으로 각각 나타낸 후 대입한다.

$a + \dfrac{1}{b} = 1$에서 $a = 1 - \dfrac{1}{b}$, $a = \dfrac{b - 1}{b}$ $\therefore \dfrac{1}{a} = \dfrac{b}{b - 1}$

$b + \dfrac{1}{2c} = 1$에서 $\dfrac{1}{2c} = 1 - b$, $2c = \dfrac{1}{1 - b}$

$\therefore 2c + \dfrac{1}{a} = \dfrac{1}{1 - b} + \dfrac{b}{b - 1}$

$= \dfrac{1}{1 - b} + \dfrac{-b}{1 - b}$

$= \dfrac{1 - b}{1 - b} = 1$

$\boxed{\text{답}}$ 1

다른 풀이

$b + \dfrac{1}{2c} = 1$이므로 $b = 1 - \dfrac{1}{2c}$ $\therefore b = \dfrac{2c - 1}{2c}$ ······㉠

$a + \dfrac{1}{b} = 1$에 ㉠을 대입하면

$a + \dfrac{2c}{2c - 1} = 1$, $\dfrac{2ac - a + 2c}{2c - 1} = 1$

$2ac - a + 2c = 2c - 1$, $2ac - a = -1$

양변을 a로 나누면 $2c - 1 = -\dfrac{1}{a}$ $\therefore 2c + \dfrac{1}{a} = 1$

16

[전략] 직사각형 ABCD의 넓이에서 세 개의 직각삼각형 ABE, BCF, EDF의 넓이를 뺀다.

$S = $ (직사각형 ABCD의 넓이) $- (\triangle ABE + \triangle BCF + \triangle EDF)$

$= 3a \times 5b - \left\{ \dfrac{1}{2} \times 3a(5b - 4) + \dfrac{1}{2} \times 5b(3a - 3) + \dfrac{1}{2} \times 4 \times 3 \right\}$

$= 15ab - \left(\dfrac{15}{2}ab - 6a + \dfrac{15}{2}ab - \dfrac{15}{2}b + 6 \right)$

$= 15ab - \left(15ab - 6a - \dfrac{15}{2}b + 6 \right)$

$= 15ab - 15ab + 6a + \dfrac{15}{2}b - 6$

$= 6a + \dfrac{15}{2}b - 6$

즉, $S = 6a + \dfrac{15}{2}b - 6$에서 $\dfrac{15}{2}b = S - 6a + 6$

$\therefore b = \dfrac{2S - 12a + 12}{15}$

$\boxed{\text{답}}$ $b = \dfrac{2S - 12a + 12}{15}$

01 $l=7\pi r$ **02** $52x^2y-104xy^2$ **03** $\dfrac{4}{3}$

04 $16\pi x^3+24\pi x^2y$

---

01 solution 미리 보기

step ❶	두 선수가 달린 거리를 각각 a, r에 대한 식으로 나타내고, 출발선으로 돌아온 시간이 같음을 이용하여 등식 세우기
step ❷	a를 r에 대한 식으로 나타내기
step ❸	l을 r에 대한 식으로 나타내기

A 선수가 달린 거리는 $2\pi r+2a$이고 B 선수가 달린 거리는
$4\pi r+2a$이다.

이때 B 선수의 속력이 A 선수의 속력의 $\dfrac{4}{3}$배이므로 A, B 두 선수
의 속력을 각각 $3k$, $4k$($k\neq0$인 상수)라 하면

(시간)$=\dfrac{(거리)}{(속력)}$이고, 두 선수가 동시에 출발선으로 돌아왔으므로

$$\dfrac{2\pi r+2a}{3k}=\dfrac{4\pi r+2a}{4k}$$ ⸻ ❶

$4(2\pi r+2a)=3(4\pi r+2a)$

$8\pi r+8a=12\pi r+6a$, $2a=4\pi r$ $\therefore a=2\pi r$ ⸻ ❷

이때 $l=3\pi r+2a$이므로 $l=3\pi r+2\times2\pi r=7\pi r$ ⸻ ❸

🖼 $l=7\pi r$

---

02 solution 미리 보기

step ❶	쌓은 블록의 전체 개수 구하기
step ❷	블록 한 개의 부피 구하기
step ❸	쌓은 블록의 전체 부피 구하기

블록을 쌓아 만든 입체도형은 오른쪽 그
림과 같다.

이 입체도형의 총 블록의 개수는

$19+7=26$ ⸻ ❶

직육면체 모양의 블록 한 개의 부피는

$x\times(x-2y)\times2y=2xy(x-2y)$
$\qquad\qquad\qquad\qquad=2x^2y-4xy^2$ ⸻ ❷

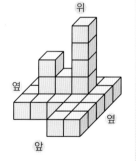

따라서 쌓은 블록의 전체 부피는

$26\times(2x^2y-4xy^2)=52x^2y-104xy^2$ ⸻ ❸

🖼 $52x^2y-104xy^2$

쌤의 만점 특강

[위에서 본 모양]에서 블록이 19개 있고, [앞, 옆에서 본 모양]에서 가장 아랫줄
에 블록이 5칸씩 있으므로 19개의 블록은 가장 아
랫줄에 있다. 또, [옆에서 본 모양]보다 [앞에서 본
모양]에서의 블록의 개수가 더 많으므로 [앞에서
본 모양]을 기준으로 나머지 줄의 블록의 개수를
생각하면 된다. 즉, [위에서 본 모양]을 기준으로
각 위치에 쌓인 블록의 개수는 오른쪽 그림과 같다.

1	1	1	1	1
1	3	2	5	1
1	1	1	1	1
			1	1
			1	1

---

03 solution 미리 보기

step ❶	주어진 식을 간단히 하기
step ❷	x, z를 각각 y에 대한 식으로 나타내기
step ❸	식의 값 구하기

$\left\{(0.\dot{7}x^2yz-0.1\dot{6}xy^2z)\div0.\dot{3}xy-xyz\left(\dfrac{3}{2x}-\dfrac{5}{3y}\right)\right\}\div(2y)^2$

$=\left\{\left(\dfrac{7}{9}x^2yz-\dfrac{15}{90}xy^2z\right)\div\dfrac{3}{9}xy-xyz\left(\dfrac{3}{2x}-\dfrac{5}{3y}\right)\right\}\div4y^2$

$=\left\{\left(\dfrac{7}{9}x^2yz-\dfrac{1}{6}xy^2z\right)\times\dfrac{3}{xy}-xyz\left(\dfrac{3}{2x}-\dfrac{5}{3y}\right)\right\}\div4y^2$

$=\left(\dfrac{7}{3}xz-\dfrac{1}{2}yz-\dfrac{3}{2}yz+\dfrac{5}{3}xz\right)\times\dfrac{1}{4y^2}$

$=(4xz-2yz)\times\dfrac{1}{4y^2}$

$=\dfrac{xz}{y^2}-\dfrac{z}{2y}$ ⸻ ㉠   ⸻ ❶

$x:y=3:2$에서 $2x=3y$ $\therefore x=\dfrac{3}{2}y$

$y:z=3:4$에서 $4y=3z$ $\therefore z=\dfrac{4}{3}y$ ⸻ ❷

따라서 $x=\dfrac{3}{2}y$, $z=\dfrac{4}{3}y$를 ㉠에 대입하면

$\dfrac{xz}{y^2}-\dfrac{z}{2y}=\dfrac{\frac{3}{2}y\times\frac{4}{3}y}{y^2}-\dfrac{\frac{4}{3}y}{2y}=2-\dfrac{2}{3}=\dfrac{4}{3}$ ⸻ ❸

🖼 $\dfrac{4}{3}$

쌤의 만점 특강

$x:y=3:2$, $y:z=3:4$이므로 $x:y=9:6$, $y:z=6:8$
따라서 $x:y:z=9:6:8$이므로
$x=9k$, $y=6k$, $z=8k$($k\neq0$인 상수)라 하고 ㉠에 대입하여 식의 값을 구해
도 된다.

---

04 solution 미리 보기

step ❶	가운데가 뚫린 원기둥 모양의 휴지의 부피 구하기
step ❷	휴지를 모두 풀었을 때 생기는 직육면체의 부피 구하기
step ❸	휴지의 전체 길이 구하기

두루마리 휴지의 심지는 밑면의 반지름의 길이가 x이고, 높이가 y
인 원기둥 모양이므로 그 부피는 πx^2y이다.

즉, 가운데가 뚫린 원기둥 모양의 휴지의 부피는

$\pi(3x)^2y-\pi x^2y=9\pi x^2y-\pi x^2y=8\pi x^2y$ ⸻ ㉠   ⸻ ❶

휴지의 전체 길이를 l이라 하면 감겨 있는 휴지를 모두 풀었을 때
생기는 직육면체의 부피는

$y\times l\times\dfrac{1}{2x+3y}$ ⸻ ㉡   ⸻ ❷

이때 ㉠과 ㉡은 서로 같으므로 $8\pi x^2y=y\times l\times\dfrac{1}{2x+3y}$

$l=8\pi x^2y\times\dfrac{2x+3y}{y}=8\pi x^2(2x+3y)=16\pi x^3+24\pi x^2y$

따라서 구하는 휴지의 전체 길이는

$16\pi x^3+24\pi x^2y$이다.   ⸻ ❸

🖼 $16\pi x^3+24\pi x^2y$

Ⅱ. 부등식

04. 일차부등식

LEVEL 1 시험에 꼭 내는 문제
→ 37쪽~39쪽

01 ④	**02** ⑤	**03** ㄱ, ㅁ, ㅂ	**04** $0 \le A \le \frac{1}{5}$	**05** 12	**06** ④
07 ④	**08** 4	**09** 3	**10** $x \ge -4$	**11** $x > 2$	**12** $\frac{2}{3}$
13 -1	**14** $a \ge \frac{1}{5}$	**15** $\ge$	**16** 3	**17** $a \ge \frac{15}{2}$	**18** 1

01

$-2a+3 < -2b+3$에서 $-2a < -2b$이므로 $a > b$

① $-a < -b$ ② $5a > 5b$ ③ $a-3 > b-3$

④ $-4a < -4b$이므로 $7-4a < 7-4b$

⑤ $-7a < -7b$이므로 $2-7a < 2-7b$ $\therefore \frac{2-7a}{3} < \frac{2-7b}{3}$

따라서 옳은 것은 ④이다.   **답** ④

02

① $a-\frac{1}{3} > b-\frac{1}{3}$에서 $a > b$

② $3-a > 3-b$에서 $-a > -b$ $\therefore a < b$

③ $2a-5 < b-5$에서 $2a < b$ $\therefore a < \frac{b}{2}$

④ $4a+1 > -b+1$에서 $4a > -b$ $\therefore -4a < b$

⑤ $\frac{2a-3}{-3} < b+1$에서 $2a-3 > -3b-3$이므로

$2a > -3b$ $\therefore 2a+3b > 0$

따라서 옳지 않은 것은 ⑤이다.   **답** ⑤

03

$b-a > 0$에서 $b > a$이고 $ab < 0$이므로 $b > 0$, $a < 0$

$ac > 0$이고 $a < 0$이므로 $c < 0$

ㄴ. $b > 0$, $c < 0$이므로 $bc < 0$

ㄷ. $a < b$, $c < 0$이므로 $\frac{a}{c} > \frac{b}{c}$

ㄹ. $b > 0$, $c < 0$이므로 $b-c > 0$

이때 $a < 0$이므로 $a(b-c) < 0$

ㅁ. $a < b$, $ab < 0$이므로

$a < b$의 양변을 ab로 나누면 $\frac{1}{b} > \frac{1}{a}$

ㅂ. $a < b$에서 $-a > -b$이므로 $c-a > c-b$ $\therefore \frac{c-a}{-2} < \frac{c-b}{-2}$

따라서 옳은 것은 ㄱ, ㅁ, ㅂ이다.   **답** ㄱ, ㅁ, ㅂ

쌤의 오답 피하기 특강

ㅁ에서 $a < b$일 때, 항상 $\frac{1}{a} < \frac{1}{b}$인 것은 아니다. a, b의 부호가 같은 경우에는 $\frac{1}{a} > \frac{1}{b}$이다.

04

$2 \le x \le 3$에서 $-3 \le -x \le -2$

즉, $0 \le 3-x \le 1$이므로

$0 \le \frac{3-x}{5} \le \frac{1}{5}$ $\therefore 0 \le A \le \frac{1}{5}$ **답** $0 \le A \le \frac{1}{5}$

05

$-6 \le -\frac{1}{3}x+1 < 4$에서 $-7 \le -\frac{1}{3}x < 3$

각 변에 -3을 곱하면 $-9 < x \le 21$

따라서 $a = -9$, $b = 21$이므로 $a+b = 12$ **답** 12

06

$\frac{1}{3}x+2 \le ax+4+\frac{1}{2}x$의 양변에 6을 곱하면

$2x+12 \le 6ax+24+3x$

$(-1-6a)x-12 \le 0$

이 부등식이 x에 대한 일차부등식이 되려면

$-1-6a \ne 0$ $\therefore a \ne -\frac{1}{6}$

따라서 x에 대한 일차부등식이 되도록 하는 상수 a의 값이 아닌 것은 ④이다.   **답** ④

07

① $-2(4x+1) > 14$에서 $-8x-2 > 14$

$-8x > 16$ $\therefore x < -2$

② $\frac{2-x}{4} > 1$의 양변에 4를 곱하면

$2-x > 4$, $-x > 2$ $\therefore x < -2$

③ $0.3x+1 > 0.8x+2$의 양변에 10을 곱하면

$3x+10 > 8x+20$, $-5x > 10$ $\therefore x < -2$

④ $-\frac{11}{3}x+5 > -x-\frac{1}{3}$의 양변에 3을 곱하면

$-11x+15 > -3x-1$, $-8x > -16$ $\therefore x < 2$

⑤ $0.2(3x+2) < 0.4\left(\frac{x}{2}-1\right)$의 양변에 10을 곱하면

$2(3x+2) < 4\left(\frac{x}{2}-1\right)$, $6x+4 < 2x-4$

$4x < -8$ $\therefore x < -2$

따라서 해가 나머지 넷과 다른 하나는 ④이다.   **답** ④

08

$\frac{x-1}{5} \ge \frac{8x+3}{7}$에서 $7(x-1) \ge 5(8x+3)$

$7x-7 \ge 40x+15$, $-33x \ge 22$ $\therefore x \le -\frac{2}{3}$

$-0.5(x+2)+6 \le 0.9x-2$에서 $-5(x+2)+60 \le 9x-20$

$-5x+50 \le 9x-20$, $-14x \le -70$ $\therefore x \ge 5$

따라서 $M = -1$, $m = 5$이므로 $M+m = -1+5 = 4$ **답** 4

09

$0.7x - \dfrac{2}{5} \geq \dfrac{3x-2}{2} - 1$의 양변에 10을 곱하면

$7x - 4 \geq 5(3x-2) - 10$, $7x - 4 \geq 15x - 20$

$-8x \geq -16$ $\quad \therefore x \leq 2$

따라서 이 부등식을 만족시키는 모든 자연수 x의 값은 1, 2이므로

$1 + 2 = 3$ 　　　　　　　　　　　　　　　　🖫 3

10

$ax + 12 \leq -(3x+4a)$에서 $ax + 12 \leq -3x - 4a$

$(a+3)x \leq -4(a+3)$

이때 $a < -3$에서 $a + 3 < 0$이므로

$x \geq \dfrac{-4(a+3)}{a+3}$ $\quad \therefore x \geq -4$ 　🖫 $x \geq -4$

11

$\dfrac{5}{6} + \dfrac{3}{8}a > -\dfrac{1}{6} + \dfrac{a}{2}$의 양변에 24를 곱하면

$20 + 9a > -4 + 12a$, $-3a > -24$ $\quad \therefore a < 8$

$8x + 2a > ax + 16$에서 $(8-a)x > 2(8-a)$

이때 $a < 8$에서 $-a > -8$, $8 - a > 0$이므로

$x > \dfrac{2(8-a)}{8-a}$ $\quad \therefore x > 2$ 　　🖫 $x > 2$

12

$ax + 8 \leq 2x$에서 $(a-2)x \leq -8$

이때 부등식의 해가 $x \geq 6$이므로 $a - 2 < 0$

따라서 $x \geq \dfrac{-8}{a-2}$이므로 $\dfrac{-8}{a-2} = 6$

$-8 = 6a - 12$, $6a = 4$ $\quad \therefore a = \dfrac{2}{3}$ 　🖫 $\dfrac{2}{3}$

참고 $(a-2)x \leq -8$과 $x \geq 6$의 부등호의 방향이 반대이므로 x의 계수인 $a-2$가 음수임을 알 수 있다.

13

$-2(x-1) \geq -5(x+1) - a$에서 $-2x + 2 \geq -5x - 5 - a$

$3x \geq -7 - a$ $\quad \therefore x \geq \dfrac{-7-a}{3}$

이때 부등식의 해 중 가장 작은 수가 -2이므로

$\dfrac{-7-a}{3} = -2$, $-7 - a = -6$ $\quad \therefore a = -1$ 　🖫 -1

14

$x - 1 < \dfrac{-5a+x}{3}$에서 $3x - 3 < -5a + x$

$2x < 3 - 5a$ $\quad \therefore x < \dfrac{3-5a}{2}$

이때 이 부등식을 만족시키는 자연수 x가 존재하지 않으려면 오른쪽 그림에서

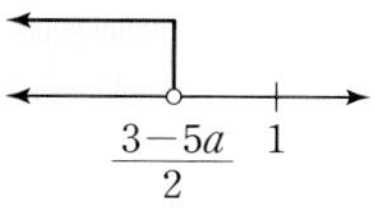

$\dfrac{3-5a}{2} \leq 1$

$3 - 5a \leq 2$, $-5a \leq -1$ $\quad \therefore a \geq \dfrac{1}{5}$ 　🖫 $a \geq \dfrac{1}{5}$

쌤의 오답 피하기 특강

주어진 부등식을 만족시키는 자연수 x가 존재하지 않는다는 것은 x의 값의 범위에 자연수가 하나도 포함되지 않는다는 것이다. 이때 $x < 1$이어도 자연수 x가 존재하지 않으므로 $\dfrac{3-5a}{2} = 1$일 수 있음에 주의한다.

15

$\dfrac{3-8a}{2} \leq \dfrac{3-8b}{2}$에서 $3 - 8a \leq 3 - 8b$

$-8a \leq -8b$, $a \geq b$ $\quad \therefore a - 2 \geq b - 2$ 　🖫 $\geq$

16

$3 - 2x > 7 - 3x$에서 $x > 4$

$10 - a < x + a$에서 $-x < 2a - 10$ $\quad \therefore x > 10 - 2a$

두 부등식의 해가 서로 같으므로

$4 = 10 - 2a$, $2a = 6$ $\quad \therefore a = 3$ 　　🖫 3

17

$\dfrac{x}{5} - \dfrac{x-3}{4} \geq \dfrac{a}{10}$의 양변에 20을 곱하면

$4x - 5(x-3) \geq 2a$, $4x - 5x + 15 \geq 2a$, $-x \geq 2a - 15$

$\therefore x \leq 15 - 2a$

이때 이 부등식을 만족시키는 양수 x가 존재하지 않으려면 오른쪽 그림에서

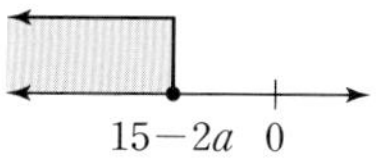

$15 - 2a \leq 0$

$-2a \leq -15$ $\quad \therefore a \geq \dfrac{15}{2}$ 　🖫 $a \geq \dfrac{15}{2}$

18

$2(2x-1) \leq 3x + a$에서 $4x - 2 \leq 3x + a$ $\quad \therefore x \leq a + 2$

이때 이 부등식을 만족시키는 자연수 x가 3개이려면 오른쪽 그림에서

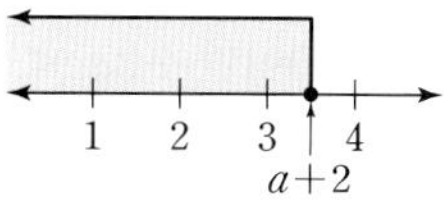

$3 \leq a + 2 < 4$

$\therefore 1 \leq a < 2$

따라서 a의 값 중 가장 작은 값은 1이다. 　　🖫 1

LEVEL 2 필수 기출 문제
→ 40쪽~44쪽

01 ②	02 ㄴ, ㄹ, ㅁ, ㅂ	03 ⑤ 04 2개 05 4
06 (1) $a \neq 0$, $b = -1$ (2) 0	07 3	08 -2 09 12
10 ㄱ, ㄷ, ㄹ, ㅂ	11 $x > -4$	12 $a=1$, $b=2$ 13 -4 14 ②
15 ③	16 4	17 $\dfrac{5}{2} \leq a < 4$ 18 ① 19 $a \leq -3$ 20 9

01

[전략] 네 수 $0, a, b, c$의 대소 관계를 구한 후 부등식의 성질을 이용한다.

$a>0$, $c<0$이므로 $c<0<a$

이때 $b<c$이므로 $b<c<0<a$

① $b<c$, $a>0$이므로 $\dfrac{b}{a}<\dfrac{c}{a}$

② $a>b$, $b<0$이므로 $ab<b^2$

③ $a>c$, $b<0$이므로 $ab<bc$

④ $a>c$이므로 $a+b>b+c$

⑤ $a>b$이므로 $a-c>b-c$

따라서 옳지 않은 것은 ②이다. 답 ②

02

[전략] 수직선을 이용하여 네 수 $0, a, b, c$의 대소 관계를 파악한다.

ㄱ. $c<a$이므로 $-c>-a$

ㄴ. $a<b$이므로 $a+c<b+c$

ㄷ. $c<a$이므로 $c-b<a-b$

ㄹ. $a>c$, $c<0$이므로 $ac<c^2$

ㅁ. $a<b$, $c<0$이므로 $ac>bc$ $\therefore ac+b>bc+b$

ㅂ. $a<b$이므로 $-a>-b$, $1-a>1-b$

  이때 $c<0$이므로 $\dfrac{1-a}{c}<\dfrac{1-b}{c}$

따라서 옳은 것은 ㄴ, ㄹ, ㅁ, ㅂ이다. 답 ㄴ, ㄹ, ㅁ, ㅂ

03

[전략] 부등식의 양변에 공통으로 더하거나 곱해져 있는 수를 확인한 후, $a<b$를 부등식의 성질을 이용하여 같은 형태로 만든 식과 비교한다.

① $a<b$이므로 $a-2c<b-2c$

② $a<b$이므로 $a-b<0$ $\therefore \dfrac{a-b}{4}<0$

③ $a<b$이므로 $-\dfrac{a}{2}>-\dfrac{b}{2}$ $\therefore \dfrac{1}{3}-\dfrac{a}{2}>\dfrac{1}{3}-\dfrac{b}{2}$

④ $a<b$이므로 $-3a>-3b$

  이때 $c>0$이면 $-3ac>-3bc$

  $c<0$이면 $-3ac<-3bc$

  $c=0$이면 $-3ac=-3bc$

  즉, $-3ac>-3bc$가 항상 옳은 것은 아니다.

⑤ $a<b$이므로 $-a+b>0$ $\therefore c-a+b>c$

따라서 항상 옳은 것은 ⑤이다. 답 ⑤

04

[전략] $a<b$의 양변에 각각 어떤 수를 더할 때, b에 더하는 수가 a에 더하는 수보다 크면 부등호의 방향은 그대로 유지되는 성질을 이용한다.

ㄱ. $a=-3$, $b=-2$일 때, $a<b$이지만

  $-b=2$이므로 $a<-b$

ㄴ. $a<b$이고 $3<5$이므로 $a+3<b+5$

ㄷ. $a=-3$, $b=-2$일 때, $a<b$이지만

  $2a=-6$, $4b=-8$이므로 $2a>4b$

ㄹ. $a=-3$, $b=-2$일 때, $a<b$이지만

  $-2a=6$, $-4b=8$이므로 $-2a<-4b$

ㅁ. $a=88$, $b=99$일 때, $a<b$이지만

  $\dfrac{a}{2}=44$, $\dfrac{b}{3}=33$이므로 $\dfrac{a}{2}>\dfrac{b}{3}+10$

ㅂ. $a<b$에서 $-a>-b$이고 $4>3$이므로 $4-a>3-b$

따라서 항상 옳은 것은 ㄴ, ㅂ의 2개이다. 답 2개

> **쌤의 특강**
>
> $a>b$, $c>d$이면 $a+c>b+d$
>
> $c>d$에서 $-d>-c$이므로 $a-d>b-c$

05

[전략] $2x+a=4$를 $a=(x$에 대한 식$)$으로 변형하여 부등식에 대입한다.

$2x+a=4$에서 $a=-2x+4$를

$3<\dfrac{1}{3}a+1\leq5$에 대입하면

$3<\dfrac{1}{3}(-2x+4)+1\leq5$

각 변에 3을 곱하면 $9<-2x+7\leq15$

$2<-2x\leq8$ $\therefore -4\leq x<-1$

따라서 $m=-4$, $n=-1$이므로 $mn=4$ 답 4

06

[전략] 주어진 부등식의 우변의 모든 항을 좌변으로 이항하여 동류항끼리 정리해 본다.

(1) $2x^2+(a+1)x+4\geq(b+3)x^2+x+2$에서

  $(2-b-3)x^2+(a+1-1)x+4-2\geq0$

  $(-b-1)x^2+ax+2\geq0$

  이 부등식이 x에 대한 일차부등식이 되려면 $-b-1=0$이고

  $a\neq0$이어야 한다. 즉, $a\neq0$, $b=-1$

(2) $(-b-1)x^2+ax+2\geq0$에 $b=-1$을 대입하면

  $ax+2\geq0$

  이때 $a=-4$이면 $-4x+2\geq0$

  $-4x\geq-2$ $\therefore x\leq\dfrac{1}{2}$

  따라서 이 부등식을 만족시키는 정수 x의 값 중 가장 큰 값은 0

  이다. 답 (1) $a\neq0$, $b=-1$ (2) 0

07

[전략] 주어진 규칙에 따라 좌변과 우변을 각각 정리한다.

$(x-2)\circledcirc(3x+2)=2(x-2)+(3x+2)-1$
$\qquad\qquad\qquad\qquad=5x-3$

$4\circledcirc(2x+1)=2\times4+(2x+1)-1$
$\qquad\qquad\quad=2x+8$

즉, $(x-2)\circledcirc(3x+2)\leq4\circledcirc(2x+1)$에서

$5x-3\leq2x+8$, $3x\leq11$

$\therefore x\leq\dfrac{11}{3}=3.6\times\times\times$

따라서 x의 값 중 가장 큰 정수는 3이다.   **답** 3

08

[**전략**] 주어진 부등식의 해를 구한 후 부등식의 성질을 이용하여 $\dfrac{1-3x}{7}$ 의 값의 범위를 구한다.

$0.1x-\dfrac{2-x}{5}\leq1.1$의 양변에 10을 곱하면

$x-4+2x\leq11,\ 3x\leq15$ $\therefore\ x\leq5$

$x\leq5$의 양변에 -3을 곱하면 $-3x\geq-15$

$1-3x\geq-14$ $\therefore\ \dfrac{1-3x}{7}\geq-2$

따라서 $\dfrac{1-3x}{7}$ 의 값 중에서 가장 작은 값은 -2이다.   **답** -2

09

[**전략**] 먼저 주어진 부등식의 해를 구한다.

$\dfrac{3}{5}x-2>x-5$의 양변에 5를 곱하면

$3x-10>5x-25,\ -2x>-15$ $\therefore\ x<\dfrac{15}{2}$

$x<\dfrac{15}{2}$에서 $x+2<\dfrac{19}{2},\ \dfrac{x+2}{3}<\dfrac{19}{6}$

즉, $\dfrac{x+2}{3}$ 의 값이 될 수 있는 자연수는 1, 2, 3이다.

$\dfrac{x+2}{3}=1$일 때, $x=1$

$\dfrac{x+2}{3}=2$일 때, $x=4$

$\dfrac{x+2}{3}=3$일 때, $x=7$

따라서 모든 x의 값의 합은 $1+4+7=12$ **답** 12

10

[**전략**] 주어진 부등식에서 x항은 좌변으로, 상수항은 우변으로 이항한 후 x의 계수의 조건에 따라 해를 구해 본다.

$ax+b<cx+1$에서 $(a-c)x<1-b$

(ⅰ) $a-c>0$이면 $x<\dfrac{1-b}{a-c}$ (ㄷ)

이때 $\dfrac{1-b}{a-c}=\dfrac{-1+b}{c-a}$이므로

$x<\dfrac{-1+b}{c-a}$ (ㄱ)

(ⅱ) $a-c<0$이면 $x>\dfrac{1-b}{a-c}$ (ㄹ)

이때 $\dfrac{1-b}{a-c}=\dfrac{-1+b}{c-a}$이므로

$x>\dfrac{-1+b}{c-a}$ (ㅂ)

(ⅲ) $a-c=0$이면 $0\times x<1-b$

이때 $1-b>0$이면 해가 무수히 많고,

$1-b\leq0$이면 해는 없다.

따라서 주어진 부등식의 해가 될 수 있는 것은 ㄱ, ㄷ, ㄹ, ㅂ이다.

   답 ㄱ, ㄷ, ㄹ, ㅂ

쌤의 만점 특강

부등식 $ax<b$의 해

x에 대한 부등식 $ax<b$에서

① $a>0$이면 $x<\dfrac{b}{a}$

② $a<0$이면 $x>\dfrac{b}{a}$

③ $a=0,\ b>0$이면 해가 무수히 많다.

   $a=0,\ b\leq0$이면 해가 없다.

11

[**전략**] 주어진 부등식에 $b=-2a+4$를 대입한 후 간단히 정리한다.

$(a+b)x+b<x+2a-8$에서

$(a+b-1)x<2a-b-8$

이 식에 $b=-2a+4$를 대입하면

$(a-2a+4-1)x<2a-(-2a+4)-8$

$-(a-3)x<4(a-3)$

$a>3$에서 $a-3>0$이므로 $-(a-3)<0$

$\therefore\ x>-4$ **답** $x>-4$

12

[**전략**] 미지수가 포함되지 않은 부등식의 해를 먼저 구한 후, 미지수가 포함된 부등식의 해와 같아지도록 하는 자연수 $a,\ b$의 값을 각각 구한다.

$2(x+1)\geq x+3$에서 $2x+2\geq x+3$ $\therefore\ x\geq1$

$ax-7\leq b(x-4)$에서 $ax-7\leq bx-4b$

$\therefore\ (a-b)x\leq-4b+7$

이때 두 부등식의 해가 같으므로 $a-b<0$, 즉 $a<b$이다.

따라서 $x\geq\dfrac{-4b+7}{a-b}$이므로 $\dfrac{-4b+7}{a-b}=1$

$-4b+7=a-b$ $\therefore\ a+3b=7$ ······㉠

이때 $a,\ b$는 자연수이므로 ㉠을 만족시키는 순서쌍 $(a,\ b)$는 $(4,\ 1)$, $(1,\ 2)$이다.

따라서 $a<b$인 것은 $(1,\ 2)$이므로 $a=1,\ b=2$ **답** $a=1,\ b=2$

13

[**전략**] 수직선을 보고 해의 범위를 부등식으로 나타낸 후 상수 a의 값을 구한다.

$ax-1\geq2a+3x$에서 $(a-3)x\geq2a+1$

이 부등식의 해가 $x\leq1$이므로

$a-3<0$이고 $x\leq\dfrac{2a+1}{a-3}$

즉, $\dfrac{2a+1}{a-3}=1$이므로

$2a+1=a-3$ $\therefore\ a=-4$ **답** -4

14

[**전략**] 수직선을 보고 해의 범위를 부등식으로 나타낸 후 $a-b$의 값을 구한다.

$2(x+6)>4a-bx$에서 $2x+12>4a-bx$

$2x+bx>4a-12$ $\therefore\ (2+b)x>4a-12$

이 부등식의 해가 $x<4$이므로

$2+b<0$이고 $x<\dfrac{4a-12}{2+b}$

즉, $\dfrac{4a-12}{2+b}=4$이므로 $4a-12=8+4b$

$4a-4b=20$ ∴ $a-b=5$ 답 ②

15

[전략] 부등식 $ax\le b$의 해가 $x\ge k$이면 $a<0$, $\dfrac{b}{a}=k$임을 이용한다.

$ax\le b$의 해가 $x\ge -\dfrac{1}{3}$이므로

$a<0$이고 $x\ge \dfrac{b}{a}$

즉, $\dfrac{b}{a}=-\dfrac{1}{3}$이므로

$3b=-a$이고 $a<0$이므로 $b>0$

즉, $a<b$이므로 $a-b<0$

따라서 옳은 것은 ③이다.   답 ③

16

[전략] 부등식 $ax\ge b$의 해가 $x\ge k$이면 $a>0$, $\dfrac{b}{a}=k$임을 이용한다.

$5x-2(bx+1)\ge a$에서 $5x-2bx-2\ge a$

∴ $(5-2b)x\ge a+2$

이 부등식의 해가 $x\ge 8$이므로

$5-2b>0$이고 $x\ge \dfrac{a+2}{5-2b}$

즉, $\dfrac{a+2}{5-2b}=8$이므로 $a+2=8(5-2b)$ ······㉠

한편, $|a|=6$이므로 $a=6$ 또는 $a=-6$

이때 $5-2b>0$이므로 ㉠에서 $a+2>0$이다.   ∴ $a=6$

따라서 $a=6$을 ㉠에 대입하면 $8=8(5-2b)$

$1=5-2b$, $2b=4$ ∴ $b=2$

∴ $a-b=6-2=4$ 답 4

다른 풀이

$|a|=6$에서 $a=6$ 또는 $a=-6$

(i) $a=6$일 때

$a=6$을 $5x-2(bx+1)\ge a$에 대입하면

$5x-2bx-2\ge 6$ ∴ $(5-2b)x\ge 8$

이때 해가 $x\ge 8$이므로 $5-2b>0$ ······㉠

이고, $x\ge \dfrac{8}{5-2b}$

즉, $\dfrac{8}{5-2b}=8$이므로 $5-2b=1$ ∴ $b=2$

이 값은 ㉠을 만족시킨다.

(ii) $a=-6$일 때

$a=-6$을 $5x-2(bx+1)\ge a$에 대입하면

$5x-2bx-2\ge -6$ ∴ $(5-2b)x\ge -4$

이때 해가 $x\ge 8$이므로 $5-2b>0$ ······㉡

이고, $x\ge \dfrac{-4}{5-2b}$

즉, $\dfrac{-4}{5-2b}=8$이므로 $5-2b=-\dfrac{1}{2}$ ∴ $b=\dfrac{11}{4}$

이 값은 ㉡을 만족시키지 않는다.

(i), (ii)에서 $a=6$, $b=2$이므로 $a-b=4$

17

[전략] 12와 서로소인 자연수를 작은 것부터 나열한 후 서로소인 자연수가 3개인 경우와 4개인 경우를 찾아 x의 값의 범위를 구한다.

$x-a\le \dfrac{1+5x}{8}$에서 $8x-8a\le 1+5x$

$3x\le 8a+1$ ∴ $x\le \dfrac{8a+1}{3}$

이때 주어진 부등식을 만족시키는 x의 값 중에서 12와 서로소인 자연수가 3개이려면 1, 5, 7이 x의 값의 범위에 포함되어야 하고, 그 다음으로 12와 서로소인 11은 x의 값의 범위에 포함되지 않아야 한다.

즉, 오른쪽 그림에서 $7\le \dfrac{8a+1}{3}<11$

$21\le 8a+1<33$, $20\le 8a<32$

∴ $\dfrac{5}{2}\le a<4$ 답 $\dfrac{5}{2}\le a<4$

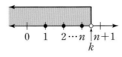

쌤의 복합 개념 특강

개념1 서로소

최대공약수가 1인 두 자연수로 12와 서로소인 수는 1, 5, 7, 11, 13, 17, ··· 등이 있다.

개념2 자연수인 해의 개수가 주어진 경우 미지수의 값의 범위 구하기

부등식을 만족시키는 자연수인 해가 n개일 때, 부등식의 해가

(1) $x<k$이면

(2) $x\le k$이면

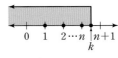

➡ $n<k\le n+1$

➡ $n\le k<n+1$

18

[전략] 부등식을 만족시키는 자연수 x가 존재하지 않으려면 $x\le t$일 때, $t<1$이어야 한다.

$-0.5x+1\ge -0.25x-\dfrac{k}{8}$의 양변에 8을 곱하면

$-4x+8\ge -2x-k$

$-2x\ge -k-8$ ∴ $x\le \dfrac{k+8}{2}$

이 부등식을 만족시키는 자연수 x가 존재하지 않으려면 오른쪽 그림에서 $\dfrac{k+8}{2}<1$

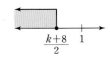

$k+8<2$ ∴ $k<-6$

답 ①

19

[전략] $x=2$가 주어진 부등식을 만족시키지 않으므로 $x=2$를 주어진 부등식에 대입하였을 때 부등호가 $\leq$가 되어야 한다.

$x=2$가 주어진 부등식을 만족시키지 않으므로 $x=2$는

$x+\dfrac{(a+3)x}{8}\leq-\dfrac{a(x+2)}{6}$의 해이다.

즉, $x+\dfrac{(a+3)x}{8}\leq-\dfrac{a(x+2)}{6}$에 $x=2$를 대입하면

$2+\dfrac{a+3}{4}\leq-\dfrac{2a}{3}$

양변에 12를 곱하면 $24+3(a+3)\leq-8a$

$11a\leq-33$ $\quad\therefore a\leq-3$ 　　　　🔲 $a\leq-3$

쌤의 만점 특강

$x=a$가 x에 대한 부등식 $x>t$를 만족시키지 않을 때, $x=a$는 $x<t$가 아니고 $x\leq t$의 해가 된다. 이와 마찬가지로 $x=a$가 x에 대한 부등식 $x\geq t$를 만족시키지 않을 때, $x=a$는 $x<t$의 해가 된다.

20

[전략] 주어진 부등식을 만족시키는 자연수 x가 5개 이상일 때의 부등식의 해를 수직선 위에 나타내어 본다.

$x-0.9\leq0.3(x+k)$의 양변에 10을 곱하면

$10x-9\leq3(x+k)$

$10x-9\leq3x+3k$, $7x\leq3k+9$

$\therefore x\leq\dfrac{3k+9}{7}$

이 부등식을 만족시키는 자연수 x가
5개 이상이려면 오른쪽 그림에서

$\dfrac{3k+9}{7}\geq5$

$3k+9\geq35$, $3k\geq26$ $\quad\therefore k\geq\dfrac{26}{3}=8.\times\times\times$

따라서 k의 값 중 가장 작은 자연수는 9이다. 　　　🔲 9

LEVEL 3 최고난도 문제 →45쪽

01 1 　**02** 14 　**03** $x\leq-\dfrac{9}{5}$ 　**04** c, a, d, b

01 solution 미리 보기

step ❶	a, b의 부호 각각 정하기
step ❷	보기의 부등식이 성립하지 않는 예 찾기
step ❸	항상 옳은 것의 개수 구하기

$a-b<0$에서 $a<b$

$a<b$이고 $ab<0$이므로 $a<0$, $b>0$　　　　❶

ㄱ. $a=-2$, $b=3$, $c=3$, $d=2$이면

$a<0$, $b>0$이고 $c>d$이지만

$ac=-6$, $bd=6$이므로

$ac<bd$

ㄴ. $a=-2$, $b=3$, $c=2$, $d=-3$이면

$a<0$, $b>0$이고 $c>d$이지만

$\dfrac{ab}{c}=\dfrac{-6}{2}=-3$, $\dfrac{ab}{d}=\dfrac{-6}{-3}=2$이므로

$\dfrac{ab}{c}<\dfrac{ab}{d}$

ㄷ. $a=-2$, $b=3$, $c=2$, $d=-1$이면

$a<0$, $b>0$이고 $c>d$이지만

$\dfrac{c^2}{ab}=\dfrac{4}{-6}$, $\dfrac{d^2}{ab}=\dfrac{1}{-6}$이므로

$\dfrac{c^2}{ab}<\dfrac{d^2}{ab}$

ㄹ. $a=-2$, $b=3$, $c=3$, $d=2$이면

$a<0$, $b>0$이고 $c>d$이지만

$a+c=1$, $b+d=5$이므로

$a+c<b+d$　　　　❷

ㅁ. $c>d$, $a<0$이므로 $\dfrac{c}{a}<\dfrac{d}{a}$

$\therefore \dfrac{c}{a}-b<\dfrac{d}{a}-b$

따라서 항상 옳은 것은 ㅁ의 1개이다.　　　　❸

🔲 1

쌤의 특강

ㄴ. $c>d$에서

(ⅰ) $cd>0$일 때, 양변을 cd로 나누면 $\dfrac{1}{d}>\dfrac{1}{c}$

$ab<0$이므로 양변에 ab를 곱하면 $\dfrac{ab}{d}<\dfrac{ab}{c}$

(ⅱ) $cd<0$일 때, 양변을 cd로 나누면 $\dfrac{1}{d}<\dfrac{1}{c}$

$ab<0$이므로 양변에 ab를 곱하면 $\dfrac{ab}{d}>\dfrac{ab}{c}$

(ⅰ), (ⅱ)에서 $\dfrac{ab}{d}<\dfrac{ab}{c}$일 수도 있고, $\dfrac{ab}{d}>\dfrac{ab}{c}$일 수도 있다.

02 solution 미리 보기

step ❶	x의 값의 범위 구하기
step ❷	$\dfrac{x}{2}+3$의 값의 범위 구하기
step ❸	$\left\langle\!\left\langle\dfrac{x}{2}+3\right\rangle\!\right\rangle$의 값이 될 수 있는 수를 찾고 그 합 구하기

$|6x-8|\leq20$에서 $-20\leq6x-8\leq20$

$-12\leq6x\leq28$ $\quad\therefore -2\leq x\leq\dfrac{14}{3}$　　　　❶

$-2\leq x\leq\dfrac{14}{3}$에서 $-1\leq\dfrac{x}{2}\leq\dfrac{7}{3}$

$2\leq\dfrac{x}{2}+3\leq\dfrac{16}{3}=5.333\cdots$　　　　❷

따라서 $\left\langle\!\left\langle\dfrac{x}{2}+3\right\rangle\!\right\rangle$의 값이 될 수 있는 수는 2, 3, 4, 5이므로 그 합은

$2+3+4+5=14$　　　　❸

🔲 14

소수점 아래 첫째 자리에서 반올림한 수를 $\ll p \gg$로 나타낼 때 $\ll p \gg$의 값은 정수이다.

이때 $\ll p \gg = a$(a는 정수)라 하면 p의 값의 범위는 $a - 0.5 \leq p < a + 0.50$이다.

03 solution 미리 보기

step ❶	$a - b$의 부호 구하기
step ❷	a를 b에 대한 식으로 나타내기
step ❸	b의 부호 구하기
step ❹	부등식 $(a - 2b)x + 2a - 5b \geq 0$의 해 구하기

$(a - b)x + a - 10b < 0$에서 $(a - b)x < -a + 10b$

이때 부등식의 해가 $x > \dfrac{1}{2}$이므로

$a - b < 0$ ······㉠ ·· ❶

이고, 해는 $x > \dfrac{-a + 10b}{a - b}$

즉, $\dfrac{-a + 10b}{a - b} = \dfrac{1}{2}$이므로

$a - b = -2a + 20b,\ 3a = 21b$ ∴ $a = 7b$ ············ ❷

$a = 7b$를 ㉠에 대입하면 $7b - b < 0$

$6b < 0$ ∴ $b < 0$ ································ ❸

$a = 7b$를 $(a - 2b)x + 2a - 5b \geq 0$에 대입하면

$(7b - 2b)x + 14b - 5b \geq 0,\ 5bx \geq -9b$

이때 $b < 0$이므로

$x \leq -\dfrac{9}{5}$ ····································· ❹

🖍 $x \leq -\dfrac{9}{5}$

04 solution 미리 보기

step ❶	a와 c의 대소 관계 구하기
step ❷	b와 d의 대소 관계 구하기
step ❸	$a > d$임을 이용하여 a, b, c, d의 대소 관계 구하기

조건 ㈏에서 $a + b < c + d$의 양변에 a를 더하면

$2a + b < a + c + d$

이때 조건 ㈎에서 $a + d = b + c$이므로 $2a + b < b + 2c$

양변에서 b를 빼면 $2a < 2c$

∴ $a < c$ ······㉠ ······································ ❶

이와 마찬가지로 조건 ㈏에서 $a + b < c + d$의 양변에 b를 더하면

$a + 2b < b + c + d$

이때 조건 ㈎에서 $a + d = b + c$이므로 $a + 2b < a + 2d$

양변에서 a를 빼면 $2b < 2d$

∴ $b < d$ ······㉡ ······································ ❷

한편, 조건 ㈐에서 $a > d$이므로 ㉠, ㉡에 의해

$c > a > d > b$

따라서 그 값이 큰 것부터 차례로 쓰면 c, a, d, b이다. ···· ❸

🖍 c, a, d, b

05. 일차부등식의 활용

LEVEL 1 시험에 꼭 내는 문제 →47쪽~48쪽

01 49, 51, 53	02 94점	03 7개월	04 7팩
05 15750원	06 18명	07 4 km	08 1.5 km
09 15 cm	10 $x > 2$	11 300 g	12 22 L
13 240명			

01

연속하는 세 홀수를 $x - 2,\ x,\ x + 2$라 하면

$(x - 2) + x + (x + 2) < 159$

$3x < 159$ ∴ $x < 53$

따라서 x의 값 중 가장 큰 홀수는 51이므로 가장 큰 세 홀수는 49, 51, 53이다. 🖍 49, 51, 53

주의 $x < 53$을 만족시키는 x의 값 중에서 가장 큰 홀수를 53으로 생각하지 않도록 주의한다.

02

네 번째 국어 시험에서 x점을 받는다고 하면

(네 번의 국어 시험의 평균 점수) $= \dfrac{86 + 90 + 82 + x}{4} \geq 88$

$258 + x \geq 352$ ∴ $x \geq 94$

따라서 네 번째 국어 시험에서 최소 94점을 받아야 한다. 🖍 94점

03

x개월 후부터 동생의 예금액이 언니의 예금액보다 많아진다고 하면

$10000 + 2000x < 4000 + 3000x$

$-1000x < -6000$

∴ $x > 6$

따라서 동생의 예금액이 언니의 예금액보다 많아지는 것은 7개월 후부터이다. 🖍 7개월

04

두유를 x팩 산다고 하면 우유는 $(15 - x)$팩 사므로

$800(15 - x) + 1200x \leq 15000$

$12000 - 800x + 1200x \leq 15000$

$400x \leq 3000$ ∴ $x \leq \dfrac{15}{2} = 7.5$

따라서 두유를 최대 7팩까지 살 수 있다. 🖍 7팩

쌤의 오답 피하기 특강

부등식을 세워 푼 후에 다시 문제의 마지막 부분을 읽어서 무엇을 구하는 것인지 확인하고 답을 쓴다. 구하는 것이 '물건의 개수'인 경우에는 자연수만을 답으로 한다.

05

정가를 x원이라 하면 판매 가격은 $x\left(1-\dfrac{20}{100}\right)$원이므로

$x\left(1-\dfrac{20}{100}\right) \geq 12000\left(1+\dfrac{5}{100}\right)$

$\dfrac{4}{5}x \geq 12600$ $\qquad \therefore x \geq 15750$

따라서 정가를 15750원 이상으로 정해야 한다. **답** 15750원

06

입장객을 x명이라 하면

$2000x > 2000 \times \dfrac{70}{100} \times 25$

$2000x > 35000$

$\therefore x > \dfrac{35}{2} = 17.5$

따라서 18명 이상부터 25명의 단체 입장권을 사는 것이 더 유리하다. **답** 18명

07

x km 지점까지 간다고 하면

$\dfrac{x}{4} + \dfrac{x}{2} \leq 3, \ x + 2x \leq 12, \ 3x \leq 12$ $\qquad \therefore x \leq 4$

따라서 최대 4 km 지점까지 갔다가 되돌아올 수 있다. **답** 4 km

08

기차역에서 상점까지의 거리를 x km라 하면

$\dfrac{x}{3} + \dfrac{20}{60} + \dfrac{x}{3} \leq 1\dfrac{20}{60}$

$x + 1 + x \leq 4, \ 2x \leq 3$ $\qquad \therefore x \leq \dfrac{3}{2} = 1.5$

따라서 기차역에서 최대 1.5 km 이내의 상점을 이용할 수 있다. **답** 1.5 km

쌤의 오답 피하기 특강

문제를 풀 때 각각의 단위가 다른 경우 단위를 통일해서 부등식을 세운다. 주어진 속력이 '시속'이므로 '분'으로 표현된 수량을 '시간'으로 바꿔서 부등식을 세워야 한다.

➡ 1(시간) = 60(분), 1(분) = $\dfrac{1}{60}$(시간)

1(분) = 60(초), 1(초) = $\dfrac{1}{60}$(분) = $\dfrac{1}{3600}$(시간)

09

나머지 한 대각선의 길이를 x cm라 하면

(마름모의 넓이) = $\dfrac{1}{2} \times$ (한 대각선의 길이) $\times$ (나머지 대각선의 길이)

이므로 $\dfrac{1}{2} \times 6 \times x \geq 45$ $\qquad \therefore x \geq 15$

따라서 나머지 한 대각선의 길이는 15 cm 이상이어야 한다.

답 15 cm

10

가장 긴 변의 길이는 $x+5$이므로

$x+5 < x + (x+3), \ -x < -2$ $\qquad \therefore x > 2$ **답** $x > 2$

11

8 %의 소금물을 x g 섞는다고 하면 12 %의 소금물은 $(400-x)$ g 섞으므로

$\dfrac{8}{100} \times x + \dfrac{12}{100} \times (400-x) \geq \dfrac{9}{100} \times 400$

$8x + 4800 - 12x \geq 3600, \ -4x \geq -1200$ $\qquad \therefore x \leq 300$

따라서 8 %의 소금물은 최대 300 g까지 섞을 수 있다. **답** 300 g

12

처음에 들어 있는 물의 양을 x L라 하면

$x - 6 - \dfrac{1}{4}(x-6) \geq 12$

$4x - 24 - x + 6 \geq 48, \ 3x \geq 66$ $\qquad \therefore x \geq 22$

따라서 처음에 들어 있는 물의 양은 22 L 이상이어야 한다.

답 22 L

13

작년 여자 회원을 x명이라 하면 작년 남자 회원은 $(540-x)$명이므로

(올해 증가한 남자 회원 수) $-$ (올해 감소한 여자 회원 수) ≥ 21

$(540-x) \times \dfrac{15}{100} - x \times \dfrac{10}{100} \geq 21$

$15(540-x) - 10x \geq 2100, \ -25x \geq -6000$

$\therefore x \leq 240$

따라서 작년 여자 회원은 240명 이하이다. **답** 240명

다른 풀이

작년 여자 회원을 x명이라 하면 작년 남자 회원은 $(540-x)$명이므로

$(540-x)\left(1+\dfrac{15}{100}\right) + x\left(1-\dfrac{10}{100}\right) \geq 540 + 21$

$115(540-x) + 90x \geq 56100$

$-25x \geq -6000$ $\qquad \therefore x \leq 240$

따라서 작년 여자 회원은 240명 이하이다.

LEVEL 2 필수 기출 문제

→ 49쪽~52쪽

01 82점	02 4명	03 19번	04 4자루	05 55
06 25000원	07 20 %	08 4개	09 41병	10 27명
11 800 m	12 17분	13 9	14 5초	
15 240 g	16 5 %			

01

[**전략**] 먼저 4회까지의 점수의 총합을 구한다.

5회와 6회의 평균 점수를 x점이라 하면 5회와 6회의 점수의 총합은 $2x$점이다.

한편, 4회까지의 점수의 총합은 $70 \times 4 = 280$(점)이므로

$$\frac{280+2x}{6} \geq 74, \ 280+2x \geq 444 \qquad \therefore x \geq 82$$

따라서 5회와 6회의 평균 점수가 82점 이상 되어야 한다.

🔲 82점

02

[**전략**] 전체 일의 양을 1로 놓고 남자 1명과 여자 1명이 하루에 할 수 있는 일의 양을 각각 구한다.

전체 일의 양을 1이라 하면 남자 1명이 하루에 할 수 있는 일의 양은 $\frac{1}{8}$이고, 여자 1명이 하루에 할 수 있는 일의 양은 $\frac{1}{5}$이다.

여자를 x명이라 하면 남자는 $(6-x)$명이므로

$$(6-x) \times \frac{1}{8} + x \times \frac{1}{5} \geq 1$$

$$5(6-x)+8x \geq 40, \ 3x \geq 10$$

$$\therefore x \geq \frac{10}{3} = 3.3 \times \times \times$$

따라서 여자는 4명 이상 필요하다.

🔲 4명

03

[**전략**] A가 x번 이겼을 때, A가 진 횟수, B가 이긴 횟수, B가 진 횟수를 각각 x에 대한 식으로 나타내어 조건을 만족시키는 부등식을 세운다.

30번의 가위바위보에서 A가 x번 이긴다고 하면 A는 $(30-x)$번 진 것이고, B는 $(30-x)$번 이기고 x번 진 것이다.

A의 점수의 합은 $\{3x+(30-x)\}$점이고, B의 점수의 합은 $\{3(30-x)+x\}$점이므로

$$3x+(30-x) \geq 3(30-x)+x+15$$

$$2x+30 \geq 105-2x$$

$$4x \geq 75 \qquad \therefore x \geq \frac{75}{4} = 18.75$$

따라서 A는 19번 이상 이겨야 한다.

🔲 19번

04

[**전략**] 은재가 은성이에게 연필을 x자루 주었을 때 은재와 은성이가 갖는 연필의 수를 구한다.

은재가 은성이에게 연필을 x자루 주었을 때 은재가 가진 연필은 $(28-x)$자루이고, 은성이가 가진 연필은 $(7+x)$자루이므로

$$28-x > 2(7+x)$$

$$-3x > -14 \qquad \therefore x < \frac{14}{3} = 4.6 \times \times \times$$

따라서 은재는 은성이에게 연필을 최대 4자루까지 줄 수 있다.

🔲 4자루

05

[**전략**] 연속하는 세 개의 5의 배수를 x에 대한 식으로 나타내어 본다.

연속하는 세 개의 5의 배수를 $x-10, \ x-5, \ x$라 하면

$$(x-10)+(x-5)+x \leq 155$$

$$3x-15 \leq 155, \ 3x \leq 170$$

$$\therefore x \leq \frac{170}{3} = 56.6 \times \times \times$$

따라서 세 개의 5의 배수 중 가장 큰 수의 최댓값은 55이다. 🔲 55

다른 풀이

연속하는 세 개의 5의 배수를 $5x-5, \ 5x, \ 5x+5$라 하면

$$(5x-5)+5x+(5x+5) \leq 155$$

$$15x \leq 155 \qquad \therefore x \leq \frac{31}{3} = 10.3 \times \times \times$$

따라서 x의 최댓값은 10이므로 세 개의 5의 배수 중 가장 큰 수의 최댓값은 $5 \times 10 + 5 = 55$이다.

06

[**전략**] 원가에 15 %의 이익을 붙이고 2000원을 뺀 가격과 원가에 7 %의 이익을 붙인 가격을 비교하는 부등식을 세운다.

청바지의 원가를 x원이라 하면

$$x\left(1+\frac{15}{100}\right)-2000 \geq x\left(1+\frac{7}{100}\right)$$

$$115x-200000 \geq 107x, \ 8x \geq 200000$$

$$\therefore x \geq 25000$$

따라서 청바지의 원가는 25000원 이상이다. 🔲 25000원

07

[**전략**] 의자 1개의 생산 가격을 알 수 없으므로 a원으로 놓고 정상인 제품 2300개에 생산 가격의 x %의 이익을 붙인 가격과 전체 제품 2400개에 15 %의 이익을 붙인 가격을 비교하는 부등식을 세운다.

의자 1개의 생산 가격을 a원이라 하고, 정상인 제품의 이익을 생산 가격에 x %의 이익을 붙인다고 하면

$$a\left(1+\frac{x}{100}\right) \times (2400-100) \geq a\left(1+\frac{15}{100}\right) \times 2400$$

$a>0$이므로 $(100+x) \times 23 \geq 115 \times 24$

$$23x+2300 \geq 2760$$

$$23x \geq 460 \qquad \therefore x \geq 20$$

따라서 의자 1개의 생산 가격에 20 % 이상의 이익을 붙여서 팔아야 한다.

🔲 20 %

쌤의 만점 특강

정가를 나타낼 때에는 원가와 이익을 알아야 한다. 하지만 이 문제의 경우에는 원가와 이익을 모두 알 수 없으므로 원가와 이익을 각각 문자로 두고 원가에 얼마의 이익을 붙인 것과 또 다른 값의 이익을 붙인 것을 비교하는 부등식을 세운다. 이때 부등식을 간단히 하는 과정에서 양변에서 원가는 동시에 나누어지게 된다.

08

[전략] (비회원으로 x개를 다운받는 비용) > (회원으로 x개를 다운받는 비용)임을 이용한다.

이 인터넷 음원 사이트에서 한 달 동안 음원을 x개 다운받는다고 하면

$1000x > 3000 + 300(x-2)$

$700x > 2400$ $\therefore x > \dfrac{24}{7} = 3.4 \times \times \times$

따라서 회원으로 음악을 다운받는 것이 더 유리하려면 최소 4개의 음원을 다운받아야 한다.   🖭 4개

09

[전략] 물 x병을 5 % 할인 쿠폰으로 샀을 때의 가격과 2000원 할인 쿠폰으로 샀을 때의 가격을 비교하는 부등식을 세운다.

물을 x병 산다고 하면

$1000x \times \left(1 - \dfrac{5}{100}\right) < 1000x - 2000$

$95x < 100x - 200, \ -5x < -200$ $\therefore x > 40$

따라서 41병 이상의 물을 사야 5 % 할인 쿠폰을 사용하는 것이 더 유리하다.   🖭 41병

10

[전략] x명이 입장료의 10 %를 할인 받았을 때의 가격과 30명의 단체 입장권의 가격을 비교하는 부등식을 세운다.

$x(20 < x < 30)$명이 입장한다고 하면

$5000x \times \left(1 - \dfrac{10}{100}\right) > 5000 \times 30 \times \left(1 - \dfrac{20}{100}\right)$

$90x > 2400$ $\therefore x > \dfrac{80}{3} = 26.6 \times \times \times$

따라서 27명 이상인 경우에 30명의 단체 입장권을 사는 것이 더 유리하다.   🖭 27명

11

[전략] (시간) $= \dfrac{\text{(거리)}}{\text{(속력)}}$임을 이용하여 시간의 대소 관계를 부등식으로 나타낸다.

민채가 분속 80 m로 뛰어간 거리를 x m라 하면 분속 40 m로 걸어간 거리는 $(2000-x)$ m이므로

$\dfrac{2000-x}{40} + \dfrac{x}{80} \leq 40$

$4000 - 2x + x \leq 3200, \ -x \leq -800$ $\therefore x \geq 800$

따라서 민채가 분속 80 m로 뛰어간 거리는 최소 800 m이다.

🖭 800 m

쌤의 특강

A 지점에서 B 지점까지 가는 데 걸린 시간

➡ $\left(\dfrac{x}{a} + \dfrac{l-x}{b}\right)$시간

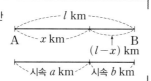

12

[전략] (거리) $=$ (속력) $\times$ (시간)임을 이용하여 거리의 대소 관계를 부등식으로 나타낸다.

동생이 출발한 지 x분 후이면 형은 출발한 지 $(x+10)$분 후이고,

시속 4 km는 분속 $\dfrac{4000}{60} = \dfrac{200}{3}$ (m), 시속 6 km는 분속

$\dfrac{6000}{60} = 100$ (m)이다.

(형이 간 거리) $-$ (동생이 간 거리) ≤ 100에서

$\dfrac{200}{3}(x+10) - 100x \leq 100$

$200(x+10) - 300x \leq 300$

$-100x \leq -1700$ $\therefore x \geq 17$

따라서 형과 동생 사이의 거리가 처음으로 100 m 이하가 되는 것은 동생이 출발한 지 17분 후이다.   🖭 17분

다른 풀이

동생이 출발한 지 x시간 후이면 형은 출발한 지 $\left(x + \dfrac{1}{6}\right)$시간 후이므로

$4\left(x + \dfrac{1}{6}\right) - 6x \leq \dfrac{1}{10}$

$-2x + \dfrac{2}{3} \leq \dfrac{1}{10}$

$-60x + 20 \leq 3$

$-60x \leq -17$ $\therefore x \geq \dfrac{17}{60}$

따라서 형과 동생 사이의 거리가 처음으로 100 m 이하가 되는 것은 동생이 출발한 지 $\dfrac{17}{60}$(시간) $= 17$(분) 후이다.

쌤의 만점 특강

형은 동생보다 10분 전에 출발하였으므로 형이 걸어간 시간은 동생이 자전거를 타고 간 시간보다 10분 더 길다. 따라서 동생이 자전거를 타고 간 시간을 x분이라 하면 형이 걸어간 시간은 $(x+10)$분이다.

또, 거리의 단위(km, m)와 시간의 단위(시간, 분)를 한 가지로 통일하여 계산하는 것에 주의한다.

13

[전략] n각형의 내각의 크기의 합을 구한다.

n각형의 내각의 크기의 합은 $180° \times (n-2)$이므로

$180° \times (n-2) > 1200°$

$n - 2 > \dfrac{20}{3}$

$\therefore n > \dfrac{26}{3} = 8.6 \times \times \times$

따라서 자연수 n의 가장 작은 값은 9이다.   🖭 9

쌤의 복합 개념 특강

n각형의 내각의 크기의 합과 외각의 크기의 합

① 내각의 크기의 합 ➡ $180° \times (n-2)$

② 외각의 크기의 합 ➡ $360°$

14

[전략] 점 P가 출발한 지 x초 후의 삼각형 ABP의 넓이를 x에 대한 식으로 나타낸다.

사다리꼴 ABCD의 넓이는 $\dfrac{1}{2}\times(4+18)\times10=110\,(\text{cm}^2)$

점 P가 점 D를 출발한 지 x초 후의 $\overline{\text{DP}},\ \overline{\text{CP}}$의 길이는

$\overline{\text{DP}}=x\,\text{cm},\ \overline{\text{CP}}=(10-x)\,\text{cm}$이다.

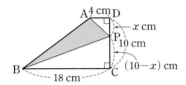

위의 그림에서 삼각형 ABP의 넓이는

$110-\left\{\dfrac{1}{2}\times4\times x+\dfrac{1}{2}\times18\times(10-x)\right\}$

$=110-(2x+90-9x)$

$=7x+20\,(\text{cm}^2)$

이때 삼각형 ABP의 넓이가 사다리꼴 ABCD의 넓이의 $\dfrac{1}{2}$ 이상이 되려면

$7x+20\geq\dfrac{1}{2}\times110$

$7x\geq35$ $\quad\therefore x\geq5$

따라서 삼각형 ABP의 넓이가 사다리꼴 ABCD의 넓이의 $\dfrac{1}{2}$ 이상이 되는 것은 점 P가 점 D를 출발한 지 5초 후부터이다. **답** 5초

15

[전략] 물을 더 넣어도 소금의 양은 변하지 않으므로 소금의 양을 이용하여 부등식을 세운다.

$8\,\%$의 소금물 $400\,\text{g}$에 들어 있는 소금의 양은

$\dfrac{8}{100}\times400=32\,(\text{g})$

더 넣는 물의 양을 $x\,\text{g}$이라 하면 농도가 $5\,\%$ 이하가 되어야 하므로

$\dfrac{32}{400+x}\times100\leq5$

$5(400+x)\geq3200$

$5x\geq1200$ $\quad\therefore x\geq240$

따라서 더 넣어야 하는 물의 양은 최소 $240\,\text{g}$이다. **답** $240\,\text{g}$

다른 풀이

더 넣는 물의 양을 $x\,\text{g}$이라 하면 $8\,\%$의 소금물 $400\,\text{g}$에 들어 있는 소금의 양은 $\dfrac{8}{100}\times400=32\,(\text{g})$이므로

$\dfrac{5}{100}\times(400+x)\geq32$

$5(400+x)\geq3200$

$5x\geq1200$ $\quad\therefore x\geq240$

따라서 더 넣어야 하는 물의 양은 최소 $240\,\text{g}$이다.

16

[전략] 물은 증발시켜도 설탕의 양은 변하지 않지만 설탕을 넣으면 설탕의 양과 설탕물의 양이 모두 증가함을 이용하여 부등식을 세운다.

설탕물의 처음의 농도를 $x\,\%$라 하면 물을 증발시키고 설탕을 넣은 후의 설탕의 양은 $\dfrac{x}{100}\times1000+50=10x+50\,(\text{g})$이고, 설탕물의 양은 $1000-250+50=800\,(\text{g})$이다.

이때 설탕물의 농도가 처음의 농도의 2.5배 이상이 되므로

$\dfrac{10x+50}{800}\times100\geq2.5x$

$10x+50\geq20x,\ -10x\geq-50$ $\quad\therefore x\leq5$

따라서 처음의 농도는 $5\,\%$ 이하이다. **답** $5\,\%$

다른 풀이

설탕물의 처음의 농도를 $x\,\%$라 하고 설탕의 양을 이용하여 부등식을 세우면

$\dfrac{2.5x}{100}\times(1000-250+50)\leq\dfrac{x}{100}\times1000+50$

$20x\leq10x+50,\ 10x\leq50$ $\quad\therefore x\leq5$

따라서 처음의 농도는 $5\,\%$ 이하이다.

쌤의 만점 특강

(설탕의 양)$=\dfrac{(\text{설탕물의 농도})}{100}\times(\text{설탕물의 양})$임을 이용하여 나중 설탕물의 설탕의 양을 구한 후, (설탕물의 농도)$=\dfrac{(\text{설탕의 양})}{(\text{설탕물의 양})}\times100\,(\%)$임을 이용하여 부등식을 세운다.

LEVEL 3 최고난도 문제 →53쪽

| **01** 5개 | **02** A, B | **03** 32개 | **04** 4, 5 |

01 solution 미리 보기

step ❶	1개의 창구에서 1분 동안 몇 명에게 입장권을 팔 수 있는지 구하기
step ❷	부등식을 세워 해 구하기
step ❸	최소 몇 개의 창구를 열어야 하는지 구하기

창구 1개에서 1분 동안 a명에게 입장권을 판다고 하면 창구 3개를 열어 50분 만에 모든 사람들이 입장권을 샀으므로

$3\times a\times50=100+4\times50$

$\therefore a=2$

즉, 창구 1개에서는 1분 동안 2명에게 입장권을 팔 수 있다. ......❶

x개의 창구를 열어 20분 이내에 모든 사람들이 입장권을 사려면

$x\times2\times20\geq100+4\times20$

$40x\geq180$ $\quad\therefore x\geq\dfrac{9}{2}=4.5$ ......❷

따라서 최소 5개의 창구를 열어야 20분 이내에 줄을 선 모든 사람들이 입장권을 살 수 있다. ......❸

답 5개

50분 후에는 $100+4\times50=300$(명)의 사람들이 줄을 서 있었던 것이고, 3개의 창구에서 300명의 사람들에게 입장권을 팔았으므로 50분 동안 1개의 창구에서는 100명의 사람들에게 입장권을 판 것이다. 즉, 1개의 창구에서는 1분당 2명에게 입장권을 팔 수 있다.

(1) 원기둥의 겉넓이
　밑면의 반지름의 길이가 r, 높이가 h인 원기둥의 겉넓이 S는
$$S=2\pi r^2+2\pi rh$$
(2) 구의 겉넓이
　반지름의 길이가 r인 구의 겉넓이 S는
$$S=4\pi r^2$$

02 solution 미리 보기

step ①	강을 따라 내려갈 때와 강을 거슬러 올라올 때의 속력 각각 구하기
step ②	시간에 대한 부등식을 세워 해 구하기
step ③	조건을 만족시키는 지점 모두 찾기

강을 따라 내려갈 때 보트의 속력은 시속 $20+4=24$ (km)이고, 강을 거슬러 올라올 때 보트의 속력은 시속 $40-4=36$ (km)이다. ⋯⋯ ❶

탑승장에서 출발하여 4시간 이내에 돌아올 수 있는 지점까지의 거리를 x km라 하면
$$\frac{x}{24}+\frac{x}{36}\leq4$$
$$3x+2x\leq288$$
$$\therefore x\leq\frac{288}{5}=57.6$$ ⋯⋯ ❷

따라서 탑승장으로부터의 거리가 57.6 km 이내에 있는 지점을 찾으면 된다.
이때 탑승장으로부터 A, B, C, D 네 지점까지의 거리는 각각 35.1 km, 55.1 km, 60.4 km, 64.4 km이므로 출발한 지 4시간 이내에 돌아올 수 있는 지점은 A와 B이다. ⋯⋯ ❸

답 A, B

03 solution 미리 보기

step ①	처음 원기둥 모양 나무토막의 겉넓이 구하기
step ②	반구 모양을 1개 파낼 때마다 늘어나는 겉넓이 구하기
step ③	반구 모양을 x개 파내었을 때의 겉넓이를 이용하여 부등식을 세운 후 해 구하기
step ④	반구 모양을 몇 개 이상 파내어야 하는지 구하기

처음 원기둥 모양 나무토막의 겉넓이는
$$2\times\pi\times15^2+2\pi\times15\times6=450\pi+180\pi$$
$$=630\pi(\text{cm}^2)$$ ⋯⋯ ❶
1개의 반구 모양을 파낼 때마다 입체도형의 겉넓이는
$$\frac{1}{2}\times4\pi\times2^2-\pi\times2^2=4\pi\,(\text{cm}^2)\text{씩 늘어나므로}$$ ⋯⋯ ❷
반구 모양을 x개 파내었다고 하면
$$630\pi+4\pi x\geq1.2\times630\pi$$
$$4x\geq126$$
$$\therefore x\geq\frac{63}{2}=31.5$$ ⋯⋯ ❸

따라서 반구 모양을 파내어 만든 입체도형의 겉넓이가 처음의 원기둥 모양 나무토막의 겉넓이의 1.2배 이상이 되려면 반구 모양을 32개 이상 파내어야 한다. ⋯⋯ ❹

답 32개

04 solution 미리 보기

step ①	빨간색 그릇의 소금물 100 g을 노란색 그릇에 부어 섞었을 때 노란색 그릇의 소금의 양과 소금물의 농도 구하기
step ②	노란색 그릇의 소금물 100 g을 빨간색 그릇에 부어 섞었을 때 빨간색 그릇의 소금의 양 구하기
step ③	빨간색 그릇에 물 200 g을 부어 섞었을 때의 소금물의 농도를 이용하여 부등식 세우기
step ④	부등식을 풀어 자연수 x의 값 모두 구하기

빨간색 그릇의 소금물 100 g을 노란색 그릇에 부어 섞으면 노란색 그릇의 소금물의 양은 $600+100=700$(g)이고, 소금의 양은
$$\frac{x}{100}\times100+\frac{x+4}{100}\times600=7x+24(\text{g})$$
즉, 소금물의 농도는
$$\frac{7x+24}{700}\times100=x+\frac{24}{7}(\%)$$ ⋯⋯ ❶
노란색 그릇의 소금물 100 g을 빨간색 그릇에 부어 섞으면 빨간색 그릇의 소금물의 양은 $300+100=400$ (g)이고, 소금의 양은
$$\frac{x}{100}\times300+\frac{x+\frac{24}{7}}{100}\times100=3x+x+\frac{24}{7}$$
$$=4x+\frac{24}{7}(\text{g})$$ ⋯⋯ ❷
또, 빨간색 그릇에 물 200 g을 부어 섞은 후의 소금물의 농도는
$$\frac{4x+\frac{24}{7}}{400+200}\times100=\frac{4x+\frac{24}{7}}{6}(\%)\text{이므로}$$
$$3\leq\frac{4x+\frac{24}{7}}{6}\leq4$$ ⋯⋯ ❸
$$18\leq4x+\frac{24}{7}\leq24$$
$$126\leq28x+24\leq168$$
$$102\leq28x\leq144 \qquad \therefore \frac{51}{14}\leq x\leq\frac{36}{7}$$
따라서 $3.6\times\times\times\leq x\leq5.1\times\times\times$이므로 자연수 x의 값을 모두 구하면 4, 5이다. ⋯⋯ ❹

답 4, 5

III. 연립방정식

06. 연립방정식의 풀이

→58쪽~60쪽

LEVEL 1 시험에 꼭 내는 문제

01 2	**02** ④	**03** ③	**04** ②	**05** $-\dfrac{5}{4}$	**06** 12	**07** 30
08 $x=3, y=-4$			**09** -5	**10** -4	**11** 10	**12** 3	**13** 9
14 -1	**15** 1	**16** $x=2, y=-3$		**17** -1		
18 민재, 서영, 지원						

01

$x=a, y=-1$을 $2x+y=5$에 대입하면
$2a-1=5$ $\therefore a=3$
$x=2, y=-b$를 $2x+y=5$에 대입하면
$4-b=5$ $\therefore b=-1$
$\therefore a+b=3+(-1)=2$ **답** 2

02

$ax+y=b(y-1)-2x$에서
$(a+2)x+(1-b)y=-b$
$a+2\neq0, 1-b\neq0$이어야 하므로 $a\neq-2, b\neq1$ **답** ④

03

x, y가 모두 음이 아닌 정수일 때, 일차방정식 $2x+3y=24$에서
$2x=24-3y$이므로 $24-3y$는 0 또는 짝수이다.
이때 24가 짝수이므로 $3y$는 0 또는 짝수이다.
따라서 주어진 일차방정식의 해는 $(12, 0)$, $(9, 2)$, $(6, 4)$, $(3, 6)$, $(0, 8)$의 5개이다.   **답** ③

쌤의 오답 피하기 특강

$2x+3y=24$에서 두 수 x, y가 모두 자연수이어야 한다고 착각하여 $(12, 0)$이나 $(0, 8)$인 경우를 제외하여 해가 3개라 답하지 않도록 주의한다. 음이 아닌 정수는 0과 양의 정수를 포함하고 있어 x, y의 값을 0부터 차례대로 생각해야 한다.

04

ㄱ. $xy+2x=2xy-1$에서 $-xy+2x+1=0$이므로 일차방정식이 아니다.
ㄴ. $2x-y\leq-1$은 부등식이다.
ㅁ. $x-y+2$, $2x+2y-3$은 미지수가 2개인 일차식이지만 방정식이 아니다.
따라서 미지수가 2개인 연립일차방정식은 ㄷ, ㄹ이다.   **답** ②

05

$x=-1, y=b$를 $3x+2y=-6$에 대입하면

$3\times(-1)+2b=-6$ $\therefore b=-\dfrac{3}{2}$
$x=-1, y=-\dfrac{3}{2}$을 $2ax-y=1$에 대입하면
$-2a-\left(-\dfrac{3}{2}\right)=1$ $\therefore a=\dfrac{1}{4}$
$\therefore a+b=\dfrac{1}{4}+\left(-\dfrac{3}{2}\right)=-\dfrac{5}{4}$ **답** $-\dfrac{5}{4}$

06

$x=2a, y=a$를 $3x-4y=-8$에 대입하면
$6a-4a=-8$ $\therefore a=-4$
따라서 주어진 연립방정식의 해는 $x=-8, y=-4$이므로
$x=-8, y=-4$를 $x+2y=b$에 대입하면
$-8+2\times(-4)=b$ $\therefore b=-16$
$\therefore a-b=-4-(-16)=12$ **답** 12

07

㉠을 ㉡에 대입하면
$2(2y+3)+y=12$
즉, $5y=6$이므로
$a=5, b=6$
$\therefore ab=5\times6=30$ **답** 30

08

$\begin{cases} 3x-4y=5 & \cdots\cdots ㉠ \\ 2x+3y=9 & \cdots\cdots ㉡ \end{cases}$

㉠$\times3+$㉡$\times4$를 하면 $17x=51$ $\therefore x=3$
$x=3$을 ㉡에 대입하면 $6+3y=9$ $\therefore y=1$
$\therefore a=3, b=1$

$\begin{cases} 3x+y=5 & \cdots\cdots ㉢ \\ x+3y=-9 & \cdots\cdots ㉣ \end{cases}$

㉢$\times3-$㉣을 하면 $8x=24$ $\therefore x=3$
$x=3$을 ㉢에 대입하면
$9+y=5$ $\therefore y=-4$
따라서 구하는 해는 $x=3, y=-4$이다.   **답** $x=3, y=-4$

09

$\begin{cases} 3(x+y)-2y=-7 \\ 4x-2(x+y)=6 \end{cases}$, 즉 $\begin{cases} 3x+y=-7 & \cdots\cdots ㉠ \\ x-y=3 & \cdots\cdots ㉡ \end{cases}$

㉠$+$㉡을 하면 $4x=-4$ $\therefore x=-1$
$x=-1$을 ㉡에 대입하면 $-1-y=3$ $\therefore y=-4$
따라서 $p=-1, q=-4$이므로
$p+q=-1+(-4)=-5$ **답** -5

다른 풀이

㉡에서 $y=x-3$ $\cdots\cdots ㉢$
㉢을 ㉠에 대입하면 $3x+(x-3)=-7$

$4x = -4$ $\therefore x = -1$

$x = -1$을 ㉢에 대입하면 $y = -4$

10

$$\begin{cases} 0.4(x-1) - 0.3(2-y) = -\dfrac{1}{2} \\ \dfrac{2(x-1)}{3} - \dfrac{2y-5}{6} = -\dfrac{3}{2} \end{cases}, \text{즉} \begin{cases} 4x + 3y = 5 & \cdots\cdots ㉠ \\ 2x - y = -5 & \cdots\cdots ㉡ \end{cases}$$

㉠ $- ㉡ \times 2$를 하면 $5y = 15$ $\therefore y = 3$

$y = 3$을 ㉡에 대입하면

$2x - 3 = -5$ $\therefore x = -1$

따라서 $a = -1$, $b = 3$이므로

$a - b = -1 - 3 = -4$ **답** -4

다른 풀이

㉡에서 $y = 2x + 5$ $\cdots\cdots ㉢$

㉢을 ㉠에 대입하면 $4x + 3(2x + 5) = 5$

$10x = -10$ $\therefore x = -1$

$x = -1$을 ㉢에 대입하면 $y = 3$

쌤의 오답 피하기 특강

$0.4(x-1) - 0.3(2-y) = -\dfrac{1}{2}$의 양변에 10을 곱할 때 괄호를 먼저 풀지 말고, 특히 -0.3임에 주의하여 곱한다. 즉, $4(x-1) - 3(2-y) = -5$이다.

11

y의 값이 x의 값보다 6만큼 작으므로 $y = x - 6$

$$\begin{cases} 0.3x + 0.1y = 1.4 \\ y = x - 6 \end{cases}, \text{즉} \begin{cases} 3x + y = 14 & \cdots\cdots ㉠ \\ y = x - 6 & \cdots\cdots ㉡ \end{cases}$$

㉡을 ㉠에 대입하면

$3x + (x - 6) = 14$

$4x = 20$ $\therefore x = 5$

$x = 5$를 ㉡에 대입하면

$y = 5 - 6 = -1$

$x = 5$, $y = -1$을 $\dfrac{3}{5}x - y = \dfrac{2}{5}a$에 대입하면

$3 - (-1) = \dfrac{2}{5}a$ $\therefore a = 10$ **답** 10

다른 풀이

$$\begin{cases} 3x + y = 14 \\ y = x - 6 \end{cases}, \text{즉} \begin{cases} 3x + y = 14 & \cdots\cdots ㉢ \\ x - y = 6 & \cdots\cdots ㉣ \end{cases}$$

㉢ $+ ㉣$을 하면 $4x = 20$ $\therefore x = 5$

$x = 5$를 $y = x - 6$에 대입하면 $y = -1$

12

$$\begin{cases} \dfrac{2x-5}{2} = -x + 2y - 1 \\ \dfrac{1-2y}{3} = -x + 2y - 1 \end{cases}, \text{즉} \begin{cases} 4x - 4y = 3 & \cdots\cdots ㉠ \\ 3x - 8y = -4 & \cdots\cdots ㉡ \end{cases}$$

㉠ $\times 2 - ㉡$을 하면 $5x = 10$ $\therefore x = 2$

$x = 2$를 ㉠에 대입하면

$8 - 4y = 3$ $\therefore y = \dfrac{5}{4}$

$x = 2$, $y = \dfrac{5}{4}$를 $ax - 4y = 1$에 대입하면

$2a - 5 = 1$, $2a = 6$ $\therefore a = 3$ **답** 3

다른 풀이

주어진 방정식의 각 변에 6을 곱하면

$6x - 15 = 2 - 4y = -6x + 12y - 6$

$$\begin{cases} 6x - 15 = 2 - 4y \\ 2 - 4y = -6x + 12y - 6 \end{cases}, \text{즉} \begin{cases} 6x + 4y = 17 & \cdots\cdots ㉢ \\ 6x - 16y = -8 & \cdots\cdots ㉣ \end{cases}$$

㉢ $- ㉣$을 하면 $20y = 25$ $\therefore y = \dfrac{5}{4}$

$y = \dfrac{5}{4}$를 ㉢에 대입하면 $6x + 5 = 17$

$6x = 12$ $\therefore x = 2$

13

$(x+1) : (y-1) = 2 : 3$에서

$3(x+1) = 2(y-1)$, 즉 $3x - 2y = -5$

$$\begin{cases} 3x - 2y = -5 & \cdots\cdots ㉠ \\ 2x + y = 6 & \cdots\cdots ㉡ \end{cases}$$

㉠ $+ ㉡ \times 2$를 하면 $7x = 7$ $\therefore x = 1$

$x = 1$을 ㉡에 대입하면

$2 + y = 6$ $\therefore y = 4$

$x = 1$, $y = 4$를 $x + 2y = k$에 대입하면

$1 + 8 = k$ $\therefore k = 9$ **답** 9

다른 풀이

$x + 1 = 2a$, $y - 1 = 3a$ (a는 상수)라 하고

$x = 2a - 1$, $y = 3a + 1$을 $2x + y = 6$에 대입하면

$2(2a - 1) + (3a + 1) = 6$, $7a = 7$ $\therefore a = 1$

$\therefore x = 1$, $y = 4$

14

$\dfrac{1}{x} = X$, $\dfrac{1}{y} = Y$라 하면

$$\begin{cases} 4X + 2Y = 3 & \cdots\cdots ㉠ \\ 3X - 4Y = 5 & \cdots\cdots ㉡ \end{cases}$$

㉠ $\times 2 + ㉡$을 하면 $11X = 11$ $\therefore X = 1$

$X = 1$을 ㉠에 대입하면

$4 + 2Y = 3$ $\therefore Y = -\dfrac{1}{2}$

즉, $\dfrac{1}{x} = 1$, $\dfrac{1}{y} = -\dfrac{1}{2}$이므로 $x = 1$, $y = -2$

따라서 $a = 1$, $b = -2$이므로

$a + b = 1 + (-2) = -1$ **답** -1

15

$\begin{cases} x+2y=6 \\ ax-by=2 \end{cases}$, 즉 $\begin{cases} x+2y=6 \\ 3ax-3by=6 \end{cases}$의 해가 무수히 많으므로

$1=3a,\ 2=-3b$

$\therefore a=\dfrac{1}{3},\ b=-\dfrac{2}{3}$

$\therefore a-b=\dfrac{1}{3}-\left(-\dfrac{2}{3}\right)=1$　　　　답 1

다른 풀이

$\begin{cases} x+2y=6 \\ ax-by=2 \end{cases}$의 해가 무수히 많으므로

$\dfrac{1}{a}=\dfrac{2}{-b}=\dfrac{6}{2}$에서 $a=\dfrac{1}{3},\ b=-\dfrac{2}{3}$

$\therefore a-b=\dfrac{1}{3}-\left(-\dfrac{2}{3}\right)=1$

16

$x=-3,\ y=2$를 $\begin{cases} bx+ay=2 \\ ax+by=-8 \end{cases}$에 대입하면

$\begin{cases} -3b+2a=2 \\ -3a+2b=-8 \end{cases}$, 즉 $\begin{cases} 2a-3b=2 & \cdots\cdots\,\bigcirc \\ -3a+2b=-8 & \cdots\cdots\,\bigcirc \end{cases}$

$\bigcirc\times3+\bigcirc\times2$를 하면 $-5b=-10$　　$\therefore b=2$

$b=2$를 $\bigcirc$에 대입하면

$2a-6=2$　　$\therefore a=4$

따라서 처음 연립방정식은

$\begin{cases} 4x+2y=2 \\ 2x+4y=-8 \end{cases}$, 즉 $\begin{cases} 2x+y=1 & \cdots\cdots\,\boxdot \\ 2x+4y=-8 & \cdots\cdots\,\boxminus \end{cases}$

$\boxdot-\boxminus$을 하면 $-3y=9$　　$\therefore y=-3$

$y=-3$을 $\boxdot$에 대입하면

$2x-3=1,\ 2x=4$　　$\therefore x=2$

따라서 구하는 해는 $x=2,\ y=-3$이다.　　답 $x=2,\ y=-3$

17

$\begin{cases} x+3y=-4 \\ 0.08x-0.2y=0.12 \end{cases}$, 즉 $\begin{cases} x+3y=-4 & \cdots\cdots\,\bigcirc \\ 2x-5y=3 & \cdots\cdots\,\bigcirc \end{cases}$

$\bigcirc\times2-\bigcirc$을 하면 $11y=-11$　　$\therefore y=-1$

$y=-1$을 $\bigcirc$에 대입하면

$x-3=-4$　　$\therefore x=-1$

$x=-1,\ y=-1$을 $2ax+3by=4$에 대입하면

$-2a-3b=4$　　　　$\cdots\cdots\,\boxdot$

$x=-1,\ y=-1$을 $ax-by=3$에 대입하면

$-a+b=3$　　　　$\cdots\cdots\,\boxminus$

$\boxdot-\boxminus\times2$를 하면 $-5b=-2$　　$\therefore b=\dfrac{2}{5}$

$b=\dfrac{2}{5}$를 $\boxminus$에 대입하면

$-a+\dfrac{2}{5}=3$　　$\therefore a=-\dfrac{13}{5}$

$\therefore a+4b=-\dfrac{13}{5}+\dfrac{8}{5}=-\dfrac{5}{5}=-1$　　답 -1

쌤의 특강

두 연립방정식의 해가 서로 같을 때, 네 일차방정식 중에서 미지수를 포함하지 않은 두 일차방정식으로 연립방정식을 세워 해를 구한 후, 그 해를 나머지 두 일차방정식에 각각 대입하여 미지수의 값을 구한다.

18

$\begin{cases} 4(x-y)-(2x-5y)=5 \\ \dfrac{x}{9}-\dfrac{y}{3}=\dfrac{2}{3} \end{cases}$, 즉 $\begin{cases} 2x+y=5 & \cdots\cdots\,\bigcirc \\ x-3y=6 & \cdots\cdots\,\bigcirc \end{cases}$

지민 : $\bigcirc$의 양변에 3을 곱한 식에서 $\bigcirc$을 변끼리 더하면 $7x=21$ 이므로 y를 없애서 풀 수 있다.

민재 : $\bigcirc$의 양변에 2를 곱한 식에서 $\bigcirc$을 변끼리 빼면 $-7y=7$이 므로 x를 없애서 풀 수 있다.

서영 : $\bigcirc$을 $y=-2x+5$로 바꾼 후 $\bigcirc$에 대입하면

$x-3(-2x+5)=6,\ 7x=21$　　$\therefore x=3$

즉, x의 값을 구할 수 있다.

준서 : $\bigcirc$을 $x=3y+6$으로 바꾼 후 $\bigcirc$에 대입하면

$2(3y+6)+y=5,\ 7y=-7$　　$\therefore y=-1$

즉, y의 값을 구할 수 있다.

지원 : 구하는 해는 $x=3,\ y=-1$이다.

따라서 옳게 설명한 학생은 민재, 서영, 지원이다.

답 민재, 서영, 지원

LEVEL 2 필수 기출 문제　　→ 61쪽~66쪽

01 16	02 2개	03 54	04 20	05 -1	06 -2	07 5	08 -2
09 8	10 2	11 5	12 4	13 $-\dfrac{5}{2}$		14 3	15 2
16 $(9, 3),\ (9, 1)$	17 6	18 8	19 36	20 4, 14		21 0	
22 -10	23 ④	24 2					

01

[전략] $x:y=a:b$일 때 비례식의 성질을 이용하여 $x=ak,\ y=bk(k$는 상수$)$라 하거나 $bx=ay$로 정리한다.

$x=a,\ y=b$를 $3x+2y=8$에 대입하면 $3a+2b=8$　　$\cdots\cdots\,\bigcirc$

$2a-3=3k,\ 3-2b=5k(k$는 상수$)$라 하고

$a=\dfrac{3+3k}{2},\ b=\dfrac{3-5k}{2}$를 $\bigcirc$에 대입하면

$\dfrac{3(3+3k)}{2}+3-5k=8,\ -k+15=16$　　$\therefore k=-1$

$\therefore a=0,\ b=4$

$\therefore a^2+b^2=0^2+4^2=16$　　답 16

다른 풀이

$x=a$, $y=b$를 $3x+2y=8$에 대입하면 $3a+2b=8$ ······㉠

$5(2a-3)=3(3-2b)$이므로 $5a+3b=12$ ······㉡

㉠$\times3-$㉡$\times2$를 하면 $-a=0$ ∴ $a=0$

$a=0$을 ㉠에 대입하면 $2b=8$ ∴ $b=4$

∴ $a^2+b^2=0^2+4^2=16$

02

[전략] 순환소수를 분수로 나타낸다.

$0.\dot{x}\dot{y}+0.\dot{y}\dot{x}=0.\dot{4}$에서 $\dfrac{10x+y}{99}+\dfrac{10y+x}{99}=\dfrac{4}{9}$

∴ $x+y=4$

x, y는 서로 다른 한 자리의 자연수이므로 $x+y=4$의 해는 $(1, 3)$, $(3, 1)$의 2개이다.

답 2개

쌤의 특강

순환소수를 분수로 나타내는 방법 (단, a, b가 0 또는 한 자리의 자연수)

$0.\dot{a}=\dfrac{a}{9}$, $0.\dot{a}\dot{b}=\dfrac{10a+b}{99}$, $0.a\dot{b}=\dfrac{10a+b-a}{90}=\dfrac{9a+b}{90}$

03

[전략] x, y의 최소공배수가 36이므로 36의 약수 중에서 조건을 만족시키는 수를 찾는다.

x, y가 자연수일 때, 일차방정식 $3x-y=18$에서

$y=3(x-6)$이므로 y는 3의 배수이다.

이때 x, y의 최소공배수가 36이므로 x, y는 36의 약수이다.

즉, y의 값이 될 수 있는 수는 36의 약수이면서 3의 배수이어야 한다.

36을 소인수분해하면 $36=2^2\times3^2$이므로 y의 값이 될 수 있는 수는 3, 6, 9, 12, 18, 36이다.

$y=3$, 6, 9, 12, 18, 36을 $3x-y=18$에 차례로 대입하여 x의 값을 구하면 다음과 같다.

x	7	8	9	10	12	18
y	3	6	9	12	18	36

이때 x, y의 최소공배수가 36인 것은

$x=12$, $y=18$ 또는 $x=18$, $y=36$

따라서 $x+y$의 값 중 가장 큰 값은

$x+y=18+36=54$

답 54

04

[전략] 주어진 식을 한 문자로 정리한 후 식을 변형한다.

$x=3$, $y=-2$를 $(2a-b)x+(a+2b)y=0$에 대입하면

$3(2a-b)-2(a+2b)=0$

$4a-7b=0$ ∴ $a=\dfrac{7}{4}b$

$a=\dfrac{7}{4}b$를 $ax+2b=3by+4a$에 대입하면

$\dfrac{7}{4}bx+2b=3by+7b$

$7bx-12by=20b$에서 양변을 b로 나누면

$7x-12y=20$

답 20

참고 $b=\dfrac{4}{7}a$를 $ax+2b=3by+4a$에 대입하여도 식의 값을 구할 수 있다.

05

[전략] 계수를 잘못 본 일차방정식을 제외하고 해를 대입한다.

$x=2$, $y=3$을 주어진 연립방정식에 대입하면

$\begin{cases} 2a+3b=-3 & ······㉠ \\ 8+3c=5 & ······㉡ \end{cases}$

㉡에서 $c=-1$

$x=0$, $y=1$을 $ax+by=-3$에 대입하면 $b=-3$

$b=-3$을 ㉠에 대입하면

$2a-9=-3$ ∴ $a=3$

∴ $a+b+c=3+(-3)+(-1)=-1$

답 -1

06

[전략] 연립방정식의 x, y의 값을 바꾼 후 문제를 푼다.

$\begin{cases} 0.3x-0.2y=0.5 \\ ax+by=4 \end{cases}$, 즉 $\begin{cases} 3x-2y=5 & ······㉠ \\ ax+by=4 & ······㉡ \end{cases}$

$\begin{cases} ax-by=7 \\ 3x+y=9 \end{cases}$에서 x, y의 값을 서로 바꾸면

$\begin{cases} ay-bx=7 & ······㉢ \\ 3y+x=9 & ······㉣ \end{cases}$

㉠$-$㉣$\times3$을 하면 $-11y=-22$ ∴ $y=2$

$y=2$를 ㉣에 대입하면 $6+x=9$ ∴ $x=3$

$x=3$, $y=2$를 ㉡, ㉢에 각각 대입하면

$\begin{cases} 3a+2b=4 & ······㉤ \\ 2a-3b=7 & ······㉥ \end{cases}$

㉤$\times3+$㉥$\times2$를 하면 $13a=26$ ∴ $a=2$

$a=2$를 ㉤에 대입하면 $2b=-2$ ∴ $b=-1$

∴ $ab=2\times(-1)=-2$

답 -2

07

[전략] 해를 k에 대한 식으로 나타내고 비례식을 세운다.

$\begin{cases} -x+3y=k+1 & ······㉠ \\ 2x-y=3k-7 & ······㉡ \end{cases}$

㉠$\times2+$㉡을 하면 $5y=5k-5$ ∴ $y=k-1$

$y=k-1$을 ㉠에 대입하면

$-x+3(k-1)=k+1$ ∴ $x=2k-4$

$x:y=3:2$에서 $(2k-4):(k-1)=3:2$이므로

$2(2k-4)=3(k-1)$

∴ $k=5$

답 5

다른 풀이

$x:y=3:2$에서 $2x=3y$

즉, $x=\dfrac{3}{2}y$를 주어진 연립방정식에 대입하면

$\begin{cases} -\dfrac{3}{2}y+3y=k+1 \\ 3y-y=3k-7 \end{cases}$, 즉 $\begin{cases} y=\dfrac{2}{3}(k+1) \\ y=\dfrac{1}{2}(3k-7) \end{cases}$

$\dfrac{2}{3}(k+1)=\dfrac{1}{2}(3k-7)$ $\quad \therefore k=5$

08

[전략] 같은 문자가 포함된 식끼리 연립방정식을 세운다.

$x=m$, $y=n-2$를 $\begin{cases} 2x-4y=a+6 \\ 3x+2y=4 \end{cases}$에 대입하면

$\begin{cases} 2m-4(n-2)=a+6 \\ 3m+2(n-2)=4 \end{cases}$, 즉 $\begin{cases} 2m-4n=a-2 & \cdots\cdots \text{㉠} \\ 3m+2n=8 & \cdots\cdots \text{㉡} \end{cases}$

$x=2m-1$, $y=n+1$을 $\begin{cases} x-3y=-3 \\ 4x-by=20 \end{cases}$에 대입하면

$\begin{cases} (2m-1)-3(n+1)=-3 \\ 4(2m-1)-b(n+1)=20 \end{cases}$, 즉 $\begin{cases} 2m-3n=1 & \cdots\cdots \text{㉢} \\ 8m-bn=24+b & \cdots\cdots \text{㉣} \end{cases}$

㉡$\times 2-$㉢$\times 3$을 하면

$13n=13$ $\quad \therefore n=1$

$n=1$을 ㉢에 대입하면

$2m-3=1$ $\quad \therefore m=2$

$m=2$, $n=1$을 ㉠, ㉣에 각각 대입하면

$4-4=a-2$ $\quad \therefore a=2$

$16-b=24+b$, $2b=-8$ $\quad \therefore b=-4$

$\therefore a+b=2+(-4)=-2$ **답** -2

09

[전략] a, b의 값을 구하여 $2ax-3by=15$에 대입한 후 15 이하의 자연수 중 조건을 만족시키는 수를 찾는다.

$(x-y):(2x+y-4)=2:3$에서

$3(x-y)=2(2x+y-4)$, $x+5y=8$

$\begin{cases} x+5y=8 & \cdots\cdots \text{㉠} \\ 2x-y=5 & \cdots\cdots \text{㉡} \end{cases}$

㉠$\times 2-$㉡을 하면

$11y=11$ $\quad \therefore y=1$

$y=1$을 ㉠에 대입하면

$x+5=8$ $\quad \therefore x=3$

따라서 $a=3$, $b=1$이므로 $2ax-3by=15$에 대입하면

$6x-3y=15$, 즉 $2x-y=5$에서

$y=2x-5$

x, y는 15 이하의 자연수이므로 주어진 일차방정식의 해는

$(3, 1)$, $(4, 3)$, $(5, 5)$, $(6, 7)$, $(7, 9)$, $(8, 11)$, $(9, 13)$, $(10, 15)$

의 8개이다. **답** 8

10

[전략] $x<y$일 때와 $x>y$일 때로 나누어 생각한다.

(i) $x<y$일 때, $\{x, y\}=x$, $\langle x, y\rangle=\dfrac{x+y}{2}$이므로

$\begin{cases} x=2x-3y-6 \\ \dfrac{x+y}{2}=\dfrac{3}{2}x+y-\dfrac{5}{2} \end{cases}$, 즉 $\begin{cases} x-3y=6 & \cdots\cdots \text{㉠} \\ 2x+y=5 & \cdots\cdots \text{㉡} \end{cases}$

㉠$\times 2-$㉡을 하면 $-7y=7$ $\quad \therefore y=-1$

$y=-1$을 ㉠에 대입하면

$x+3=6$ $\quad \therefore x=3$

이때 $x>y$이므로 해가 될 수 없다.

(ii) $x>y$일 때, $\{x, y\}=y$, $\langle x, y\rangle=\dfrac{x+y}{2}$이므로

$\begin{cases} y=2x-3y-6 \\ \dfrac{x+y}{2}=\dfrac{3}{2}x+y-\dfrac{5}{2} \end{cases}$, 즉 $\begin{cases} x-2y=3 & \cdots\cdots \text{㉢} \\ 2x+y=5 & \cdots\cdots \text{㉣} \end{cases}$

㉢$\times 2-$㉣을 하면 $-5y=1$ $\quad \therefore y=-\dfrac{1}{5}$

$y=-\dfrac{1}{5}$을 ㉢에 대입하면

$x+\dfrac{2}{5}=3$ $\quad \therefore x=\dfrac{13}{5}$

이때 $x>y$이므로 해가 될 수 있다.

(i), (ii)에서 주어진 연립방정식의 해는 $x=\dfrac{13}{5}$, $y=-\dfrac{1}{5}$

$p=\dfrac{13}{5}$, $q=-\dfrac{1}{5}$이므로

$p+3q=\dfrac{13}{5}-\dfrac{3}{5}=2$ **답** 2

11

[전략] 순환소수를 분수로 고친 후 양변에 적당한 수를 곱하여 계수를 정수로 바꾼다.

$3(x+5)-7y=\dfrac{2(y-3)}{5}$의 양변에 5를 곱하면

$15(x+5)-35y=2(y-3)$

$\therefore 15x-37y=-81$ $\quad \cdots\cdots \text{㉠}$

$0.\dot{1}(x+2y)-1.\dot{2}y=-2.\dot{7}$에서

$0.\dot{1}=\dfrac{1}{9}$, $1.\dot{2}=\dfrac{12-1}{9}=\dfrac{11}{9}$, $2.\dot{7}=\dfrac{27-2}{9}=\dfrac{25}{9}$이므로

$\dfrac{1}{9}(x+2y)-\dfrac{11}{9}y=-\dfrac{25}{9}$

$x+2y-11y=-25$

$\therefore x=9y-25$ $\quad \cdots\cdots \text{㉡}$

㉡을 ㉠에 대입하면

$15(9y-25)-37y=-81$에서

$135y-375-37y=-81$

$98y=294$ $\quad \therefore y=3$

$y=3$을 ㉡에 대입하면

$x=27-25=2$

따라서 $a=2$, $b=3$이므로 $a+b=2+3=5$ **답** 5

12

[전략] 최대공약수와 최소공배수를 구하여 방정식에 대입한다.

$x=G(12, 70)=2$

$y=L(3, 6)=6$

$x=2$, $y=6$을 $3ax+2by=-2ax-3by=12$에 대입하면

$6a+12b=-4a-18b=12$

$\begin{cases} 6a+12b=12 \\ -4a-18b=12 \end{cases}$, 즉 $\begin{cases} a+2b=2 & \cdots\cdots \text{㉠} \\ 2a+9b=-6 & \cdots\cdots \text{㉡} \end{cases}$

㉠$\times 2-$㉡을 하면 $-5b=10$ $\therefore b=-2$

$b=-2$를 ㉠에 대입하면 $a-4=2$ $\therefore a=6$

$\therefore a+b=6+(-2)=4$ 답 4

13

[전략] $\dfrac{x-1}{3}-\dfrac{y+1}{2}=\dfrac{x-2y}{6}$ 와 $2x+y=4$를 연립하여 푼 후 x, y를 방정식에 대입하여 a의 값을 구한다.

$\dfrac{x-1}{3}-\dfrac{y+1}{2}=\dfrac{x-2y}{6}$ 의 양변에 6을 곱하여 정리하면

$x-y=5$

$\begin{cases} x-y=5 & \cdots\cdots \text{㉠} \\ 2x+y=4 & \cdots\cdots \text{㉡} \end{cases}$

㉠$+$㉡을 하면 $3x=9$ $\therefore x=3$

$x=3$을 ㉡에 대입하면 $y=-2$

$x=3$, $y=-2$를 $\dfrac{x+1}{4}+\dfrac{y-a}{3}=\dfrac{x-2y}{6}$ 에 대입하면

$1+\dfrac{-2-a}{3}=\dfrac{7}{6}$, $6-4-2a=7$

$\therefore a=-\dfrac{5}{2}$ 답 $-\dfrac{5}{2}$

14

[전략] $A=B=C$에서 $\begin{cases} A=C \\ B=C \end{cases}$로 놓고 x, y를 각각 대입하여 a, b에 대한 연립방정식을 푼다.

$\begin{cases} \dfrac{3x-5y+a}{2}=-\dfrac{x-4y+2}{3} \\ -x+3y-b=-\dfrac{x-4y+2}{3} \end{cases}$

즉, $\begin{cases} 11x-23y=-3a-4 \\ 2x-5y=-3b+2 \end{cases}$

$x=1-2a$, $y=2b-3$을 위 연립방정식에 대입하면

$\begin{cases} 11(1-2a)-23(2b-3)=-3a-4 \\ 2(1-2a)-5(2b-3)=-3b+2 \end{cases}$

즉, $\begin{cases} 19a+46b=84 & \cdots\cdots \text{㉠} \\ 4a+7b=15 & \cdots\cdots \text{㉡} \end{cases}$

㉠$\times 4-$㉡$\times 19$를 하면 $51b=51$ $\therefore b=1$

$b=1$을 ㉡에 대입하면

$4a+7=15$ $\therefore a=2$

$\therefore a+b=2+1=3$ 답 3

15

[전략] 거듭제곱에서 밑을 같게 만든 후 계산한다.

$4^x \times 2^{y+1}=(2^2)^x \times 2^{y+1}=2^{2x} \times 2^{y+1}=2^{2x+y+1}$

$64=2^6$이므로 $2^{2x+y+1}=2^6$

$2x+y+1=6$

$\therefore 2x+y=5$ $\cdots\cdots$㉠

$\dfrac{9^{2x}}{27^y}=\dfrac{(3^2)^{2x}}{(3^3)^y}=\dfrac{3^{4x}}{3^{3y}}=3^{4x-3y}$

$243=3^5$이므로 $3^{4x-3y}=3^5$

$\therefore 4x-3y=5$ $\cdots\cdots$㉡

㉠$\times 3+$㉡을 하면 $10x=20$ $\therefore x=2$

$x=2$를 ㉠에 대입하면

$4+y=5$ $\therefore y=1$

$x=2$, $y=1$을 $2ax-3y-5=0$에 대입하면

$4a-3-5=0$ $\therefore a=2$ 답 2

쌤의 복합 개념 특강

지수법칙

$a \neq 0$이고, m, n이 자연수일 때

(1) $a^m \times a^n = a^{m+n}$

(2) $(a^m)^n = a^{mn}$

(3) $a^m \div a^n = \begin{cases} a^{m-n} & (m > n) \\ 1 & (m=n) \\ \dfrac{1}{a^{n-m}} & (m < n) \end{cases}$

16

[전략] 가감법을 이용하여 미지수 y를 없애고 $x=\dfrac{9}{2a-1}$가 자연수가 되기 위한 조건을 구한다.

$\begin{cases} ax-by=6 & \cdots\cdots \text{㉠} \\ x-2by=3 & \cdots\cdots \text{㉡} \end{cases}$

㉠$\times 2-$㉡을 하면 $(2a-1)x=9$ $\therefore x=\dfrac{9}{2a-1}$

$x=\dfrac{9}{2a-1}$를 만족시키는 자연수 a, x의 순서쌍 (a, x)는

$(1, 9)$, $(2, 3)$, $(5, 1)$

(i) $a=1$, $x=9$일 때

$a=1$, $x=9$를 ㉠에 대입하면 $by=3$

이때 b, y는 자연수이므로

$b=1$, $y=3$ 또는 $b=3$, $y=1$

따라서 x, y의 순서쌍 (x, y)는 $(9, 3)$, $(9, 1)$

(ii) $a=2$, $x=3$일 때

$a=2$, $x=3$을 ㉠에 대입하면 $by=0$

이때 b, y는 자연수이므로 $by=0$인 b, y의 값은 없다.

(iii) $a=5$, $x=1$일 때

$a=5$, $x=1$을 ㉠에 대입하면 $by=-1$

이때 b, y는 자연수이므로 $by=-1$인 b, y의 값은 없다.

(i), (ii), (iii)에서 주어진 조건을 만족시키는 x, y의 순서쌍 (x, y)는

$(9, 3)$, $(9, 1)$ 답 $(9, 3)$, $(9, 1)$

쌤의 특강

$x=\dfrac{9}{2a-1}=\dfrac{3^2}{2a-1}$ 이고 a, x가 자연수이므로 $2a-1$은 3^2의 약수인 1 또는 3 또는 9이어야 한다.

17

[전략] 한 미지수를 없앤 후 $xy=6$임을 이용하여 한 문자 b로 정리한다.

$\begin{cases} ax-y=b & \cdots\cdots \text{㉠} \\ 2ax-y=5b & \cdots\cdots \text{㉡} \end{cases}$

㉠$\times 2-$㉡을 하면 $-y=-3b$ $\quad \therefore y=3b$

$y=3b$를 ㉠에 대입하면

$ax-3b=b$ $\quad \therefore x=\dfrac{4b}{a}$

한편, $xy=6$이므로 $\dfrac{4b}{a}\times 3b=\dfrac{12b^2}{a}=6$

$\therefore a=2b^2$

$x=\dfrac{4b}{a}$에 $a=2b^2$을 대입하면

$x=\dfrac{4b}{2b^2}=\dfrac{2}{b}$

x가 자연수이므로 $b=1$ 또는 $b=2$

(i) $b=1$일 때

$b=1$을 $a=2b^2$에 대입하면 $a=2\times 1^2=2$

$\therefore ab=2\times 1=2$

(ii) $b=2$일 때

$b=2$를 $a=2b^2$에 대입하면 $a=2\times 2^2=8$

$\therefore ab=8\times 2=16$

(i), (ii)에서 $a=8$, $b=2$일 때 ab의 값이 가장 크므로

$a-b=8-2=6$ 달 6

다른 풀이

$xy=6$을 만족시키는 자연수 x, y의 순서쌍은

$(1, 6), (2, 3), (3, 2), (6, 1)$

(i) $x=1$, $y=6$일 때 ㉠, ㉡에 각각 대입하면

$\begin{cases} a-6=b \\ 2a-6=5b \end{cases}$

즉, $a=8$, $b=2$이므로 $ab=16$

(ii) $x=2$, $y=3$일 때 ㉠, ㉡에 각각 대입하면

$\begin{cases} 2a-3=b \\ 4a-3=5b \end{cases}$

즉, $a=2$, $b=1$이므로 $ab=2$

(iii) $x=3$, $y=2$일 때 ㉠, ㉡에 각각 대입하면

$\begin{cases} 3a-2=b \\ 6a-2=5b \end{cases}$

즉, $a=\dfrac{8}{9}$, $b=\dfrac{2}{3}$이므로 a, b가 정수가 아니다.

(iv) $x=6$, $y=1$일 때 ㉠, ㉡에 각각 대입하면

$\begin{cases} 6a-1=b \\ 12a-1=5b \end{cases}$

즉, $a=\dfrac{2}{9}$, $b=\dfrac{1}{3}$이므로 a, b가 정수가 아니다.

(i)~(iv)에서 ab의 값이 가장 큰 것은 $a=8$, $b=2$일 때이므로

$a-b=6$

18

[전략] $|x|=2|y|$는 x의 절댓값이 y의 절댓값의 2배이므로 $x=2y$ 또는 $x=-2y$로 나누어 푼다.

$\begin{cases} -\dfrac{3}{2}x+4y=6 & \cdots\cdots \text{㉠} \\ 2x+ky=6 & \cdots\cdots \text{㉡} \end{cases}$

$|x|=2|y|$이므로 $x=2y$ 또는 $x=-2y$

(i) $x=2y$일 때

$x=2y$를 ㉠에 대입하면 $-3y+4y=6$ $\quad \therefore y=6$

$\therefore x=2\times 6=12$

$x=12$, $y=6$을 ㉡에 대입하면

$24+6k=6$ $\quad \therefore k=-3$

(ii) $x=-2y$일 때

$x=-2y$를 ㉠에 대입하면 $3y+4y=6$ $\quad \therefore y=\dfrac{6}{7}$

$\therefore x=-2\times \dfrac{6}{7}=-\dfrac{12}{7}$

$x=-\dfrac{12}{7}$, $y=\dfrac{6}{7}$을 ㉡에 대입하면

$-\dfrac{24}{7}+\dfrac{6}{7}k=6$ $\quad \therefore k=11$

(i), (ii)에서 모든 상수 k의 값의 합은 $-3+11=8$ 달 8

19

[전략] y, z를 x에 대한 식으로 각각 나타낸 후 $x:y:z$를 가장 간단한 자연수의 비로 나타낸다.

$\begin{cases} x-2y+z=0 & \cdots\cdots \text{㉠} \\ 3x+2y-3z=0 & \cdots\cdots \text{㉡} \end{cases}$

㉠$+$㉡을 하면 $4x-2z=0$ $\quad \therefore z=2x$

㉠$\times 3+$㉡을 하면 $6x-4y=0$, $3x=2y$ $\quad \therefore y=\dfrac{3}{2}x$

$\therefore x:y:z=x:\dfrac{3}{2}x:2x=2:3:4$

$x:y:z=2:3:4$에서

$x=2k$, $y=3k$, $z=4k$ (k는 자연수)라 하면

세 자연수 $2k$, $3k$, $4k$의 최소공배수는 $12k$이므로

$12k=48$ $\quad \therefore k=4$

따라서 $x=8$, $y=12$, $z=16$이므로

$x+y+z=8+12+16=36$ 달 36

쌤의 만점 특강

$x:z=1:2$, $x:y=2:3$이므로 $x:z=2:4$로 x의 비를 일치시켜 $x:y:z$를 구할 수도 있다.

또한, $x=2k$, $y=3k$, $z=4k$ (k는 자연수)의 최소공배수가 48일 때, x, y, z의 최소공배수는 2, 3, 4의 최소공배수에 k를 곱한 값과 같다.

20

[전략] $2x-1 \geq 0$일 때와 $2x-1 < 0$일 때로 나누어 문제를 해결한다.

(i) $2x-1 \geq 0$, 즉 $x \geq \dfrac{1}{2}$일 때

$|2x-1| = 2x-1$이므로

$\begin{cases} 2x-1-y=2 \\ 2y-2x+1=1 \end{cases}$, 즉 $\begin{cases} 2x-y=3 & \cdots\cdots \text{㉠} \\ x-y=0 & \cdots\cdots \text{㉡} \end{cases}$

㉠$-$㉡을 하면 $x=3$, $y=3$

$x=3$, $y=3$을 $2x-y+a=7$에 대입하면

$6-3+a=7$ $\therefore a=4$

(ii) $2x-1 < 0$, 즉 $x < \dfrac{1}{2}$일 때

$|2x-1| = -2x+1$이므로

$\begin{cases} -2x+1-y=2 \\ 2y+2x-1=1 \end{cases}$, 즉 $\begin{cases} 2x+y=-1 & \cdots\cdots \text{㉢} \\ x+y=1 & \cdots\cdots \text{㉣} \end{cases}$

㉢$-$㉣을 하면 $x=-2$, $y=3$

$x=-2$, $y=3$을 $2x-y+a=7$에 대입하면

$-4-3+a=7$ $\therefore a=14$

(i), (ii)에서 구하는 상수 a의 값은 4, 14이다. **답** 4, 14

다른 풀이

$|2x-1| = A$라 하면

$\begin{cases} A-y=2 & \cdots\cdots \text{㉤} \\ -A+2y=1 & \cdots\cdots \text{㉥} \end{cases}$

㉤$+$㉥을 하면 $y=3$

$y=3$을 ㉤에 대입하면

$A-3=2$ $\therefore A=5$

$|2x-1|=5$이므로

$2x-1=5$ 또는 $2x-1=-5$

$\therefore x=3$ 또는 $x=-2$

(i) $x=3$, $y=3$일 때 $a=4$

(ii) $x=-2$, $y=3$일 때 $a=14$

(i), (ii)에서 주어진 일차방정식을 만족시키는 a의 값은 4, 14이다.

21

[전략] 식끼리 더하거나 빼어서 x, y, z 중 한 문자를 없애고 미지수가 2개인 연립방정식을 만든다.

$\begin{cases} x+y=3 & \cdots\cdots \text{㉠} \\ y+z=2 & \cdots\cdots \text{㉡} \\ z+x=1 & \cdots\cdots \text{㉢} \end{cases}$

㉠$-$㉡을 하면 $x-z=1$ $\cdots\cdots$ ㉣

㉢$+$㉣을 하면 $2x=2$ $\therefore x=1$

$x=1$을 ㉢에 대입하면

$z+1=1$ $\therefore z=0$

$z=0$을 ㉡에 대입하면 $y=2$

따라서 $a=1$, $b=2$, $c=0$이므로

$abc=1\times2\times0=0$ **답** 0

다른 풀이

㉠$+$㉡$+$㉢을 하면 $2(x+y+z)=6$

$x+y+z=3$ $\cdots\cdots$ ㉣

㉡을 ㉣에 대입하면

$x+2=3$ $\therefore x=1$

㉢을 ㉣에 대입하면

$1+y=3$ $\therefore y=2$

㉠을 ㉣에 대입하면

$3+z=3$ $\therefore z=0$

따라서 $a=1$, $b=2$, $c=0$이므로

$abc=1\times2\times0=0$

22

[전략] $\dfrac{1}{2x+y}=A$, $\dfrac{1}{x-y}=B$라 하고 연립방정식을 푼다.

$\dfrac{1}{2x+y}=A$, $\dfrac{1}{x-y}=B$라 하면

$\begin{cases} 3A-4B=\dfrac{1}{2} \\ 2B+A=\dfrac{1}{4} \end{cases}$, 즉 $\begin{cases} 6A-8B=1 & \cdots\cdots \text{㉠} \\ 4A+8B=1 & \cdots\cdots \text{㉡} \end{cases}$

㉠$+$㉡을 하면 $10A=2$ $\therefore A=\dfrac{1}{5}$

$A=\dfrac{1}{5}$을 ㉡에 대입하면

$\dfrac{4}{5}+8B=1$ $\therefore B=\dfrac{1}{40}$

$\dfrac{1}{2x+y}=\dfrac{1}{5}$이므로 $2x+y=5$ $\cdots\cdots$ ㉢

$\dfrac{1}{x-y}=\dfrac{1}{40}$이므로 $x-y=40$ $\cdots\cdots$ ㉣

㉢$+$㉣을 하면 $3x=45$ $\therefore x=15$

$x=15$를 ㉢에 대입하면

$30+y=5$ $\therefore y=-25$

따라서 $a=15$, $b=-25$이므로

$a+b=15+(-25)=-10$ **답** -10

23

[전략] 연립방정식의 해가 무수히 많을 조건을 이용하여 a, b의 값을 구한 후 연립방정식의 해가 없을 조건을 찾는다.

$\begin{cases} ax+2y=8 \\ -3x+by=-4 \end{cases}$, 즉 $\begin{cases} ax+2y=8 \\ 6x-2by=8 \end{cases}$의 해가 무수히 많으므로

$a=6$, $2=-2b$ $\therefore a=6$, $b=-1$

$a=6$, $b=-1$을 $ax-2by=c$에 대입하면

$6x+2y=c$

$\begin{cases} 3x+y=1 \\ 6x+2y=c \end{cases}$, 즉 $\begin{cases} 6x+2y=2 \\ 6x+2y=c \end{cases}$의 해가 없으므로

$c\neq2$

따라서 c의 값으로 옳지 않은 것은 ④이다. **답** ④

24

[전략] x, y에 대한 연립방정식 $\begin{cases} ax+by=c \\ a'x+b'y=c' \end{cases}$ 에서 $c=c'$이면 해가 무수히 많을 조건은 $a=a', b=b'$이다.

$$\begin{cases} \dfrac{1}{2}(-a+b)x+\left(\dfrac{a}{2}-b+\dfrac{3}{2}\right)y=3 & \cdots\cdots \ㄱ \\ \left(-\dfrac{a}{3}+b-\dfrac{2}{3}\right)x+(a-1)y=2 & \cdots\cdots \ㄴ \end{cases}$$

$ㄱ\times 2, ㄴ\times 3$을 각각 하면

$$\begin{cases} (-a+b)x+(a-2b+3)y=6 \\ (-a+3b-2)x+3(a-1)y=6 \end{cases}$$

위의 연립방정식의 해가 무수히 많으므로
$-a+b=-a+3b-2$
$2b=2$ $\therefore b=1$
또한, $a-2b+3=3(a-1)$이므로 $a+b=3$
$b=1$을 대입하면 $a+1=3$
$\therefore a=2$
$\therefore ab=2\times 1=2$

답 2

LEVEL 3 최고난도 문제 → 67쪽

01 43 **02** 25 **03** 24 **04** -19

---

01 solution 미리 보기

step ❶	$2x<3y$일 때, 주어진 연립방정식을 만족시키는 두 수 x, y의 값을 구한 후 그 값이 해가 될 수 있는지 확인하기
step ❷	$2x>3y$일 때, 주어진 연립방정식을 만족시키는 두 수 x, y의 값을 구한 후 그 값이 해가 될 수 있는지 확인하기
step ❸	$2p+3q$의 값 구하기

(i) $2x<3y$일 때
$\max(2x, 3y)=3y, \min(2x, 3y)=2x$
$$\begin{cases} 3x+2y-3y=4 \\ 2x=-3x+2y+3 \end{cases} \ 즉 \begin{cases} 3x-y=4 & \cdots\cdots \ㄱ \\ 5x-2y=3 & \cdots\cdots \ㄴ \end{cases}$$
$ㄱ\times 2-ㄴ$을 하면 $x=5$
$x=5$를 $ㄱ$에 대입하면
$15-y=4$ $\therefore y=11$
이때 $2x=10, 3y=33$은 $2x<3y$를 만족시키므로 해가 될 수 있다. ❶

(ii) $2x>3y$일 때
$\max(2x, 3y)=2x, \min(2x, 3y)=3y$
$$\begin{cases} 3x+2y-2x=4 \\ 3y=-3x+2y+3 \end{cases} \ 즉 \begin{cases} x+2y=4 & \cdots\cdots \ㄷ \\ 3x+y=3 & \cdots\cdots \ㄹ \end{cases}$$
$ㄷ-ㄹ\times 2$를 하면 $-5x=-2$ $\therefore x=\dfrac{2}{5}$
$x=\dfrac{2}{5}$를 $ㄹ$에 대입하면
$\dfrac{6}{5}+y=3$ $\therefore y=\dfrac{9}{5}$

이때 $2x=\dfrac{4}{5}, 3y=\dfrac{27}{5}$은 $2x>3y$를 만족시키지 않으므로 해가 될 수 없다. ❷

(i), (ii)에서 주어진 연립방정식의 해는 $(5, 11)$이므로 $p=5, q=11$
$\therefore 2p+3q=2\times 5+3\times 11=43$ ❸

답 43

---

02 solution 미리 보기

step ❶	$|x|=X, |y|=Y$라 하고 주어진 연립방정식에 대입하기
step ❷	미지수가 2개인 일차방정식의 해 구하기
step ❸	k의 값을 구한 후 조건을 만족시키는지 확인하여 답 구하기

$|x|=X, |y|=Y$라 하면 x, y는 모두 정수이므로
X, Y는 $X\geq 0, Y\geq 0$인 정수이다.

즉, $\begin{cases} 2X+3Y=2k+1 & \cdots\cdots \ㄱ \\ 5X+2Y=32 & \cdots\cdots \ㄴ \end{cases}$ ❶

이때 $ㄴ$을 만족시키는 순서쌍 (X, Y)는
$(6, 1), (4, 6), (2, 11), (0, 16)$ ❷

(i) $X=6, Y=1$일 때
$X=6, Y=1$을 $ㄱ$에 대입하면
$12+3=2k+1$ $\therefore k=7$

(ii) $X=4, Y=6$일 때
$X=4, Y=6$을 $ㄱ$에 대입하면
$8+18=2k+1$ $\therefore k=\dfrac{25}{2}$

(iii) $X=2, Y=11$일 때
$X=2, Y=11$을 $ㄱ$에 대입하면
$4+33=2k+1$ $\therefore k=18$

(iv) $X=0, Y=16$일 때
$X=0, Y=16$을 $ㄱ$에 대입하면
$48=2k+1$ $\therefore k=\dfrac{47}{2}$

(i)~(iv)에서 자연수 k의 값은 7, 18이므로 가능한 k의 값의 합은
$7+18=25$ ❸

답 25

참고 절댓값을 포함한 정수의 경우 범위를 나누는 것이 원칙이지만 자연수 k의 값의 합을 구하는 문제이므로 $|x|\geq 0, |y|\geq 0$인 범위에서 생각한다.

다른 풀이

$\begin{cases} 2|x|+3|y|=2k+1 & \cdots\cdots \ㄷ \\ 5|x|+2|y|=32 & \cdots\cdots \ㄹ \end{cases}$

$ㄷ\times 2-ㄹ\times 3$을 하면
$-11|x|=4k-94$
$\therefore |x|=\dfrac{94-4k}{11}$

이를 $ㄹ$에 대입하면
$5\times\dfrac{94-4k}{11}+2|y|=32$
$\therefore |y|=16-\dfrac{5(47-2k)}{11}$

이때 y는 정수이고 k는 자연수이므로 $47-2k$는 11의 배수이다.

또한, $|y| \geq 0$이므로 $16 - \dfrac{5(47-2k)}{11} \geq 0$에서

$47 - 2k \leq 35.2$

즉, $47 - 2k$는 11, 22, 33이므로 조건을 만족시키는 자연수 k의 값은 $47 - 2k$가 11, 33일 때인 7, 18이다.

한편, $|x| = \dfrac{94 - 4k}{11}$에서도 k의 값이 7, 18이면 x도 정수이다.

따라서 가능한 자연수 k의 값의 합은 $7 + 18 = 25$

03 solution 미리 보기

step ❶	순환소수를 분수로 나타내고 두 식을 빼서서 b, c에 대한 식으로 나타내기
step ❷	미지수가 2개인 일차방정식에서 한 자리의 자연수라는 조건을 이용하여 b, c의 값 구하기
step ❸	x, z를 a에 대한 식으로 나타낸 후 a의 값 구하기
step ❹	조건을 만족시키는 a, b, c의 값을 구하여 답 구하기

$x = 0.a\dot{b} = \dfrac{10a + b - a}{90} = \dfrac{9a + b}{90}$

$y = 0.b\dot{c} = \dfrac{10b + c - b}{90} = \dfrac{9b + c}{90}$

$z = 0.c\dot{a} = \dfrac{10c + a - c}{90} = \dfrac{9c + a}{90}$

$\begin{cases} x + y + z = 1 & \cdots\cdots ㉠ \\ x - 2y + z = \dfrac{c}{10} & \cdots\cdots ㉡ \end{cases}$

㉠$-$㉡을 하면 $3y = 1 - \dfrac{c}{10}$

$y = \dfrac{9b + c}{90}$를 대입하면

$\dfrac{9b + c}{30} = 1 - \dfrac{c}{10}$ ························ ❶

양변에 30을 곱하여 정리하면

$9b + 4c = 30$

이때 b, c는 한 자리의 자연수이므로

$b = 2, c = 3$ ························ ❷

$\therefore x = \dfrac{9a + 2}{90}, y = \dfrac{18 + 3}{90} = \dfrac{21}{90}, z = \dfrac{27 + a}{90}$

이를 ㉠에 대입하여 정리하면 $\dfrac{(9a+2) + 21 + (27+a)}{90} = 1$

$10a + 50 = 90, 10a = 40$ $\therefore a = 4$ ············· ❸

따라서 $a = 4, b = 2, c = 3$이므로

$abc = 4 \times 2 \times 3 = 24$ ························ ❹

답 24

다른 풀이

x, y, z의 값을 연립방정식에 대입하면

$\begin{cases} \dfrac{9a + b}{90} + \dfrac{9b + c}{90} + \dfrac{9c + a}{90} = 1 \\ \dfrac{9a + b}{90} - \dfrac{18b + 2c}{90} + \dfrac{9c + a}{90} = \dfrac{c}{10} \end{cases}$

즉, $\begin{cases} a + b + c = 9 & \cdots\cdots ㉢ \\ 10a - 17b - 2c = 0 & \cdots\cdots ㉣ \end{cases}$

㉢$\times 2 +$㉣을 하면 $12a - 15b = 18$

$\therefore a = \dfrac{5b + 6}{4}$

a, b가 한 자리의 자연수이고 $5b + 6$이 4의 배수이어야 한다.

따라서 이를 만족시키는 a, b의 순서쌍 (a, b)는 $(4, 2), (9, 6)$

(i) $a = 4, b = 2$일 때

$a = 4, b = 2$를 ㉢에 대입하면

$4 + 2 + c = 9$ $\therefore c = 3$

(ii) $a = 9, b = 6$일 때

$a = 9, b = 6$을 ㉢에 대입하면

$9 + 6 + c = 9$ $\therefore c = -6$

(i), (ii)에서 c가 자연수이므로 $a = 4, b = 2, c = 3$

$\therefore abc = 4 \times 2 \times 3 = 24$

04 solution 미리 보기

step ❶	주어진 식을 각 변끼리 모두 더하기
step ❷	미지수가 8개이므로 미지수가 3개인 식 3개를 이용하여 미지수 하나의 값 구하기
step ❸	구한 값을 이용하여 답 구하기

$\begin{cases} a + b + c = 3 & \cdots\cdots ㉠ \\ b + c + d = 2 & \cdots\cdots ㉡ \\ c + d + e = -1 & \cdots\cdots ㉢ \\ d + e + f = -3 & \cdots\cdots ㉣ \\ e + f + g = 4 & \cdots\cdots ㉤ \\ f + g + h = -2 & \cdots\cdots ㉥ \\ g + h + a = 1 & \cdots\cdots ㉦ \\ h + a + b = -4 & \cdots\cdots ㉧ \end{cases}$

㉠$+$㉡$+$㉢$+$㉣$+$㉤$+$㉥$+$㉦$+$㉧을 하면

$3a + 3b + 3c + 3d + 3e + 3f + 3g + 3h = 0$

즉, $a + b + c + d + e + f + g + h = 0$ ······ ㉨ ····· ❶

㉨$-$㉠$-$㉣$-$㉦을 하면 $a = 1$

㉨$-$㉡$-$㉤$-$㉧을 하면 $b = 2$

㉨$-$㉠$-$㉢$-$㉥을 하면 $c = 0$

㉨$-$㉡$-$㉣$-$㉦을 하면 $d = 0$

㉨$-$㉢$-$㉤$-$㉧을 하면 $e = -1$

㉨$-$㉠$-$㉣$-$㉥을 하면 $f = -2$

㉨$-$㉡$-$㉤$-$㉦을 하면 $g = 7$

㉨$-$㉢$-$㉥$-$㉧을 하면 $h = -7$ ···· ❷

$\therefore a + 2b + 3c + 4d + 5e + 6f + 7g + 8h$

$= 1 + 2 \times 2 + 3 \times 0 + 4 \times 0 + 5 \times (-1) + 6 \times (-2)$

$\qquad\qquad\qquad\qquad + 7 \times 7 + 8 \times (-7)$

$= -19$ ························ ❸

답 -19

쌤의 만점 특강

미지수가 8개이므로 구하고자 하는 미지수의 값이 2번 빼어지도록 모든 식을 더한 값에 3개의 식을 뺀다. 예를 들어

$(a + b + c + d + e + f + g + h) - (a + b + c)$

$- (d + e + f) - (g + h + a) = -a$

07. 연립방정식의 활용

LEVEL 1 시험에 꼭 내는 문제　→70쪽~72쪽

01 27	**02** 23	**03** 45세	**04** 1000원	**05** 10
06 15.5 km	**07** 150 m	**08** 분속 250 m	**09** 시속 14 km	
10 200 g	**11** 75 g	**12** 228명	**13** 33000원	
14 12일	**15** 48분	**16** 24명	**17** 160 cm²	**18** 3

01

처음 두 자리의 자연수의 십의 자리의 숫자를 x, 일의 자리의 숫자를 y라 하면

$\begin{cases} x+y=9 \\ 10y+x=3(10x+y)-9 \end{cases}$ 즉 $\begin{cases} x+y=9 \\ 29x-7y=9 \end{cases}$

$\therefore x=2, y=7$

따라서 처음 두 자리의 자연수는 27이다.　　　**답** 27

02

큰 수를 x, 작은 수를 y라 하면

$\begin{cases} x=4y+3 \\ 5y=x+2 \end{cases}$ 즉 $\begin{cases} x-4y=3 \\ x-5y=-2 \end{cases}$

$\therefore x=23, y=5$

따라서 큰 수는 23이다.　　　**답** 23

03

현재 아빠의 나이를 x세, 딸의 나이를 y세라 하면

$\begin{cases} x=3y \\ x-10=7(y-10) \end{cases}$ 즉 $\begin{cases} x=3y \\ x-7y=-60 \end{cases}$

$\therefore x=45, y=15$

따라서 현재 아빠의 나이는 45세이다.　　　**답** 45세

04

어른 한 명의 입장료를 x원, 어린이 한 명의 입장료를 y원이라 하면

$\begin{cases} 4x+5y=11400 \\ 2x=3y+200 \end{cases}$, 즉 $\begin{cases} 4x+5y=11400 \\ 2x-3y=200 \end{cases}$

$\therefore x=1600, y=1000$

따라서 어린이 한 명의 입장료는 1000원이다.　　　**답** 1000원

05

지윤이가 이긴 횟수를 x, 진 횟수를 y라 하면 동생이 이긴 횟수는 y, 진 횟수는 x이므로

$\begin{cases} 3x-2y=14 \\ 3y-2x=4 \end{cases}$

$\therefore x=10, y=8$

따라서 지윤이가 이긴 횟수는 10이다.　　　**답** 10

> **쌤의 특강**
>
> 계단을 올라가는 것은 +, 내려가는 것은 −로 생각한다.

06

민서가 버스를 타고 간 거리를 x m, 걸어간 거리를 y m라 하면

$\begin{cases} x+y=18000 \\ \dfrac{x}{900}+\dfrac{y}{90}=45 \end{cases}$, 즉 $\begin{cases} x+y=18000 \\ x+10y=40500 \end{cases}$

$\therefore x=15500, y=2500$

따라서 민서가 버스를 타고 간 거리는 15500 m, 즉 15.5 km이다.

답 15.5 km

> **다른 풀이**

민서가 버스를 타고 간 거리를 x km, 걸어간 거리를 y km라 하면
분속 900 m는 시속 54 km, 분속 90 m는 시속 5.4 km이므로

$\begin{cases} x+y=18 \\ \dfrac{x}{54}+\dfrac{y}{5.4}=\dfrac{45}{60} \end{cases}$, 즉 $\begin{cases} x+y=18 \\ 2x+20y=81 \end{cases}$

$\therefore x=15.5, y=2.5$

따라서 민서가 버스를 타고 간 거리는 15.5 km이다.

> **쌤의 오답 피하기 특강**
>
> 거리, 속력, 시간의 단위가 다를 때에는 방정식을 세우기 전에 단위를 통일한다. 이때 속력의 단위, 즉 분속이 900 m, 90 m이므로 시간의 단위는 분으로, 거리의 단위는 m로 하는 것이 편리하다. 18 km는 18000 m, 45분은 $\dfrac{3}{4}$시간이 아닌 45분으로 계산한다.

07

다리의 길이를 x m, 기차의 속력을 초속 y m라 하면 터널의 길이는 $2x$ m이므로

$\begin{cases} x+50=8y \\ 2x+50=14y \end{cases}$, 즉 $\begin{cases} x-8y=-50 \\ x-7y=-25 \end{cases}$

$\therefore x=150, y=25$

따라서 다리의 길이는 150 m이다.　　　**답** 150 m

08

진영이의 속력을 분속 x m, 수연이의 속력을 분속 y m라 하면

$\begin{cases} 2x+2y=800 \\ 8x-8y=800 \end{cases}$, 즉 $\begin{cases} x+y=400 \\ x-y=100 \end{cases}$

$\therefore x=250, y=150$

따라서 진영이의 속력은 분속 250 m이다.　　　**답** 분속 250 m

09

흐르지 않는 물에서의 배의 속력을 시속 x km, 강물의 속력을 시속 y km라 하면

$$\begin{cases} 2(x-y)=24 \\ \dfrac{3}{2}(x+y)=24 \end{cases}, \ \text{즉} \ \begin{cases} x-y=12 \\ x+y=16 \end{cases}$$

$\therefore x=14, \ y=2$

따라서 흐르지 않는 물에서의 배의 속력은 시속 14 km이다.

📋 시속 14 km

10

15 %의 소금물의 양을 x g, 24 %의 소금물의 양을 y g이라 하면

$$\begin{cases} x+y=600 \\ \dfrac{15}{100}x+\dfrac{24}{100}y=\dfrac{18}{100}\times 600 \end{cases}, \ \text{즉} \ \begin{cases} x+y=600 \\ 5x+8y=3600 \end{cases}$$

$\therefore x=400, \ y=200$

따라서 24 %의 소금물은 200 g을 섞어야 한다.

📋 200 g

11

8 %의 소금물의 양을 x g, 12 %의 소금물의 양을 y g이라 하면 더 넣은 물의 양은 $3x$ g이므로

$$\begin{cases} x+y+3x=500 \\ \dfrac{8}{100}x+\dfrac{12}{100}y=\dfrac{10}{100}\times 500 \end{cases}, \ \text{즉} \ \begin{cases} 4x+y=500 \\ 2x+3y=1250 \end{cases}$$

$\therefore x=25, \ y=400$

따라서 더 넣은 물의 양은 $3\times 25=75$ (g)이다.

📋 75 g

쌤의 오답 피하기 특강

농도가 다른 두 소금물 A, B를 섞은 후 물을 더 넣을 때

➡ $\begin{cases} (\text{A 소금물의 양})+(\text{B 소금물의 양})+(\text{추가한 물의 양})=(\text{전체 소금물의 양}) \\ (\text{A 소금의 양})+(\text{B 소금의 양})=(\text{전체 소금의 양}) \end{cases}$

즉, 물을 더 넣거나 증발시킬 때 소금의 양은 변하지 않음에 주의한다. 또한, 답을 쓸 때 구하고자 하는 것이 무엇인지 확인한다.

12

작년의 남학생 수를 x, 여학생 수를 y라 하면

$$\begin{cases} x+y=440 \\ -\dfrac{5}{100}x-\dfrac{4}{100}y=-20 \end{cases}, \ \text{즉} \ \begin{cases} x+y=440 \\ 5x+4y=2000 \end{cases}$$

$\therefore x=240, \ y=200$

따라서 작년의 남학생 수가 240이므로 올해 남학생은

$\left(1-\dfrac{5}{100}\right)\times 240=228$(명)

📋 228명

다른 풀이

올해 전체 학생 수를 이용하여 연립방정식을 세울 수도 있다.

$$\begin{cases} x+y=440 \\ \left(1-\dfrac{5}{100}\right)x+\left(1-\dfrac{4}{100}\right)y=420 \end{cases}$$

즉, $\begin{cases} x+y=440 \\ 95x+96y=42000 \end{cases}$

$\therefore x=240, \ y=200$

13

A 꽃바구니의 원가를 x원, B 꽃바구니의 원가를 y원이라 하면

$$\begin{cases} \left(1+\dfrac{20}{100}\right)x+\left(1+\dfrac{35}{100}\right)y=57300 \\ x-y=9500 \end{cases}, \ \text{즉} \ \begin{cases} 8x+9y=382000 \\ x-y=9500 \end{cases}$$

$\therefore x=27500, \ y=18000$

따라서 A 꽃바구니의 정가는

$\left(1+\dfrac{20}{100}\right)\times 27500=33000$(원)

📋 33000원

14

전체 일의 양을 1로 놓고, 소윤이와 도연이가 하루에 할 수 있는 일의 양을 각각 x, y라 하면

$$\begin{cases} 4x+4y=1 \\ 8x+2y=1 \end{cases} \qquad \therefore x=\dfrac{1}{12}, \ y=\dfrac{1}{6}$$

따라서 소윤이가 하루에 할 수 있는 일의 양은 $\dfrac{1}{12}$이므로 소윤이가 이 일을 혼자 끝마치려면 12일이 걸린다.

📋 12일

15

물탱크에 물을 가득 채웠을 때의 물의 양을 1이라 하고, A, B 두 호스로 1분 동안 채울 수 있는 물의 양을 각각 x, y라 하면

$$\begin{cases} 12x+12y=1 \\ 18x+10y=1 \end{cases} \qquad \therefore x=\dfrac{1}{48}, \ y=\dfrac{1}{16}$$

따라서 A 호스로만 물탱크를 가득 채우는 데 48분이 걸린다.

📋 48분

16

박물관에서 탄 승객 수를 x, 내린 승객 수를 y라 하면

$$\begin{cases} 50+x-y=44 \\ 800x+600y+1200(50-y)=58200 \end{cases}, \ \text{즉} \ \begin{cases} x-y=-6 \\ 4x-3y=-9 \end{cases}$$

$\therefore x=9, \ y=15$

따라서 박물관에서 탄 승객과 내린 승객의 합은

$9+15=24$(명)

📋 24명

17

나무판자 1개의 긴 변의 길이를 x cm, 짧은 변의 길이를 y cm라 하면

$$\begin{cases} 2x-3y=16 \\ x+2y=36 \end{cases}$$

$\therefore x=20, \ y=8$

따라서 나무판자 1개의 긴 변의 길이는 20 cm, 짧은 변의 길이는 8 cm이므로 나무판자 1개의 넓이는 $20\times 8=160$ (cm²)이다.

📋 160 cm²

18

(사과의 수량)$=2400 \div 800 = 3$(개)

(포도의 단가)$=2000 \div 4 = 500$(원)

구입한 배의 개수를 x, 참외의 개수를 y라 하면

$$\begin{cases} 3+x+4+y=13 \\ 2400+1000x+2000+600y=9200 \end{cases}, \ 즉 \begin{cases} x+y=6 \\ 5x+3y=24 \end{cases}$$

$\therefore x=3, \ y=3$

따라서 구입한 참외의 개수는 3이다. **탑** 3

LEVEL 2 필수 기출 문제 →73쪽~78쪽

01 274	**02** 9세	**03** 6	**04** 32 cm²	**05** 10점	**06** 6일
07 88	**08** 880 m	**09** 오전 10시 30분		**10** 10 km
11 17%	**12** 24%	**13** 7500원	**14** 30000원	
15 125 g	**16** A : 125 g, B : 375 g	**17** 160	**18** 900개
19 16분	**20** 7개	**21** 8개	**22** 4팀	

01

[전략] 백의 자리의 숫자가 x, 십의 자리의 숫자가 y, 일의 자리의 숫자가 z인 세 자리의 자연수는 $100x+10y+z$이다.

처음 세 자리의 자연수의 십의 자리의 숫자를 x, 일의 자리의 숫자를 y라 하면

$$\begin{cases} 2+x+y=13 \\ 200+10y+x=200+10x+y-27 \end{cases}, \ 즉 \begin{cases} x+y=11 \\ x-y=3 \end{cases}$$

$\therefore x=7, \ y=4$

따라서 처음 수는 274이다. **탑** 274

주의 xyz로 나타내지 않도록 주의한다.

02

[전략] 몇 년 전과 현재 모두 큰 삼촌과 작은 삼촌의 나이의 차가 변하지 않음을 이용한다.

현재 큰 삼촌의 나이를 x세, 작은 삼촌의 나이를 y세라 하면 두 삼촌의 나이는 다음 표와 같다.

	몇 년 전 나이(세)	현재 나이(세)
큰 삼촌	y	x
작은 삼촌	$\frac{1}{2}x$	y
나이 차	$y-\frac{1}{2}x$	$x-y$

$$\begin{cases} x+y=63 \\ y-\frac{1}{2}x=x-y \end{cases}, \ \begin{cases} x+y=63 \\ 3x-4y=0 \end{cases}$$

$\therefore x=36, \ y=27$

따라서 현재 큰 삼촌의 나이는 36세, 작은 삼촌의 나이는 27세이고 두 사람의 나이의 차는 $36-27=9$(세) **탑** 9세

03

[전략] 주문한 과자 A와 과자 B의 개수와 금액에 대한 연립방정식을 세운다.

처음 주문한 과자 A의 개수를 x, 과자 B의 개수를 y라 하면

$$\begin{cases} x+y=10 \\ 1200y+1800x=1200x+1800y+1200 \end{cases}, \ 즉 \begin{cases} x+y=10 \\ x-y=2 \end{cases}$$

$\therefore x=6, \ y=4$

따라서 처음 주문한 과자 A의 개수는 6이다. **탑** 6

04

[전략] (직사각형의 둘레의 길이)$=2 \times \{$(가로의 길이)$+$(세로의 길이)$\}$임을 이용하여 연립방정식을 세운다.

처음 직사각형의 가로의 길이를 x cm, 세로의 길이를 y cm라 하면

$$\begin{cases} 2\{(x-5)+(y+1)\}=\frac{2}{3} \times 2(x+y) \\ 2\{(x-2)+2y\}=28 \end{cases}, \ 즉 \begin{cases} x+y=12 \\ x+2y=16 \end{cases}$$

$\therefore x=8, \ y=4$

따라서 처음 직사각형의 넓이는 $8 \times 4 = 32 \ (cm^2)$ **탑** 32 cm²

05

[전략] 가영이와 나영이의 중간고사 수학 평균 점수와 기말고사 수학 평균 점수에 대한 연립방정식을 세운다.

가영이의 중간고사 수학 점수를 x점, 나영이의 중간고사 수학 점수를 y점이라 하면 가영이의 기말고사 수학 점수는 $2x$점, 나영이의 기말고사 수학 점수는 $(y+18)$점이므로

$$\begin{cases} \dfrac{x+y}{2}=58 \\ \dfrac{2x+(y+18)}{2}=91 \end{cases}, \ 즉 \begin{cases} x+y=116 \\ 2x+y=164 \end{cases}$$

$\therefore x=48, \ y=68$

따라서 가영이의 기말고사 수학 점수는 $48 \times 2 = 96$(점), 나영이의 기말고사 수학 점수는 $68+18=86$(점)이므로

두 사람의 기말고사 수학 점수의 차는

$96-86=10$(점) **탑** 10점

다른 풀이

가영이의 기말고사 수학 점수를 x점, 나영이의 기말고사 수학 점수를 y점이라 하면

$$\begin{cases} \dfrac{\frac{1}{2}x+(y-18)}{2}=58 \\ \dfrac{x+y}{2}=91 \end{cases}, \ 즉 \begin{cases} x+2y=268 \\ x+y=182 \end{cases}$$

$\therefore x=96, \ y=86$

따라서 두 사람의 기말고사 수학 점수의 차는 $96-86=10$(점)이다.

06

[전략] 나현이가 공부한 시간의 합을 이용하여 연립방정식을 세운다.

학원에 가는 날을 x일, 학원에 가지 않는 날을 y일이라 하면

$$\begin{cases} 1\dfrac{40}{60}x+3\dfrac{10}{60}y=39 \\ 2\dfrac{10}{60}(x+y)=39 \end{cases}, \ 즉 \begin{cases} 10x+19y=234 \\ x+y=18 \end{cases}$$

$\therefore x=12, \ y=6$

따라서 나현이가 학원에 가지 않은 날은 6일이다.　　　**답** 6일

> **참고** (하루 동안 공부한 시간)×(공부한 일 수)=(공부한 시간의 총합)

07

[**전략**] 민석, 서영, 재원이의 득표수의 합과 서영이의 득표수의 10 % 만큼의 학생이 재원이를 뽑는 경우에 대한 연립방정식을 세운다.

민석이의 득표수를 x, 서영이의 득표수를 y라 하면 재원이의 득표수는 $x-18$이므로

$$\begin{cases} x+y+(x-18)=238 \\ \left(1-\dfrac{10}{100}\right)y=(x-18)+\dfrac{10}{100}y-6 \end{cases}, \ 즉 \begin{cases} 2x+y=256 \\ 5x-4y=120 \end{cases}$$

$\therefore x=88, \ y=80$

따라서 민석이의 득표수는 88이다.　　　**답** 88

08

[**전략**] 흥부네 집에서 주막을 거쳐 놀부네 집까지의 총 거리를 구한 후 거리와 시간에 대한 연립방정식을 세운다.

흥부네 집에서 주막을 거쳐 놀부네 집까지의 총 거리는 $80 \times 15 = 1200$ (m)이므로 흥부네 집에서 주막까지의 거리를 x m, 놀부네 집에서 주막까지의 거리를 y m라 하면

$$\begin{cases} x+y=1200 \\ \dfrac{x}{80}=\dfrac{y}{40}+3 \end{cases}, \ 즉 \begin{cases} x+y=1200 \\ x-2y=240 \end{cases}$$

$\therefore x=880, \ y=320$

따라서 흥부가 주막까지 걸어간 거리는 880 m이다.　　　**답** 880 m

09

[**전략**] 민수와 진희가 같은 방향으로 돌 때, 두 사람이 이동한 거리의 차가 호수의 둘레의 길이와 같고, 서로 다른 방향으로 돌 때, 두 사람이 이동한 거리의 합이 호수의 둘레의 길이와 같음을 이용한다.

민수가 걷는 속력을 시속 x km, 진희가 걷는 속력을 시속 y km라 하면 두 사람이 처음 만날 때까지

민수가 이동한 거리는 $x \times 1\dfrac{15}{60}=\dfrac{5}{4}x$ (km),

진희가 이동한 거리는 $y \times 1\dfrac{15}{60}=\dfrac{5}{4}y$ (km)이므로

$$\begin{cases} x:y=3:2 \\ \dfrac{5}{4}x-\dfrac{5}{4}y=2.5 \end{cases}, \ 즉 \begin{cases} 2x-3y=0 \\ x-y=2 \end{cases}$$

$\therefore x=6, \ y=4$

즉, 민수의 속력은 시속 6 km, 진희의 속력은 시속 4 km이고, 두 사람이 다시 만날 때까지 걸린 시간을 a시간이라 하면

$6a+4a=2.5$　　　$\therefore a=\dfrac{1}{4}$

따라서 두 사람이 다시 만날 때까지 걸린 시간은 $\dfrac{1}{4}$시간, 즉 15분이다.

그러므로 같은 방향으로 걸은 두 사람이 처음 만난 시각이 오전 9시 45분이고, 30분간 휴식을 취한 후 서로 반대 방향으로 걸어 다시 만날 때까지 15분이 걸렸으므로 두 사람이 다시 만난 시각은 오전 10시 30분이다.　　　**답** 오전 10시 30분

> **쌤의 만점 특강**
>
> A, B 두 사람이 같은 지점에서 동시에 출발하여 호수의 둘레를 돌다 만날 때
> (1) 같은 방향으로 돌다 처음으로 만나는 경우
> ➡ (A, B가 이동한 거리의 차)=(호수의 둘레의 길이)
> (2) 서로 반대 방향으로 돌다 처음으로 만나는 경우
> ➡ (A, B가 이동한 거리의 합)=(호수의 둘레의 길이)

10

[**전략**] B 지점에서 쉰 시간은 제외하고 강을 거슬러 올라갈 때와 내려갈 때 걸린 시간을 이용하여 (거리)=(속력)×(시간)에 대한 연립방정식을 세운다.

두 지점 A, B 사이의 거리를 x km, 강물의 속력을 시속 y km라 하면

$$\begin{cases} x=2\dfrac{30}{60}(6-y) \\ x=1\dfrac{15}{60}(6+y) \end{cases}, \ 즉 \begin{cases} 2x+5y=30 \\ 4x-5y=30 \end{cases}$$

$\therefore x=10, \ y=2$

따라서 두 지점 A, B 사이의 거리는 10 km이다.　　　**답** 10 km

> **쌤의 특강**
>
> 흐르는 강물에서
> (강을 거슬러 올라가는 배의 속력)=(정지한 물에서의 배의 속력)−(강물의 속력),
> (강을 따라 내려오는 배의 속력)=(정지한 물에서의 배의 속력)+(강물의 속력)

11

[**전략**] 두 소금물 A, B를 3 : 2의 비율로 섞은 소금물의 양을 각각 $3a$ g, $2a$ g (a는 상수), 1 : 2의 비율로 섞은 소금물의 양을 각각 b g, $2b$ g (b는 상수)으로 놓고 농도에 대하여 연립방정식을 세운다.

두 소금물 A, B의 농도를 각각 x %, y %라 하자.

두 소금물 A, B를 3 : 2의 비율로 섞은 소금물 A, B의 양을 각각 $3a$ g, $2a$ g (a는 상수), 1 : 2의 비율로 섞은 소금물 A, B의 양을 각각 b g, $2b$ g (b는 상수)이라 하면

$$\begin{cases} \dfrac{x}{100}\times 3a+\dfrac{y}{100}\times 2a=\dfrac{8}{100}\times(3a+2a) \\ \dfrac{x}{100}\times b+\dfrac{y}{100}\times 2b=\dfrac{12}{100}\times(b+2b) \end{cases}$$

즉 $\begin{cases} 3x+2y=40 \\ x+2y=36 \end{cases}$

$\therefore x=2, \ y=17$

따라서 소금물 B의 농도는 17 %이다.　　　**답** 17 %

12

[전략] (오렌지 원액의 농도) $= \dfrac{(\text{오렌지 원액의 양})}{(\text{오렌지 과즙 음료의 양})} \times 100\,(\%)$임을 이용하여 식을 세운다.

병 A에 들어 있는 오렌지 원액의 처음 농도를 $x\,\%$, 병 B에 들어 있는 오렌지 원액의 처음 농도를 $y\,\%$라 하자.

병 A에 남아 있는 음료 300 g에 들어 있는 오렌지 원액의 양은 $\dfrac{x}{100} \times 300 = 3x\,(\text{g})$, 병 B에서 덜어 낸 음료 200 g에 들어 있는 오렌지 원액의 양은 $\dfrac{y}{100} \times 200 = 2y\,(\text{g})$이므로 음료를 섞은 후 병 A에 들어 있는 오렌지 원액의 양은 $(3x+2y)\text{g}$이다.

마찬가지로 음료를 섞은 후 병 B에 들어 있는 오렌지 원액의 양은 $(2x+3y)\,\text{g}$이다.

음료를 섞은 후의 두 병 A, B에 들어 있는 오렌지 원액의 농도가 각각 12 %, 16 %이므로

$$\begin{cases} \dfrac{3x+2y}{500} \times 100 = 12 \\ \dfrac{2x+3y}{500} \times 100 = 16 \end{cases} \text{, 즉 } \begin{cases} 3x+2y=60 \\ 2x+3y=80 \end{cases}$$

$\therefore x=4,\ y=24$

따라서 병 B에 들어 있는 오렌지 원액의 처음 농도는 24 %이다.

🗒 24 %

13

[전략] 상품 A, B의 원가를 각각 x원, y원이라 하고 원가와 정가에 대한 연립방정식을 세운다.

상품 A의 원가를 x원, 상품 B의 원가를 y원이라 하면

$$\begin{cases} x+y=10000 \\ \left(1+\dfrac{35}{100}\right)\left(1-\dfrac{20}{100}\right)x + \left(1+\dfrac{25}{100}\right)\left(1-\dfrac{20}{100}\right)y = 10000+600 \end{cases}$$

즉, $\begin{cases} x+y=10000 \\ 27x+25y=265000 \end{cases}$

$\therefore x=7500,\ y=2500$

따라서 상품 A의 원가는 7500원이다.

🗒 7500원

14

[전략] 할인하기 전의 옷의 가격과 용돈, 할인한 후의 옷의 가격과 용돈에 대한 연립방정식을 세운다.

할인하기 전의 옷의 가격을 x원, 우성이가 모아 놓은 용돈을 y원이라 하면 6개월간 예금한 후 돌려받는 금액은 $\left(1+\dfrac{5}{100}\right)y$원이므로

$$\begin{cases} y=\dfrac{2}{3}x \\ \left(1+\dfrac{5}{100}\right)y + 3000 = \left(1-\dfrac{20}{100}\right)x \end{cases} \text{, 즉 } \begin{cases} 2x-3y=0 \\ 16x-21y=60000 \end{cases}$$

$\therefore x=30000,\ y=20000$

따라서 할인하기 전의 옷의 가격은 30000원이다. 🗒 30000원

15

[전략] (영양소의 양) $=$ (영양소의 비율) $\times$ (식품의 양)을 이용하여 연립방정식을 세운다.

섭취해야 하는 A 식품의 양을 $x\,\text{g}$, B 식품의 양을 $y\,\text{g}$이라 하면

$$\begin{cases} \dfrac{25}{100}x + \dfrac{18}{100}y = 35 \\ \dfrac{2}{100}x + \dfrac{4}{100}y = 6 \end{cases} \text{, 즉 } \begin{cases} 25x+18y=3500 \\ x+2y=300 \end{cases}$$

$\therefore x=50,\ y=125$

따라서 B 식품을 125 g 섭취해야 한다. 🗒 125 g

16

[전략] 청동 $x\,\text{g}$에 포함된 구리와 주석의 비율이 2 : 3이면 구리의 양은 $\dfrac{2}{2+3}\,x\,\text{g}$, 주석의 양은 $\dfrac{3}{2+3}\,x\,\text{g}$임을 이용하여 식을 세운다.

필요한 청동 A의 양을 $x\,\text{g}$, 청동 B의 양을 $y\,\text{g}$이라 하면 청동 A에 포함된 구리의 양은 $\dfrac{2}{5}x\,\text{g}$, 청동 B에 포함된 구리의 양은 $\dfrac{2}{3}y\,\text{g}$이므로

$$\begin{cases} x+y=500 \\ \dfrac{2}{5}x + \dfrac{2}{3}y = 500 \times \dfrac{3}{5} \end{cases} \text{, 즉 } \begin{cases} x+y=500 \\ 3x+5y=2250 \end{cases}$$

$\therefore x=125,\ y=375$

따라서 필요한 청동 A의 양은 125 g, 청동 B의 양은 375 g이다.

🗒 A : 125 g, B : 375 g

다른 풀이

새로운 청동에 포함된 주석의 양으로 식을 세워도 문제를 해결할 수 있다.

$$\begin{cases} x+y=500 \\ \dfrac{3}{5}x + \dfrac{1}{3}y = 500 \times \dfrac{2}{5} \end{cases} \text{, 즉 } \begin{cases} x+y=500 \\ 9x+5y=3000 \end{cases}$$

$\therefore x=125,\ y=375$

쌤의 복합 개념 특강

비율에 대한 문제

A와 B가 $m : n$일 때

$$A=\dfrac{m}{m+n} \times (A+B),\ B=\dfrac{n}{m+n} \times (A+B)$$

17

[전략] 간식을 준비해 온 학생 수를 x, 간식을 준비해 오지 못한 학생 수를 y라 하고 주어진 비율을 이용하여 A, B 활동에 참여한 학생 수를 각각 구한다.

A 활동에 참여한 학생 수는 $250 \times \dfrac{3}{5} = 150$, B 활동에 참여한 학생 수는 $250 \times \dfrac{2}{5} = 100$이다.

간식을 준비해 온 학생 수를 x, 간식을 준비해 오지 못한 학생 수를 y라 하면 두 활동 A, B에 참여한 학생 수는 다음 표와 같다.

	A 활동	B 활동
간식을 준비해 온 학생 수	$\frac{2}{3}x$	$\frac{1}{3}x$
간식을 준비해 오지 못한 학생 수	$\frac{3}{7}y$	$\frac{4}{7}y$
전체 학생 수	150	100

$$\begin{cases} x+y=250 \\ \dfrac{2}{3}x+\dfrac{3}{7}y=150 \end{cases} \text{즉} \begin{cases} x+y=250 \\ 14x+9y=3150 \end{cases}$$

$\therefore x=180, y=70$

따라서 간식을 준비하고 A 활동에 참여한 학생 수는 $\frac{2}{3} \times 180 = 120$,

간식을 준비해 오지 못하고 B 활동에 참여한 학생 수는

$\frac{4}{7} \times 70 = 40$이므로 구하는 학생 수의 합은 $120 + 40 = 160$

📋 160

18

[**전략**] 나무 블록 1개가 넘어지는 데 걸리는 시간은 $\frac{1}{6}$초이고 플라스틱 블록 1개가 넘어지는 데 걸리는 시간은 $\frac{1}{5}$초임을 이용하여 블록의 개수와 시간에 대한 연립방정식을 세운다.

나무 블록의 개수를 x, 플라스틱 블록의 개수를 y라 하면 일정한 간격으로 세운 나무 블록 x개가 모두 넘어지는 데 걸리는 시간은 $\frac{1}{6}x$초, 일정한 간격으로 세운 플라스틱 블록 y개가 모두 넘어지는 데 걸리는 시간은 $\frac{1}{5}y$초이므로

$$\begin{cases} x+y=1000 \\ \dfrac{1}{6}x+\dfrac{1}{5}y=170 \end{cases} \text{즉} \begin{cases} x+y=1000 \\ 5x+6y=5100 \end{cases}$$

$\therefore x=900, y=100$

따라서 나무 블록은 총 900개 세웠다.

📋 900개

19

[**전략**] 물탱크를 가득 채웠을 때의 물의 양을 1로 놓는다.

물탱크를 가득 채웠을 때의 물의 양을 1이라 하고, A 호스로 1분 동안 채울 수 있는 물의 양을 x, B 호스로 1분 동안 채울 수 있는 물의 양을 y라 하면

$$\begin{cases} 4x+6(x+y)=1 \\ 5(x+y)+6y=1 \end{cases} \text{즉} \begin{cases} 10x+6y=1 \\ 5x+11y=1 \end{cases}$$

$\therefore x=\dfrac{1}{16}, y=\dfrac{1}{16}$

따라서 B 호스로만 이 물탱크를 가득 채우는 데 걸리는 시간은 16분이다.

📋 16분

20

[**전략**] 목수가 만든 장식장의 개수를 x, 책상의 개수를 y라 하고 가구의 개수와 휴일에 대한 연립방정식을 세운다. 휴일을 생각하면 장식장은 5일에 하나씩, 책상은 4일에 하나씩 만들어지고, 마지막 가구를 만들 때는 휴일을 보내지 않는다.

목수가 수요일부터 일을 시작하여 105일 동안 일요일이 15번 있으므로 가구를 만드는 날과 만들 때마다 하루씩 쉬는 휴일을 합하면 총 90일이다. 장식장을 1개를 만드는 데 4일이 걸리고 하루 쉬므로 장식장을 5일에 하나씩 만든다고 할 수 있고, 책상은 1개를 만드는 데 3일이 걸리고 하루 쉬므로 책상은 4일에 하나씩 만든다고 할 수 있다. 또한, 마지막 가구를 만들 때는 휴일을 세지 않으므로 장식장의 개수를 x, 책상의 개수를 y라 하면

$$\begin{cases} x+y=21 \\ 5x+4y-1=90 \end{cases} \text{즉} \begin{cases} x+y=21 \\ 5x+4y=91 \end{cases}$$

$\therefore x=7, y=14$

따라서 목수는 장식장을 7개 만들었다.

📋 7개

쌤의 특강

105일 중 일요일은 항상 쉬고, 가구를 1개씩 만들 때마다 하루의 휴일을 보내기 때문에 목수가 일을 한 105일 중 일요일인 15일을 제외한 $105 - 15 = 90$(일)에서 생각해야 한다.

21

[**전략**] 편성 가능한 광고의 개수와 광고 시간에 대한 연립방정식을 세운다.

방송 시간이 60분인 드라마의 편성 가능한 광고 시간은

$\frac{15}{100} \times 60 = 9$(분), 즉 540초이다.

20초짜리 광고의 개수를 x, 30초짜리 광고의 개수를 y라 하면

$$\begin{cases} 1+x+y=21 \\ 60+20x+30y=540 \end{cases} \text{즉} \begin{cases} x+y=20 \\ 2x+3y=48 \end{cases}$$

$\therefore x=12, y=8$

따라서 30초짜리 상품 광고는 8개 편성할 수 있다.

📋 8개

22

[**전략**] 처음 계획했던 공연 시간이 8분인 팀의 수를 x, 6분인 팀의 수를 y라 하고 연립방정식을 세운다.

처음 계획했던 공연 시간이 8분인 팀의 수를 x, 6분인 팀의 수를 y라 하면, 실제 축제에서 공연 시간이 8분인 팀의 수는 y, 6분인 팀의 수는 x이므로 공연 팀 안내와 공연 사이의 휴식 시간의 합은

$10+x+y-1=x+y+9$(분)

$$\begin{cases} 8x+6y+(x+y+9)=115 \\ 8y+6x+(x+y+9)=127 \end{cases} \text{즉} \begin{cases} 9x+7y=106 \\ 7x+9y=118 \end{cases}$$

$\therefore x=4, y=10$

따라서 처음 계획했던 공연 시간이 8분인 팀은 4팀이다.

📋 4팀

쌤의 만점 특강

전체 공연 시간은 안내 시간과 8분, 6분 동안 공연하는 시간, 그리고 공연 사이의 휴식 시간의 합이다. 이때 공연 사이의 휴식 시간은 {(공연할 팀의 수)-1} 분임에 주의한다.

다른 풀이

공연과 공연 사이에 1분간 휴식 시간이 있으므로 한 팀당 공연 시간에 1분을 더하여 9분, 7분 동안 공연한다고 할 수 있다. 이때 마지막에 공연하는 팀은 공연 이후에 휴식 시간이 없으므로 다음과 같이 식을 세울 수도 있다.

$$\begin{cases} 10+(8+1)x+(6+1)y-1=115 \\ 10+(6+1)x+(8+1)y-1=127 \end{cases}, \ 즉 \begin{cases} 9x+7y=106 \\ 7x+9y=118 \end{cases}$$

$$\therefore x=4, \ y=10$$

LEVEL 3 최고난도 문제   →79쪽

01 138점   **02** 47개   **03** 120000원

04 기차의 길이 : 96 m, 속력 : 초속 42 m

---

01 solution 미리 보기

step ❶	합격자의 평균 점수를 x점, 불합격자의 평균 점수를 y점이라 하고 전체 응시자의 평균 점수 구하기
step ❷	합격자의 최저 점수를 이용하여 연립방정식 세우기
step ❸	연립방정식 풀기
step ❹	합격자의 최저 점수와 전체 응시자의 평균 점수의 합 구하기

60명 중 40명이 합격하였으므로 불합격자는 20명이다.
합격자의 평균 점수를 x점, 불합격자의 평균 점수를 y점이라 하면

$$(전체\ 응시자의\ 평균\ 점수) = \frac{40x+20y}{60} = \frac{2x+y}{3} (점) \qquad ❶$$

합격자의 최저 점수는

$$x-5=3y+20=\frac{2x+y}{3}+16(점) \qquad ❷$$

$$\begin{cases} x-5=3y+20 \\ x-5=\dfrac{2x+y}{3}+16 \end{cases}, \ 즉 \begin{cases} x-3y=25 \\ x-y=63 \end{cases}$$

$$\therefore x=82, \ y=19 \qquad ❸$$

따라서 합격자의 최저 점수는 $82-5=77$(점)이고, 전체 응시자의 평균 점수는 $\dfrac{2\times82+19}{3}=61$(점)이므로 그 합은

$$77+61=138(점)이다. \qquad ❹$$

답 138점

다른 풀이

합격자의 최저 점수를 x점, 전체 응시자의 평균 점수를 y점이라 하면 합격자의 평균 점수는 $(x+5)$점이다.
불합격자의 평균 점수를 k점이라 하면

$$x=3k+20 \qquad \therefore k=\frac{x-20}{3}$$

즉, 불합격자의 평균 점수는 $\dfrac{x-20}{3}$점이므로

$$\begin{cases} x=y+16 \\ 40(x+5)+20\times\dfrac{x-20}{3}=60y \end{cases}, \ 즉 \begin{cases} x-y=16 \\ 7x-9y=-10 \end{cases}$$

$$\therefore x=77, \ y=61$$

따라서 합격자의 최저 점수와 전체 응시자의 평균 점수의 합은

$$77+61=138(점)$$

---

02 solution 미리 보기

step ❶	재생 시간이 2분, 3분, 4분짜리 파일의 개수를 각각 x, y, z라 하고 각 조건을 식으로 나타내기
step ❷	재생 시간, 총 재생 시간에 대한 연립방정식 세우기
step ❸	연립방정식을 풀어 재생 시간이 4분짜리 파일의 개수 구하기

재생 시간이 2분짜리 파일의 개수를 x, 3분짜리 파일의 개수를 y, 4분짜리 파일의 개수를 z라 하면

$$z=x+y+1 \qquad \cdots\cdots ㉠$$

2분짜리 파일의 총 재생 시간은 3분짜리 파일의 총 재생 시간보다 12분이 더 길므로

$$2x=3y+12 \qquad \cdots\cdots ㉡$$

파일과 파일 사이 30초의 간격을 합하면 $\dfrac{1}{2}(x+y+z-1)$분이고 전체 파일의 재생 시간이 5시간 42분, 즉 342분이므로

$$2x+3y+4z+\frac{1}{2}(x+y+z-1)=342 \qquad \cdots\cdots ㉢ \qquad ❶$$

㉠을 ㉢에 대입하면

$$2x+3y+4(x+y+1)+\frac{1}{2}(x+y+x+y)=342$$

즉, $7x+8y=338 \qquad \cdots\cdots ㉣$

㉡과 ㉣을 연립하면

$$\begin{cases} 2x=3y+12 \\ 7x+8y=338 \end{cases}, \ 즉 \begin{cases} 2x-3y=12 \\ 7x+8y=338 \end{cases} \qquad ❷$$

$$\therefore x=30, \ y=16$$

$x=30, \ y=16$을 ㉠에 대입하면

$$z=x+y+1=30+16+1=47$$

따라서 재생 시간이 4분짜리 파일은 47개 있다.   ❸

답 47개

---

03 solution 미리 보기

step ❶	민혁이와 나율이의 3개월 동안의 지불 금액 구하기
step ❷	지불한 총금액과 두 번째 달에 지불한 금액을 이용하여 연립방정식 세우기
step ❸	연립방정식을 풀어 물건의 가격 구하기

첫 번째 달에 민혁이가 지불한 금액을 x원, 나율이가 지불한 금액을 y원이라 하면 두 번째 달에 나율이가 더 많이 지불했으므로 첫 번째 달은 민혁이가 더 많이 지불했다.
두 사람의 3개월 동안의 지불 금액을 표로 나타내면 다음과 같다.

	첫 번째 달(원)	두 번째 달(원)	세 번째 달(원)
민혁	x	$0.6x$	$0.6x+5000$
나율	y	$y+5000$	$0.6(y+5000)$

   ❶

민혁이가 지불한 총금액은

$$x+0.6x+(0.6x+5000)=2.2x+5000(원)이고,$$

나율이가 지불한 총금액은

$y+(y+5000)+0.6(y+5000)=2.6y+8000$ (원)이므로

$\begin{cases} 2.2x+5000=2.6y+8000 \\ y+5000=0.6x+10000 \end{cases}$ ·········· ❷

즉, $\begin{cases} 11x-13y=15000 \\ 3x-5y=-25000 \end{cases}$

$\therefore x=25000, y=20000$

이때 3개월 동안 민혁이가 지불한 총금액은

$2.2x+5000=2.2\times25000+5000=60000$ (원)

이므로 나율이가 지불한 총금액도 60000원이다.

따라서 물건의 가격은 $60000+60000=120000$ (원) ·········· ❸

답 120000원

04 solution 미리 보기

step ❶	현재 기차의 길이와 속력을 각각 x, y로 놓고 새로 만들어지는 기차의 길이와 속력을 x, y에 대한 식으로 나타내기
step ❷	연립방정식 세우기
step ❸	새로 만들어지는 기차의 길이와 속력 구하기

현재 운행하는 기차의 길이를 x m, 속력을 초속 y m라 하면

새로 만들어지는 기차의 길이는

$\left(1+\dfrac{60}{100}\right)x=1.6x$ (m)

새로 만들어지는 기차의 속력은

초속 $\left(1+\dfrac{40}{100}\right)y=1.4y$ (m) ·········· ❶

새로 만들어지는 기차가 철교를 완전히 통과하는 데 걸리는 시간은

$\left(1-\dfrac{20}{100}\right)\times10=8$ (초)이므로

$\begin{cases} x+240=10y \\ 1.6x+240=1.4y\times8 \end{cases}$, 즉 $\begin{cases} x-10y=-240 \\ x-7y=-150 \end{cases}$ ·········· ❷

$\therefore x=60, y=30$

따라서 새로 만들어지는 기차의 길이는 $1.6\times60=96$ (m), 속력은 초속 $1.4\times30=42$ (m) ·········· ❸

답 기차의 길이 : 96 m, 속력 : 초속 42 m

쌤의 만점 특강

기차가 철교를 지나는 경우

기차가 철교를 완전히 통과하는 것은 기차의 맨 앞이 철교에 진입하기 시작할 때부터 기차의 맨 뒤가 철교를 벗어날 때까지이다.

➡ (기차가 철교를 완전히 통과할 때까지 이동한 거리)
= (철교의 길이) + (기차의 길이)

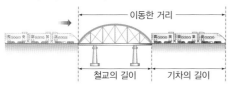

예 길이가 a m인 기차가 길이가 b m인 철교를 완전히 통과할 때까지 이동한 거리
➡ $(a+b)$ m

IV. 함수

08. 일차함수와 그래프 (1)

LEVEL 1 시험에 꼭 내는 문제
→84쪽~86쪽

01 ㄷ, ㄹ, ㅁ	02 ①	03 5	04 ㄷ, ㅂ	05 $a\neq-2$
06 -1	07 3	08 -3	09 ②	10 -4	11 7	12 제2사분면
13 ①	14 ③	15 -16	16 (1) $f(x)=\dfrac{1}{100}x+2000$ (2) 700	
17 (1) 직선 (나) (2) 직선 (다) (3) 직선 (가)	18 6			

01

ㄱ. $x=2$일 때, $y=2, 4, 6, \cdots$으로 y의 값이 하나로 정해지지 않는다.

ㄴ. $x=6$일 때, $y=1, 2, 3, 6$으로 y의 값이 하나로 정해지지 않는다.

ㄷ. 자연수 x의 약수의 개수는 하나로 정해진다.

ㄹ. 자연수 x를 3으로 나눈 나머지는 0, 1, 2 중 하나로 정해진다.

ㅁ. 자연수 x의 절댓값은 하나로 정해진다.

따라서 y가 x의 함수인 것은 ㄷ, ㄹ, ㅁ이다. 답 ㄷ, ㄹ, ㅁ

02

$f(-3)=-2\times(-3)+b=3$이므로 $b=-3$

$f(x)=-2x-3$이므로

$f(p+1)=-2(p+1)-3=-2p-2-3=-2p-5$

즉, $-2p-5=7$이므로 $p=-6$ 답 ①

03

$f(36)=3\times3-1=8$

$f(15)=2\times2-1=3$

$\therefore f(36)-f(15)=8-3=5$ 답 5

쌤의 특강

약수의 개수

자연수 N이 $N=a^m\times b^n$ (a, b는 서로 다른 소수, m, n은 자연수)으로 소인수분해될 때, N의 약수의 개수는 $(m+1)\times(n+1)$이다.

따라서 36의 약수의 개수는 $36=2^2\times3^2$이므로 $(2+1)\times(2+1)=3\times3=9$이다.

04

ㄱ. $y=\dfrac{x(x-3)}{2}$에서 $y=\dfrac{1}{2}x^2-\dfrac{3}{2}x$

ㄴ. $y=\pi x^2$

ㄷ. $y=5x$

ㄹ. $\dfrac{1}{2}xy=10$에서 $y=\dfrac{20}{x}$

ㅁ. $xy=500$에서 $y=\dfrac{500}{x}$

ㅂ. $y=3x+18$

따라서 y가 x의 일차함수인 것은 ㄷ, ㅂ이다.　　　　　답 ㄷ, ㅂ

05

$y+10x=5(3-ax)$에서 $y=15-5ax-10x$
즉, $y=(-5a-10)x+15$가 x에 대한 일차함수가 되려면
$-5a-10\neq0$　　∴ $a\neq-2$　　　　　답 $a\neq-2$

06

$x=1$, $y=3$을 $y=ax+2$에 대입하면
$3=a+2$　　∴ $a=1$
$x=2$, $y=3$을 $y=x+2+b$에 대입하면
$3=2+2+b$　　∴ $b=-1$
∴ $ab=1\times(-1)=-1$　　　　　답 -1

쌤의 오답 피하기 특강

일차함수 $y=ax+b$의 그래프를 y축의 방향으로 m만큼 평행이동한 그래프
의 식은 $y=ax+b+m$이다.

07

$y=x+1$의 그래프를 y축의 방향으로 a만큼 평행이동한 그래프의
식은 $y=x+1+a$
이 식에 $x=0$을 대입하면 $y=1+a$, 즉 y절편은 $1+a$
또한, $y=0$을 $y=x+5-3a$에 대입하면 $x=3a-5$, 즉 x절편은
$3a-5$
따라서 $1+a=3a-5$이므로 $a=3$　　　　　답 3

08

$y=f(x)$에서 $f(6)$은 $x=6$일 때 y의 값이고, $f(3)$은 $x=3$일 때 y
의 값이다.
이 일차함수의 그래프의 기울기는 $\dfrac{-6}{2}=-3$이므로
$\dfrac{f(6)-f(3)}{3}=\dfrac{f(6)-f(3)}{6-3}=$(기울기)$=-3$　　　답 -3

다른 풀이

$f(x)=ax+b$ (a, b는 상수)라 하면
$a=\dfrac{-6}{2}=-3$이므로 $f(x)=-3x+b$이다.
∴ $\dfrac{f(6)-f(3)}{3}=\dfrac{(-18+b)-(-9+b)}{3}=-3$

09

세 점이 한 직선 위에 있으므로 두 점 $(-1, 2)$, $(2, 5)$를 지나는 일
차함수의 그래프의 기울기와 두 점 $(2, 5)$, $(k, 2k)$를 지나는 일차
함수의 그래프의 기울기는 같다.
두 점 $(-1, 2)$, $(2, 5)$를 지나는 일차함수의 그래프의 기울기는
$\dfrac{5-2}{2-(-1)}=1$

따라서 두 점 $(2, 5)$, $(k, 2k)$를 지나는 일차함수의 그래프의 기울
기도 1이므로
$\dfrac{2k-5}{k-2}=1$, $2k-5=k-2$　　∴ $k=3$　　　답 ②

쌤의 특강

한 직선 위에 있는 세 점
세 점이 한 직선 위에 있으면 어느 두 점을 택하여 기울기를 구해도 항상 같다.
즉, 세 점 A, B, C를 지나는 직선에서
(두 점 A, B를 지나는 일차함수의 그래프의 기울기)
=(두 점 B, C를 지나는 일차함수의 그래프의 기울기)
=(두 점 A, C를 지나는 일차함수의 그래프의 기울기)

10

$y=ax-8$의 그래프의 y절편이 -8이고, $a<0$
이므로 그래프는 오른쪽 그림과 같다.
이때 색칠한 부분의 넓이가 8이므로
$\dfrac{1}{2}\times\overline{OA}\times8=8$　　∴ $\overline{OA}=2$
따라서 점 A의 좌표가 $(-2, 0)$이므로
$x=-2$, $y=0$을 $y=ax-8$에 대입하면
$0=-2a-8$　　∴ $a=-4$　　　　　답 -4

다른 풀이

$y=ax-8$의 그래프의 x절편은 $\dfrac{8}{a}$, y절편은 -8이므로 색칠한 부
분의 넓이는
$\dfrac{1}{2}\times\left|\dfrac{8}{a}\right|\times|-8|=8$
이때 $a<0$이므로 $\dfrac{1}{2}\times\left(-\dfrac{8}{a}\right)\times8=8$
$-\dfrac{32}{a}=8$　　∴ $a=-4$

11

$y=ax+5$와 $y=-x+b$의 그래프의 y절편이 5이므로
A$(0, 5)$, $b=5$
즉, $y=-x+5$의 그래프의 x절편이 5이므로
C$(5, 0)$
삼각형 ABC의 넓이가 30이므로
$\dfrac{1}{2}\times\overline{BC}\times5=30$　　∴ $\overline{BC}=12$
따라서 점 B의 좌표는 $(-7, 0)$이므로
$x=-7$, $y=0$을 $y=ax+5$에 대입하면 $a=\dfrac{5}{7}$
∴ $\dfrac{b}{a}=b\div a=5\div\dfrac{5}{7}=5\times\dfrac{7}{5}=7$　　　답 7

쌤의 오답 피하기 특강

오른쪽 그림과 같이 두 일차함수의 그래프와 x축으로
둘러싸인 도형에서 점 A의 x좌표는 음수이지만 $\overline{AB}$
의 길이는 양수임에 주의한다.

12

주어진 일차함수의 그래프가 오른쪽 아래를 향하는 직선이므로

$$-\frac{a}{b}<0$$

또, y절편이 음수이므로 $\frac{c}{a}<0$

즉, $ab>0$이고 $ac<0$이므로

$a>0,\ b>0,\ c<0$ 또는 $a<0,\ b<0,\ c>0$

$\therefore -bc>0,\ ac<0$

따라서 $y=-bcx+ac$의 그래프는 오른쪽 그림과 같으므로 제2사분면을 지나지 않는다.

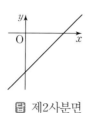

🖪 제2사분면

13

$y=ax+b$의 그래프가 제1, 2, 4사분면을 지나므로

$a<0,\ b>0$

즉, $b-a>0,\ b>0$

따라서 일차함수 $y=(b-a)x+b$의 그래프는 기울기와 y절편이 양수이므로 그래프는 오른쪽 그림과 같다.

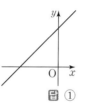

🖪 ①

14

$y=ax+b$의 그래프가 $y=x+3$의 그래프와 평행하므로

$a=1$

$y=2x-1$의 그래프의 y절편이 -1이므로

$b=-1$

$\therefore a+b=1+(-1)=0$

🖪 ③

15

$x=2,\ y=5$를 $y=ax+1$에 대입하면 $5=2a+1$ $\therefore a=2$

$y=2x+1$의 그래프를 y축의 방향으로 b만큼 평행이동한 그래프의 식은 $y=2x+1+b$

이 그래프가 $y=cx-3$의 그래프와 기울기, y절편이 같아야 하므로

$2=c,\ 1+b=-3$ $\therefore c=2,\ b=-4$

$\therefore abc=2\times(-4)\times2=-16$

🖪 -16

16

(1) 100원마다 1포인트를 적립해 주므로 1원에 $\frac{1}{100}$포인트가 적립된다. 즉, x원의 물건을 구입하였을 때 적립되는 포인트는 $\frac{1}{100}x$포인트이므로

$$f(x)=\frac{1}{100}x+2000$$

(2) $f(10000)=3b$이므로

$$3b=\frac{1}{100}\times10000+2000,\ 3b=2100$$

$\therefore b=700$

🖪 (1) $f(x)=\frac{1}{100}x+2000$ (2) 700

17

직선 ㈏와 직선 ㈐는 오른쪽 위를 향하므로 기울기가 양수이고, 직선 ㈎는 오른쪽 아래를 향하므로 기울기가 음수이다. 따라서 (3)의 그래프는 직선 ㈎이다.

한편, $b<0$, 즉 $-b>0$이므로 (1)의 그래프의 y절편은 양수이고 (2)의 그래프의 y절편은 (1)의 그래프보다 3만큼 작다. 따라서 (1)의 그래프는 직선 ㈏이고 (2)의 그래프는 직선 ㈐이다.

🖪 (1) 직선 ㈏ (2) 직선 ㈐ (3) 직선 ㈎

18

두 점 $A(-3,1)$, $B(1,1)$이 오른쪽 그림과 같으므로 $y=2x+b$의 그래프가 점 A를 지날 때 b의 값이 가장 크고, 점 B를 지날 때 b의 값이 가장 작다.

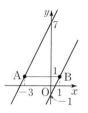

$x=-3,\ y=1$을 $y=2x+b$에 대입하면 $b=7$

$x=1,\ y=1$을 $y=2x+b$에 대입하면 $b=-1$

따라서 구하는 값은 $7+(-1)=6$

🖪 6

LEVEL 2 필수 기출 문제
→87쪽~92쪽

01 3개	02 10	03 ⑤	04 $a=0,\ b\neq-1$	05 $\frac{70}{17}$
06 -1	07 -6	08 $\frac{9}{4}$	09 6개	10 -2	11 -1
12 $-3<a\leq-2$	13 -6	14 $\frac{2}{5}\leq a\leq\frac{1}{2}$	15 $\frac{4}{3}$	16 -2
17 14	18 $\frac{2}{3}$	19 -1	20 $-\frac{1}{4},\frac{1}{4}$	21 제4사분면	22 1
23 22	24 -3			

01

[전략] x의 값에 따라 y의 값이 하나씩 정해지는지 확인한다.

ㄱ. $x=2$일 때, $y=1,\ 3,\ 5,\ 7,\ 9,\ \cdots$이므로 y의 값이 하나로 정해지지 않는다.

ㄴ. 절댓값이 자연수 x가 되는 자연수 y의 값은 하나로 정해진다.

ㄷ. 키가 150 cm인 사람의 몸무게는 다양하므로 x의 값에 따라 y의 값이 하나로 정해지지 않는다.

ㄹ. $x=3$일 때, $y=2,\ 5,\ 8,\ 11,\ \cdots$이므로 y의 값이 하나로 정해지지 않는다.

ㅁ. $xy=16$에서 $y=\frac{16}{x}$

ㅂ. $y=\frac{5}{100}x$

따라서 y가 x의 함수인 것은 ㄴ, ㅁ, ㅂ의 3개이다.

🖪 3개

02

[전략] $\frac{2x-1}{3}=1$을 만족시키는 x의 값을 먼저 구한다.

$\dfrac{2x-1}{3}=1$에서 $2x-1=3$, $2x=4$ $\quad\therefore x=2$

$x=2$를 $f\left(\dfrac{2x-1}{3}\right)=6x-a$에 대입하면 $f(1)=12-a$

이때 $12-a=2$이므로 $a=10$ 　　　　　　　　　답 10

03

[전략] 주어진 조건을 이용하여 함숫값을 구한다.

② $0\le x-f(x)<1$이므로 $f(x)\le x$

⑤ $x=\dfrac{1}{2}$일 때,

(좌변)$=f\left(\dfrac{1}{2}\right)+f\left(\dfrac{1}{2}+1\right)=0+1=1$

(우변)$=f(2)=2$이므로

$\quad f(x)+f(x+1)\ne f(2x+1)$

따라서 옳지 않은 것은 ⑤이다. 　　　　　　　　답 ⑤

04

[전략] 우변을 x에 대한 식으로 정리한다.

$y=2x(1-ax)+2bx+3$에서 $y=2x-2ax^2+2bx+3$

즉, $y=-2ax^2+(2b+2)x+3$이 일차함수가 되려면

$-2a=0$, $2b+2\ne 0$

$\therefore a=0$, $b\ne -1$ 　　　　　　　答 $a=0$, $b\ne -1$

05

[전략] $\mathrm{B}(a,0)$, $\mathrm{C}(b,0)$으로 놓고 두 점 A, D의 좌표를 각각 구한다.

$\mathrm{B}(a,0)$, $\mathrm{C}(b,0)$이라 하면 $\mathrm{A}\left(a,\dfrac{7}{3}a\right)$, $\mathrm{D}(b,-b+10)$

사각형 ABCD가 정사각형이므로

$\overline{\mathrm{AB}}=\overline{\mathrm{BC}}$에서 $\dfrac{7}{3}a=b-a$ $\quad\therefore b=\dfrac{10}{3}a$ 　　$\cdots\cdots\text{㉠}$

$\overline{\mathrm{BC}}=\overline{\mathrm{DC}}$에서 $b-a=-b+10$ $\quad\therefore a=2b-10$ 　　$\cdots\cdots\text{㉡}$

㉠을 ㉡에 대입하여 풀면 $a=\dfrac{30}{17}$

$\therefore \overline{\mathrm{AB}}=\dfrac{7}{3}a=\dfrac{7}{3}\times\dfrac{30}{17}=\dfrac{70}{17}$ 　　　　答 $\dfrac{70}{17}$

다른 풀이

$\mathrm{B}(a,0)$이라 하면 $\mathrm{A}\left(a,\dfrac{7}{3}a\right)$

두 점 A와 D의 y좌표가 같으므로 $\mathrm{D}\left(-\dfrac{7}{3}a+10,\dfrac{7}{3}a\right)$

$\overline{\mathrm{AB}}=\overline{\mathrm{AD}}$이므로 $\dfrac{7}{3}a=-\dfrac{10}{3}a+10$ $\quad\therefore a=\dfrac{30}{17}$

$\therefore \overline{\mathrm{AB}}=\dfrac{7}{3}a=\dfrac{70}{17}$

06

[전략] x절편은 $y=0$일 때 x의 값이고, y절편은 $x=0$일 때 y의 값이다.

$y=ax+2$의 그래프의 x절편은 $-\dfrac{2}{a}$이고, y절편은 2이다.

따라서 $-\dfrac{2}{a}=-2$이므로 $a=1$

$x=-3$, $y=k$를 $y=x+2$에 대입하면

$k=-3+2=-1$ 　　　　　　　　　　　답 -1

07

[전략] 각 그래프의 x절편과 y절편을 구한다.

$\mathrm{A}(0,n)$, $\mathrm{B}(0,-m)$, $\mathrm{C}\left(\dfrac{n}{4},0\right)$, $\mathrm{D}(2m,0)$이므로

$\overline{\mathrm{AB}}=n+m=10$ 　　　　$\cdots\cdots\text{㉠}$

$\overline{\mathrm{CD}}=2m-\dfrac{n}{4}=2$, 즉 $8m-n=8$ 　　$\cdots\cdots\text{㉡}$

㉠, ㉡을 연립하여 풀면 $m=2$, $n=8$

$\therefore m-n=2-8=-6$ 　　　　　　　답 -6

08

[전략] 일차함수의 그래프의 기울기는 $\dfrac{(y\text{의 값의 증가량})}{(x\text{의 값의 증가량})}$이다.

$y=\dfrac{4}{3}x$의 그래프의 기울기가 $\dfrac{4}{3}$이므로 $\dfrac{\overline{\mathrm{PC}}}{\overline{\mathrm{PA}}}=\dfrac{4}{3}$ $\quad\therefore \dfrac{\overline{\mathrm{PA}}}{\overline{\mathrm{PC}}}=\dfrac{3}{4}$

$y=\dfrac{1}{3}x$의 그래프의 기울기가 $\dfrac{1}{3}$이므로 $\dfrac{\overline{\mathrm{PD}}}{\overline{\mathrm{PB}}}=\dfrac{1}{3}$ $\quad\therefore \dfrac{\overline{\mathrm{PB}}}{\overline{\mathrm{PD}}}=3$

$\therefore \dfrac{\overline{\mathrm{PA}}\times\overline{\mathrm{PB}}}{\overline{\mathrm{PC}}\times\overline{\mathrm{PD}}}=\dfrac{\overline{\mathrm{PA}}}{\overline{\mathrm{PC}}}\times\dfrac{\overline{\mathrm{PB}}}{\overline{\mathrm{PD}}}=\dfrac{3}{4}\times 3=\dfrac{9}{4}$ 　　答 $\dfrac{9}{4}$

다른 풀이

$\mathrm{A}\left(a,\dfrac{4}{3}a\right)$라 하면 $\mathrm{B}\left(4a,\dfrac{4}{3}a\right)$, $\mathrm{C}\left(b,\dfrac{4}{3}b\right)$라 하면 $\mathrm{D}\left(b,\dfrac{1}{3}b\right)$

$\therefore \mathrm{P}\left(b,\dfrac{4}{3}a\right)$

따라서 $\overline{\mathrm{PA}}=b-a$, $\overline{\mathrm{PB}}=4a-b$, $\overline{\mathrm{PC}}=\dfrac{4}{3}b-\dfrac{4}{3}a$,

$\overline{\mathrm{PD}}=\dfrac{4}{3}a-\dfrac{1}{3}b$이므로

$\dfrac{\overline{\mathrm{PA}}\times\overline{\mathrm{PB}}}{\overline{\mathrm{PC}}\times\overline{\mathrm{PD}}}=\dfrac{(b-a)(4a-b)}{\left(\dfrac{4}{3}b-\dfrac{4}{3}a\right)\left(\dfrac{4}{3}a-\dfrac{1}{3}b\right)}=\dfrac{1}{\dfrac{4}{3}\times\dfrac{1}{3}}=\dfrac{1}{\dfrac{4}{9}}$

$=1\div\dfrac{4}{9}=\dfrac{9}{4}$

09

[전략] 일차함수의 그래프는 평행이동하여도 기울기가 변하지 않음을 이용하여 기울기가 $-\dfrac{1}{2}$인 일차함수의 그래프가 지나는 두 점을 찾는다.

기울기가 $-\dfrac{1}{2}$인 일차함수의 그래프가 지나는 두 점은 한 점을 기준으로 x축의 방향으로 2만큼, y축의 방향으로 -1만큼 이동한 점이다.

즉, 기울기가 $-\dfrac{1}{2}$인 일차함수의 그래프가 지나는 두 점은 $(0,1)$과 $(2,0)$, $(0,2)$와 $(2,1)$, $(0,3)$과 $(2,2)$, $(1,1)$과 $(3,0)$, $(1,2)$와 $(3,1)$, $(1,3)$과 $(3,2)$의 6개이다.

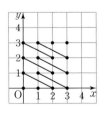

따라서 $y=-\dfrac{1}{2}x$의 그래프를 y축의 방향으로 평행이동한 그래프 중에서 좌표평면 위에 표시된 두 점을 지나는 것은 6개이다. 　　　　답 6개

10

[전략] 일차함수의 그래프의 기울기를 각각 구한다.

두 일차함수의 그래프의 x절편을 a라 하면

$p=\dfrac{-3}{a-4},\ q=\dfrac{-3}{a+2}$이므로 $\dfrac{1}{p}=-\dfrac{a-4}{3},\ \dfrac{1}{q}=-\dfrac{a+2}{3}$

$\therefore \dfrac{p-q}{pq}=\dfrac{1}{q}-\dfrac{1}{p}=-\dfrac{a+2}{3}+\dfrac{a-4}{3}=-2$ **답** -2

11

[전략] 점이 찍히는 규칙을 찾고, 찍힌 점의 개수를 구한다.

오른쪽 그림과 같이 원점을 출발하여
규칙에 따라 점을 찍으면 10번째 점
의 좌표는 $(2, 0)$이다.

이때 점 $(1, 0)$, $(2, -1)$, $(3, -2)$를
각각 A, B, C라 하면 각 점이 포함된
정사각형에 속한 점의 개수는 각각 8,
16, 24이므로 점 D는

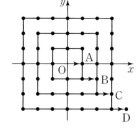

$8+16+24+1=49$번째 점이고 그 좌표는 $(4, -3)$이다.

따라서 50번째 점의 좌표는 $(4, -2)$이므로 두 점 $(2, 0)$과 $(4, -2)$
를 연결하는 직선을 그래프로 하는 일차함수의 기울기는

$\dfrac{-2-0}{4-2}=-1$ **답** -1

12

[전략] $y=\dfrac{1}{2}x+2$의 그래프를 그린 후 조건을 만족시키는 $y=ax+7$의 그래프를 그린다.

$y=\dfrac{1}{2}x+2$의 그래프의 y절편은 2이고,

$y=ax+7$의 그래프의 y절편은 7이다.

이때 두 일차함수의 그래프와 y축으로 둘
러싸인 삼각형의 내부에 x좌표, y좌표가
정수인 점이 2개 있으려면 $y=ax+7$의
그래프는 오른쪽 그림과 같아야 한다.

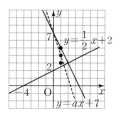

즉, $f(x)=ax+7$이라 할 때, $4<f(1)\le5$이어야 하므로

$4<a+7\le5$ $\therefore -3<a\le-2$ **답** $-3<a\le-2$

13

[전략] 좌표평면 위에 $\triangle ABC$를 그린 후 기울기가 1인 일차함수의 그래프가 만나는 점을 찾는다.

$y=x+b$의 그래프는 기울기가 1이
고 y절편이 b이다.

따라서 $y=x+b$의 그래프가
점 B$(-2, -1)$을 지날 때 b의 값이
가장 크고, 점 C$(5, -2)$를 지날 때 b
의 값이 가장 작다.

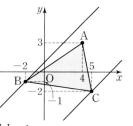

$x=-2$, $y=-1$을 $y=x+b$에 대입하면 $b=1$

$x=5$, $y=-2$를 $y=x+b$에 대입하면 $b=-7$

따라서 가장 큰 값과 가장 작은 값의 합은

$1+(-7)=-6$ **답** -6

14

[전략] 주어진 선분의 양 끝 점을 지나는 그래프의 기울기를 각각 구한다.

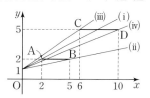

(i) $y=ax+1$의 그래프가 점 A$(2, 2)$를 지날 때 $a=\dfrac{1}{2}$이고,

$y=\dfrac{1}{2}x+1$의 그래프가 점 $(8, 5)$를 지나므로 $\overline{CD}$와 만난다.

(ii) $y=ax+1$의 그래프가 점 B$(5, 2)$를 지날 때 $a=\dfrac{1}{5}$이고,

$y=\dfrac{1}{5}x+1$의 그래프가 점 $(20, 5)$를 지나므로 $\overline{CD}$와 만나지 않는다.

(iii) $y=ax+1$의 그래프가 점 C$(6, 5)$를 지날 때 $a=\dfrac{2}{3}$이고,

$y=\dfrac{2}{3}x+1$의 그래프가 점 $\left(\dfrac{3}{2}, 2\right)$를 지나므로 $\overline{AB}$와 만나지 않는다.

(iv) $y=ax+1$의 그래프가 점 D$(10, 5)$를 지날 때 $a=\dfrac{2}{5}$이고,

$y=\dfrac{2}{5}x+1$의 그래프가 점 $\left(\dfrac{5}{2}, 2\right)$를 지나므로 $\overline{AB}$와 만난다.

(i)~(iv)에서 $y=ax+1$의 그래프가 $\overline{AB}$, $\overline{CD}$와 동시에 만나기 위
한 상수 a의 값의 범위는 $\dfrac{2}{5}\le a\le\dfrac{1}{2}$이다. **답** $\dfrac{2}{5}\le a\le\dfrac{1}{2}$

15

[전략] $\overline{AD}=k$라 하고 일차함수의 그래프의 기울기를 이용하여 다른 선분의 길이를 나타낸다.

$\overline{AD}=k$라 하면 $\overline{CD}=k$

$y=\dfrac{1}{3}x+1$의 그래프의 기울기가 $\dfrac{\overline{CD}}{\overline{DE}}=\dfrac{1}{3}$이므로 $\overline{DE}=3k$

$\overline{GD}=\overline{DE}=3k$이고,

$y=ax+1$의 그래프의 기울기가 $\dfrac{\overline{GD}}{\overline{AD}}=\dfrac{3k}{k}=3$이므로 $a=3$

$x=6$을 $y=\dfrac{1}{3}x+1$에 대입하면 $y=3$이므로 E$(6, 3)$이고,

두 점 A, E가 한 선분 위에 있으므로 점 A의 y좌표도 3이다.

즉, 점 A는 $y=3x+1$의 그래프 위의 점이므로

$y=3$을 $y=3x+1$에 대입하면 $3=3x+1$ $\therefore x=\dfrac{2}{3}$

따라서 A$\left(\dfrac{2}{3}, 3\right)$이고 $\overline{AE}=6-\dfrac{2}{3}=\dfrac{16}{3}$이므로

$\overline{AD}=\dfrac{16}{3}\times\dfrac{1}{4}=\dfrac{4}{3}$ **답** $\dfrac{4}{3}$

쌤의 만점 특강

좌표축에 평행한 선분을 이용하여 일차함수의 그래프의 기울기를 구한다.

16

[전략] 평행이동한 그래프가 직사각형 ABCD와 만나는 두 점의 좌표를 구한다.

$y=\dfrac{3}{2}x$의 그래프를 y축의 방향으로 k만큼

평행이동한 그래프의 식은 $y=\dfrac{3}{2}x+k$

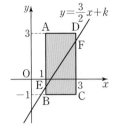

$y=\dfrac{3}{2}x+k$의 그래프가 직사각형

ABCD의 변 AB, 변 DC와 만나는 점을

각각 E, F라 하자. $y=\dfrac{3}{2}x+k$에서

$x=1$일 때 $y=\dfrac{3}{2}+k$이므로 $E\left(1,\ \dfrac{3}{2}+k\right)$

$x=3$일 때 $y=\dfrac{9}{2}+k$이므로 $F\left(3,\ \dfrac{9}{2}+k\right)$

직사각형 ABCD의 넓이는 $2\times4=8$이므로 사각형 EBCF의 넓이

는 $\dfrac{1}{2}\times\left\{\left(\dfrac{5}{2}+k\right)+\left(\dfrac{11}{2}+k\right)\right\}\times2=\dfrac{1}{2}\times8$

$8+2k=4$ $\therefore k=-2$ 답 -2

17

[전략] 두 일차함수의 그래프의 x절편과 y절편을 각각 구한다.

$y=-x+6$의 그래프의 x절편은 6, y절편은 6이고 $y=-\dfrac{1}{2}x+2$

의 그래프의 x절편은 4, y절편은 2이다.

따라서 두 일차함수의 그래프와 x축 및 y축으로 둘러싸인 도형의

넓이는

$\dfrac{1}{2}\times6\times6-\dfrac{1}{2}\times4\times2=18-4=14$ 답 14

18

[전략] 일차함수의 그래프의 x절편과 y절편을 구한다.

$y=-\dfrac{2}{3}x+4$의 그래프의 x절편은 6이고, y절

편은 4이므로 그래프는 오른쪽 그림과 같다.

색칠한 도형을 x축을 회전축으로 하여 1회전

시킬 때 생기는 도형은 밑면의 반지름의 길이가

4, 높이가 6인 원뿔이므로 그 부피는

$A=\dfrac{1}{3}\times\pi\times4^2\times6=32\pi$

y축을 회전축으로 하여 1회전 시킬 때 생기는 도형은 밑면의 반지

름의 길이가 6, 높이가 4인 원뿔이므로 그 부피는

$B=\dfrac{1}{3}\times\pi\times6^2\times4=48\pi$

$\therefore \dfrac{A}{B}=\dfrac{32\pi}{48\pi}=\dfrac{2}{3}$ 답 $\dfrac{2}{3}$

쌤의 복합 개념 특강

개념1 회전체(원뿔)

직각삼각형의 빗변이 아닌 한 변을 회전축으

로 하여 1회전 시킬 때 생기는 회전체는

오른쪽 그림과 같이 원뿔이다.

개념2 원뿔의 부피

밑면의 반지름의 길이가 r, 높이가 h인 원뿔의 부피 V는

$V=\dfrac{1}{3}\times(밑넓이)\times(높이)=\dfrac{1}{3}\pi r^2 h$

19

[전략] $\overline{OB}$를 두 삼각형의 밑변으로 생각한다.

$y=2x$의 그래프가 점 P를 지나므로 P$(1, 2)$

또, $y=ax+b$의 그래프가 점 P를 지나므로

$x=1,\ y=2$를 $y=ax+b$에 대입하면 $a+b=2$ ⋯⋯㉠

$y=ax+b$의 그래프의 x절편이 $-\dfrac{b}{a}$이므로 $A\left(-\dfrac{b}{a},\ 0\right)$,

y절편이 b이므로 B$(0, b)$

삼각형 BAO의 넓이는 $\dfrac{1}{2}\times b\times\dfrac{b}{a}=\dfrac{b^2}{2a}$,

삼각형 PBO의 넓이는 $\dfrac{1}{2}\times b\times1=\dfrac{b}{2}$이므로

$\dfrac{b^2}{2a}=\dfrac{b}{2}\times3,\ \dfrac{b}{a}=3$

$\therefore b=3a$ ⋯⋯㉡

㉠, ㉡을 연립하여 풀면 $a=\dfrac{1}{2},\ b=\dfrac{3}{2}$

$\therefore a-b=\dfrac{1}{2}-\dfrac{3}{2}=-1$ 답 -1

20

[전략] 주어진 조건을 만족시키는 정사각형과 일차함수의 그래프를 그린다.

$y=ax+4$의 그래프의 y절편은 4이므로 $y=ax+4$의 그래프는

항상 점 P$(0, 4)$를 지난다.

정사각형 OABC를 좌표평면 위에 나타

내면 오른쪽 그림과 같고, $\overline{AB}$ 위의 한 점

을 Q$(8, k)$라 하자.

이때 사각형 CPQB의 넓이는

$\dfrac{1}{2}\times(4+8-k)\times8=4(12-k)$

사각형 POAQ의 넓이는

$\dfrac{1}{2}\times(4+k)\times8=4(4+k)$

(i) $a<0$일 때 □CPQB : □POAQ$=5:3$이므로

   $4(12-k) : 4(4+k)=5:3$

   $3(12-k)=5(4+k),\ 8k=16$ $\therefore k=2$

   $\therefore$ Q$(8, 2)$

   $x=8,\ y=2$를 $y=ax+4$에 대입하면

   $2=8a+4$ $\therefore a=-\dfrac{1}{4}$

(ii) $a>0$일 때 □POAQ : □CPQB$=5:3$이므로

   $4(4+k) : 4(12-k)=5:3$

   $3(4+k)=5(12-k),\ 8k=48$ $\therefore k=6$

   $\therefore$ Q$(8, 6)$

   $x=8,\ y=6$을 $y=ax+4$에 대입하면

   $6=8a+4$ $\therefore a=\dfrac{1}{4}$

(i), (ii)에서 a의 값은 $-\dfrac{1}{4},\ \dfrac{1}{4}$이다. 답 $-\dfrac{1}{4},\ \dfrac{1}{4}$

21

[전략] 주어진 조건을 이용하여 a, b의 부호를 구한다.

$0<f(0)$이고 $f(0)=b$이므로 $b>0$

$f(-1)-f(1)>0$이고
$f(-1)-f(1)=-a+b-(a+b)=-2a$이므로 $-2a>0$
$\therefore a<0$
즉, $y=bx-a$의 그래프의 기울기가 양수이고,
y절편이 양수이므로 그래프는 오른쪽 그림과
같다.

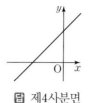

따라서 제4사분면을 지나지 않는다.

🔁 제4사분면

22
[전략] 주어진 조건을 이용하여 a, b, c, d의 부호를 판별한다.
$a>0$, $b<0$, $c>0$, $d<0$이다.
ㄱ. $a>0$, $b<0$이므로 $a>b$
ㄴ. $a>0$, $c>0$이고 $y=ax+b$의 그래프가 $y=cx+d$의 그래프보
다 y축에 더 가까우므로 $a>c$
ㄷ. $a>0$, $b<0$이므로 $ab<0$
ㄹ. $y=ax+b$의 그래프의 x절편은 $-\dfrac{b}{a}$이고 $y=cx+d$의 그래프
의 x절편은 $-\dfrac{d}{c}$이다.
즉, $-\dfrac{b}{a}<-\dfrac{d}{c}$이므로 $\dfrac{b}{a}>\dfrac{d}{c}$
ㅁ. $x=1$일 때, $y=ax+b$의 함숫값이 $a+b$이므로 $a+b>0$
따라서 옳은 것은 ㄱ의 1개이다.

🔁 1

23
[전략] 두 일차함수의 그래프가 평행하면 기울기가 같다.
$y=ax+6$과 $y=2x+b$의 그래프가 평행하므로 $a=2$
$y=2x+6$의 그래프의 x절편은 -3이다.
즉, A$(-3, 0)$이고 $\overline{AB}=7$이므로 B$(-10, 0)$ 또는 B$(4, 0)$
(ⅰ) B$(-10, 0)$일 때, $x=-10$, $y=0$을 $y=2x+b$에 대입하면
$b=20$
(ⅱ) B$(4, 0)$일 때, $x=4$, $y=0$을 $y=2x+b$에 대입하면 $b=-8$
(ⅰ), (ⅱ)에서 $a+b=22$ 또는 $a+b=-6$
따라서 구하는 값은 22이다.

🔁 22

24
[전략] 두 일차함수의 그래프가 만나지 않는다는 것은 평행하다는 뜻이다.
$y=ax+4$와 $y=-2x-3$의 그래프가 평행하므로 $a=-2$
$y=-2x+4$와 $y=-\dfrac{1}{2}x-b$의 그래프가 x축 위에서 만나므로 x
절편이 같다.
$y=-2x+4$의 그래프의 x절편이 2이므로 $y=-\dfrac{1}{2}x-b$의 그래
프의 x절편도 2이다.
$x=2$, $y=0$을 $y=-\dfrac{1}{2}x-b$에 대입하면
$0=-1-b$ $\therefore b=-1$
$\therefore a+b=-2+(-1)=-3$

🔁 -3

→ 93쪽

LEVEL 3 최고난도 문제

01 제3사분면   **02** 2   **03** 4개   **04** $\dfrac{25}{6}$

01 solution 미리 보기

step ❶	두 그래프가 만나는 점의 x좌표 구하기
step ❷	$a+b$의 부호 판별하기
step ❸	점 $(ab, a+b)$가 제몇 사분면 위의 점인지 구하기

$y=ax+b$와 $y=bx+a$의 그래프가 만나는 점의 x좌표를 p라 하
면 만나는 점의 좌표는 $(p, ap+b)$이다.
$x=p$, $y=ap+b$를 $y=bx+a$에 대입하면
$ap+b=bp+a$, $(a-b)p=a-b$
이때 $a\ne b$이므로 $p=1$ ...... ❶
따라서 두 그래프가 만나는 점 $(1, a+b)$가 제4사분면 위에 있으
려면 y좌표가 음수이어야 하므로 $a+b<0$ ...... ❷
이때 $a>0$이므로 $b<0$ $\therefore ab<0$
그러므로 점 $(ab, a+b)$는 제3사분면 위의 점이다. ...... ❸

🔁 제3사분면

02 solution 미리 보기

step ❶	△OAP의 넓이가 일정하기 위한 조건을 이용하여 a의 값 구하기
step ❷	△OAP의 넓이를 이용하여 b의 값을 구한 후, ab의 값 구하기

$\overline{OA}$를 밑변으로 하는 △OAP의 넓이
가 항상 일정하려면 두 점 O$(0, 0)$과
A$(2, 1)$을 지나는 일차함수의 그래프
와 $y=ax+b$의 그래프가 평행해야 한
다.
$\therefore a=\dfrac{1}{2}$ ...... ❶

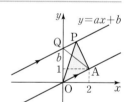

△OAP의 넓이가 항상 4이고 $y=ax+b$의 그래프가 y축과 만나
는 점을 Q라 하면
$\triangle OAP=\triangle OAQ=\dfrac{1}{2}\times b\times 2=4$이므로 $b=4$
$\therefore ab=\dfrac{1}{2}\times 4=2$ ...... ❷

🔁 2

03 solution 미리 보기

step ❶	x절편과 y절편을 이용하여 두 점 A, B의 좌표 구하기
step ❷	$y=a(x+1)-2$의 그래프가 항상 지나는 점의 좌표 구하기
step ❸	조건을 만족시키는 자연수 a의 값과 그 개수 구하기

$y=0$을 $y=-\dfrac{4}{3}x+4$에 대입하면 $x=3$이므로 A$(3, 0)$
$x=0$을 $y=-\dfrac{4}{3}x+4$에 대입하면 $y=4$이므로 B$(0, 4)$
...... ❶
$x=-1$을 $y=a(x+1)-2$에 대입하면 $y=-2$이므로
$y=a(x+1)-2$의 그래프는 항상 점 P$(-1, -2)$를 지난다.
...... ❷

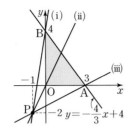

$y=a(x+1)-2$의 그래프가

(i) 두 점 P, B를 지날 때

$x=0$, $y=4$를 $y=a(x+1)-2$에 대입하면

$4=a-2$ ∴ $a=6$

(ii) 두 점 P, O를 지날 때

$x=0$, $y=0$을 $y=a(x+1)-2$에 대입하면

$0=a-2$ ∴ $a=2$

(iii) 두 점 P, A를 지날 때

$x=3$, $y=0$을 $y=a(x+1)-2$에 대입하면

$0=4a-2$ ∴ $a=\dfrac{1}{2}$

(i), (ii), (iii)에서 $y=a(x+1)-2$의 그래프가 △OAB를 삼각형과 사각형으로 나누어지게 하는 a의 값의 범위는 $\dfrac{1}{2}<a<2$ 또는 $2<a<6$이다.

따라서 구하는 자연수 a의 값은 1, 3, 4, 5의 4개이다. ────── ❸

답 4개

04 solution 미리 보기

step ❶	가장 작은 정사각형의 한 변의 길이를 이용하여 a의 값 구하기
step ❷	점 B, C, D의 좌표 구하기
step ❸	두 삼각형의 넓이의 합 구하기

정사각형 AEOF의 한 변의 길이를 k라 하면 $4k=3$이므로 $k=\dfrac{3}{4}$

A$\left(\dfrac{3}{4}, \dfrac{3}{4}\right)$이므로 $x=\dfrac{3}{4}$, $y=\dfrac{3}{4}$을 $y=-\dfrac{1}{3}x+a$에 대입하면

$\dfrac{3}{4}=-\dfrac{1}{4}+a$

∴ $a=1$ ────── ❶

$x=-6$을 $y=-\dfrac{1}{3}x+1$에 대입하면 $y=3$이므로 B$(-6, 3)$이고, 정사각형 BGHI의 한 변의 길이가 3이므로 H$(-9, 0)$이다.

또한, $x=-9$를 $y=-\dfrac{1}{3}x+1$에 대입하면 $y=4$이므로 C$(-9, 4)$이고, 정사각형 CJKH의 한 변의 길이가 4이므로

K$(-13, 0)$, D$\left(-13, \dfrac{16}{3}\right)$이다. ────── ❷

∴ (△BCG와 △CDJ의 넓이의 합)

$=\dfrac{1}{2}\times3\times1+\dfrac{1}{2}\times4\times\dfrac{4}{3}$

$=\dfrac{3}{2}+\dfrac{8}{3}=\dfrac{25}{6}$ ────── ❸

답 $\dfrac{25}{6}$

09. 일차함수와 그래프 (2)

LEVEL 1 시험에 꼭 내는 문제
→ 95쪽~96쪽

01 $y=x+2$	02 $\left(\dfrac{1}{3}, 0\right)$	03 $y=\dfrac{1}{2}x-\dfrac{3}{2}$	04 -10
05 -2	06 ㄱ, ㄴ	07 60분 후	
08 (1) $y=-150x+2400$ (2) 16분 후			09 2020년
10 42 ℃	11 1	12 2초 후	

01

조건 (가)에서 y절편이 2이고, 조건 (나), (다)에서 기울기의 절댓값이 1이면서 양수이므로 기울기는 1이다.

따라서 구하는 일차함수의 식은 $y=x+2$이다. 답 $y=x+2$

02

주어진 그래프가 두 점 $(0, -1)$, $(1, 2)$를 지나므로

기울기는 $\dfrac{2-(-1)}{1-0}=3$이고, y절편이 -1이다.

∴ $y=3x-1$

$y=3x-1$에 $y=0$을 대입하면

$0=3x-1$, $x=\dfrac{1}{3}$

따라서 x축과 만나는 점의 좌표는 $\left(\dfrac{1}{3}, 0\right)$이다. 답 $\left(\dfrac{1}{3}, 0\right)$

쌤의 오답 피하기 특강

일차함수의 그래프가 x축과 만나는 점은 x축 위의 점이므로 y좌표는 항상 0이다. x에 0을 대입하지 않도록 주의한다.

03

주어진 그래프가 두 점 $(-4, 0)$, $(0, 2)$를 지나므로 기울기는

$\dfrac{2-0}{0-(-4)}=\dfrac{1}{2}$

또한, $y=\dfrac{1}{3}x-1$에 $y=0$을 대입하면

$\dfrac{1}{3}x-1=0$, $x=3$

즉, 구하는 일차함수의 그래프는 기울기가 $\dfrac{1}{2}$이고, x절편이 3이다.

$y=\dfrac{1}{2}x+b$라 하고 $x=3$, $y=0$을 대입하면

$0=\dfrac{3}{2}+b$, $b=-\dfrac{3}{2}$

따라서 구하는 일차함수의 식은 $y=\dfrac{1}{2}x-\dfrac{3}{2}$이다. 답 $y=\dfrac{1}{2}x-\dfrac{3}{2}$

04

주어진 그래프가 두 점 $(-3, 2)$, $(1, -4)$를 지나므로 기울기는

$\dfrac{-4-2}{1-(-3)}=-\dfrac{3}{2}$

$y=-\dfrac{3}{2}x+b$라 하고 $x=1$, $y=-4$를 대입하면

$-4=-\dfrac{3}{2}+b$, $b=-\dfrac{5}{2}$

$\therefore y=-\dfrac{3}{2}x-\dfrac{5}{2}$

따라서 $y=-\dfrac{3}{2}x-\dfrac{5}{2}$에 $x=5$, $y=k$를 대입하면

$k=-\dfrac{15}{2}-\dfrac{5}{2}=-10$ 🔲 -10

05

두 점 $(-1, 6)$, $(3, -2)$를 지나는 일차함수의 그래프의 기울기는

$\dfrac{-2-6}{3-(-1)}=-2$

$y=-2x+c$라 하고 $x=3$, $y=-2$를 대입하면

$-2=-6+c$, $c=4$

$\therefore y=-2x+4$ ······㉠

이때 $y=ax+b$의 그래프를 y축의 방향으로 3만큼 평행이동한 그래프의 식은

$y=ax+b+3$

이는 ㉠과 같으므로 $a=-2$, $b+3=4$

$\therefore a=-2$, $b=1$

$\therefore ab=-2\times1=-2$ 🔲 -2

06

두 점 $(1, 0)$, $(0, -2)$를 지나므로

$(\text{기울기})=\dfrac{0-(-2)}{1-0}=2$

$\therefore y=2x-2$

ㄱ. 기울기는 2이다.

ㄴ. $x=2$, $y=2$를 $y=2x-2$에 대입하면 등식이 성립한다.

ㄷ. 기울기가 서로 다르므로 평행하지 않다.

ㄹ. 일차함수 $y=2x$의 그래프를 y축의 방향으로 -2만큼 평행이동한 것이다.

따라서 옳은 것은 ㄱ, ㄴ이다.   🔲 ㄱ, ㄴ

07

40 cm의 양초가 모두 타는 데 160분이 걸리므로

1분에 $\dfrac{40}{160}=0.25\,(\text{cm})$씩 탄다.

불을 붙인 지 x분 후에 남은 양초의 길이를 y cm라 하면

$y=40-0.25x$

$y=25$일 때, $25=40-0.25x$ $\therefore x=60$

따라서 남은 양초의 길이가 25 cm가 되는 것은 양초에 불을 붙인 지 60분 후이다.   🔲 60분 후

08

(1) 2.4 km $=2400$ m이고, 효주는 x분 동안 $70x$ m, 종윤이는 x분 동안 $80x$ m를 걸으므로 x와 y 사이의 관계를 식으로 나타내면

$y=2400-(70x+80x)$, 즉 $y=-150x+2400$

(2) $y=0$일 때, $0=-150x+2400$ $\therefore x=16$

따라서 효주와 종윤이는 출발한 지 16분 후에 만난다.

🔲 (1) $y=-150x+2400$ (2) 16분 후

09

x세인 개의 나이를 사람의 나이로 환산할 때 y세라 하고 표를 만들면 다음과 같다.

x(세)	1	2	3	4	⋯
y(세)	21	25	29	33	⋯

x의 값이 1씩 증가할 때, y의 값은 4씩 증가하므로

$y=21+4(x-1)$, 즉 $y=4x+17$

$y=61$일 때, $61=4x+17$ $\therefore x=11$

따라서 사람의 나이로 환산하였을 때 61세인 개의 나이는 11세이므로 2020년에 태어났다.   🔲 2020년

> **쌤의 오답 피하기 특강**
>
> 개가 1세일 때, 사람의 나이로 환산하면 21세이므로 개의 나이가 1세, 2세, 3세, ⋯일 때 사람의 나이를 각각 구해 본다.

10

주어진 그래프가 두 점 $(25, 0)$, $(0, 70)$을 지나므로

기울기는 $\dfrac{70-0}{0-25}=-\dfrac{14}{5}$이고, y절편이 70이다.

$\therefore y=-\dfrac{14}{5}x+70$

$y=-\dfrac{14}{5}x+70$에 $x=10$을 대입하면

$y=-\dfrac{14}{5}\times10+70=42$

따라서 물을 냉각기에 넣은 지 10분 후의 물의 온도는 42 ℃이다.   🔲 42 ℃

11

주어진 그래프가 두 점 $(-2, 0)$, $(0, -4)$를 지나므로

기울기는 $\dfrac{-4-0}{0-(-2)}=-2$이고 y절편이 -4이다.

$\therefore y=-2x-4$

$\therefore a=-2$, $b=-4$

$y=-4x-2$에 $y=0$을 대입하면

$0=-4x-2$ $\therefore x=-\dfrac{1}{2}$

$x=0$을 대입하면 $y=-2$

$\therefore m=-\dfrac{1}{2}$, $n=-2$

$\therefore mn=-\dfrac{1}{2}\times(-2)=1$ 🔲 1

12

점 P가 점 B를 출발한 지 x초 후의 사각형 ABPD의 넓이를 $y \text{ cm}^2$라 하면

$\overline{\text{BP}}=x \text{ cm}$이므로

$y=\dfrac{1}{2}\times(4+x)\times4$, 즉 $y=8+2x$

$y=12$일 때, $12=8+2x$ ∴ $x=2$

따라서 사각형 ABPD의 넓이가 12 cm^2가 되는 것은 점 P가 점 B를 출발한 지 2초 후이다. 답 2초 후

LEVEL 2 필수 기출 문제 →97쪽~100쪽

01 $-\dfrac{3}{2}$	02 17	03 -5	04 1	05 $\dfrac{1}{2}$	06 -7	07 ㄱ, ㄹ
08 2	09 34 L	10 ㄴ, ㄷ		11 20초 후		12 122 cm
13 35분		14 135분		15 8개		

01

[**전략**] 함숫값을 이용하여 기울기를 구하고, y축 위에서 만나는 두 일차함수의 그래프는 y절편이 같다는 것을 이용하여 y절편을 구한다.

$f(x)=ax+b$라 하면

$f(3)-f(-2)=(3a+b)-(-2a+b)=5a$

$5a=10$이므로 $a=2$

$y=-3x+3$의 그래프의 y절편이 3이므로 $b=3$

∴ $f(x)=2x+3$

$y=2x+3$에 $y=0$을 대입하면 $x=-\dfrac{3}{2}$

따라서 일차함수 $y=f(x)$의 그래프의 x절편은 $-\dfrac{3}{2}$이다.

답 $-\dfrac{3}{2}$

참고 일차함수 $y=f(x)$에 대하여 $\dfrac{f(b)-f(a)}{b-a}$ 또는 $\dfrac{f(a)-f(b)}{a-b}$와 같은 함숫값의 차가 포함된 식을 통해 기울기를 구할 수 있다.

02

[**전략**] y절편을 잘못 보았다면 기울기는 바르게 본 것이고, 기울기를 잘못 보았다면 y절편은 바르게 본 것이다.

두 점 $(1,-6),(2,4)$를 지나는 직선을 그래프로 하는 일차함수의 식은 $y=10x-16$

이때 지호는 a를 바르게 보았으므로 $a=10$

두 점 $(-3,4),(1,8)$을 지나는 직선을 그래프로 하는 일차함수의 식은 $y=x+7$

이때 희재는 b를 바르게 보았으므로 $b=7$

따라서 $y=10x+7$에 $x=1$, $y=k$를 대입하면 $k=17$ 답 17

03

[**전략**] 두 점 $(2,2a),(a,4)$를 이용하여 기울기를 구하고, 이때 구한 기울기와 y절편을 이용하여 일차함수의 식을 구한다.

일차함수의 그래프는 세 점 $(2,2a),(3,b),(a,4)$를 지나므로 두 점 $(2,2a),(a,4)$를 이용하여 기울기를 구하면

$\dfrac{4-2a}{a-2}=\dfrac{-2(a-2)}{a-2}=-2$

y절편이 2이므로 구하는 일차함수의 식은 $y=-2x+2$이다.

$y=-2x+2$에 $x=a$, $y=4$를 대입하면 $a=-1$

$y=-2x+2$에 $x=3$, $y=b$를 대입하면 $b=-4$

∴ $a+b=-1+(-4)=-5$ 답 -5

쌤의 특강

두 점 $(x_1, y_1),(x_2, y_2)$를 지나는 일차함수의 그래프에서

$(\text{기울기})=\dfrac{(y\text{의 값의 증가량})}{(x\text{의 값의 증가량})}=\dfrac{y_2-y_1}{x_2-x_1}=\dfrac{y_1-y_2}{x_1-x_2}$ (단, $x_1 \neq x_2$)

04

[**전략**] 기울기와 그래프가 지나는 한 점의 좌표를 이용하여 일차함수의 식을 구한다.

조건 ㈎에서

$\dfrac{f(3n)-f(2m)}{2m-3n}=1$이므로

$\dfrac{f(3n)-f(2m)}{3n-2m}=-1$

∴ $a=-1$

조건 ㈏에서

$y=-x+b$에 $x=2$, $y=-4$를 대입하면 $b=-2$

∴ $a-b=-1-(-2)=1$ 답 1

05

[**전략**] 두 점을 지나는 직선을 그래프로 하는 일차함수의 식을 구한 후 x절편과 y절편을 각각 구한다.

두 점 $(-1,3)$과 $(2,-3)$을 지나는 직선을 그래프로 하는 일차함수의 식은

$y=-2x+1$

$y=-2x+1$의 그래프의 x절편은 $\dfrac{1}{2}$, y절편은 1이므로

$a=\dfrac{1}{2}$, $b=1$

∴ $ab=\dfrac{1}{2}\times1=\dfrac{1}{2}$ 답 $\dfrac{1}{2}$

06

[**전략**] x축 위에서 만나는 두 일차함수의 그래프는 x절편이 같고, 그래프가 오른쪽 아래를 향하는 것은 기울기가 음수라는 뜻이다.

$y=\dfrac{1}{2}x+3$의 그래프의 x절편은 -6이므로

$y=ax+b$의 그래프는 점 $(-6,0)$을 지난다.

조건 (가)에서 $y=ax+b$의 그래프의 기울기는 음수이므로 $y=\frac{1}{2}x+3$과 $y=ax+b$의 그래프는 오른쪽 그림과 같다.

조건 (나)에서 점 A의 좌표는 $(0, 3)$이므로 $\overline{OA}=3$

즉, $\overline{OB}=6$이므로 점 B의 좌표는 $(0, -6)$

따라서 $y=ax+b$의 그래프는 두 점 $(-6, 0)$, $(0, -6)$을 지나므로 $y=-x-6$

$\therefore a=-1,\ b=-6$

$\therefore a+b=-1+(-6)=-7$ 답 -7

07

[전략] x의 값의 범위에 주의하여 일차함수의 식을 구한다.

ㄱ, ㄴ. $0\le x<1$일 때, $\overline{CA}=1-x$, $\overline{CB}=5-x$이므로
$$y=(1-x)+(5-x) \qquad \therefore y=-2x+6$$
이 그래프의 x절편은 3이고 기울기는 -2이다.

ㄷ. $x>5$일 때, $\overline{CA}=x-1$, $\overline{CB}=x-5$이므로
$$y=(x-1)+(x-5) \qquad \therefore y=2x-6$$
이 그래프의 y절편은 -6이다.

ㄹ. $y=2x-6$의 그래프를 y축의 방향으로 2만큼 평행이동한 그래프의 식은 $y=2x-4$이고, 이 그래프는 점 $(1, -2)$를 지난다.

따라서 옳은 것은 ㄱ, ㄹ이다. 답 ㄱ, ㄹ

쌤의 만점 특강

점 C의 x좌표인 x가 $0\le x<1$일 때와 $x>5$일 때로 나누어 각 경우에 따라 x축 위에 점을 나타내어 본다.

(i) $0\le x<1$일 때,

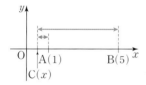

(ii) $x>5$일 때,

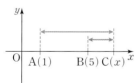

08

[전략] 주어진 일차함수의 그래프를 그려서 삼각형이 어떻게 나누어지는지 확인한다.

$y=-\frac{4}{3}x+4$의 그래프의 x절편은 3, y절편은 4이고 $y=ax+b$의 그래프의 y절편은 1이므로 두 일차함수의 그래프는 오른쪽 그림과 같다.

$\therefore \triangle AOB=\frac{1}{2}\times 3\times 4=6$

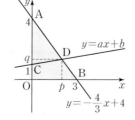

$y=ax+b$의 그래프가 $y=-\frac{4}{3}x+4$의 그래프와 만나는 점의 좌표를 $D(p, q)$라 하면 $\triangle ACD$의 넓이는 $\triangle AOB$의 넓이의 $\frac{1}{2}$이므로

$$\frac{1}{2}\times 3\times p=\frac{1}{2}\times 6 \qquad \therefore p=2$$

$y=-\frac{4}{3}x+4$의 그래프가 점 $D(2, q)$를 지나므로

$y=-\frac{4}{3}x+4$에 $x=2$, $y=q$를 대입하면 $q=\frac{4}{3}$

두 점 $C(0, 1)$과 $D\left(2, \frac{4}{3}\right)$를 지나는 직선을 그래프로 하는 일차함수의 식은 $y=\frac{1}{6}x+1$이므로 이 식에 $x=6$, $y=k$를 대입하면

$k=2$ 답 2

09

[전략] 1 L의 휘발유로 12 km를 달리므로 1 km를 달리는 데 $\frac{1}{12}$ L의 휘발유가 필요한 것을 이용하여 식을 세운다.

가득 찬 연료의 양을 a L라 하면

$$\frac{1}{3}a+30=\frac{3}{4}a \qquad \therefore a=72 \text{ (L)}$$

즉, 현재 자동차의 남아 있는 휘발유의 양은 54 L이다.

이 자동차는 1 L의 휘발유로 12 km를 달리므로 1 km를 달리는 데 $\frac{1}{12}$ L의 휘발유가 필요하다. 이때 이 자동차가 현재로부터 달린 거리를 x km라 할 때, 남아 있는 휘발유의 양을 y L라 하면

$$y=54-\frac{1}{12}x$$

$x=240$일 때, $y=54-20=34$

따라서 현재로부터 240 km를 달린 후에 남아 있는 휘발유의 양은 34 L이다. 답 34 L

10

[전략] 10 g짜리 추를 한 개 매달 때마다 용수철의 길이가 2 cm씩 늘어나므로 무게가 1 g 증가할 때마다 용수철의 길이는 $\frac{1}{5}$ cm씩 늘어난다.

10 g짜리 추를 한 개 매달 때마다 용수철의 길이가 2 cm씩 늘어나므로 무게가 1 g 증가할 때마다 용수철의 길이는 $\frac{1}{5}$ cm씩 늘어난다. 즉, 2 g짜리 추를 한 개 매달 때마다 용수철의 길이는 $\frac{2}{5}$ cm씩 늘어난다.

ㄱ. 2 g짜리 추를 x개 매달 때 용수철의 길이는 $\frac{2}{5}x$ cm씩 늘어난다.

ㄴ. $y=20+\frac{2}{5}x$

ㄷ. 무게가 6 g인 물체는 2 g짜리 추 3개와 같으므로
$$x=3$$일 때, $y=\frac{106}{5}$
즉, 무게가 6 g인 물체를 매달았을 때, 용수철의 길이는 $\frac{106}{5}$ cm가 된다.

ㄹ. $y=24$일 때, $x=10$이므로 용수철의 길이가 24 cm가 되려면 2 g짜리 추를 10개 매달면 된다.

따라서 옳은 것은 ㄴ, ㄷ이다. 답 ㄴ, ㄷ

11

[전략] 점 P가 점 B를 출발한 지 x초 후의 $\overline{\text{BP}}$, $\overline{\text{PC}}$의 길이를 구한다.

점 P가 점 B를 출발한 지 x초 후의 $\overline{\text{BP}}$의 길이가 $2x$ cm이므로

$\overline{\text{PC}}=120-2x\,(\text{cm})$

$\therefore \triangle\text{ABP}=\dfrac{1}{2}\times 2x\times 90=90x\,(\text{cm}^2)$

$\quad \triangle\text{DPC}=\dfrac{1}{2}\times(120-2x)\times 60$

$\qquad\qquad =3600-60x\,(\text{cm}^2)$

따라서 $y=90x+3600-60x$, 즉 $y=30x+3600$

$y=4200$일 때, $x=20$

따라서 $\triangle\text{ABP}$와 $\triangle\text{DPC}$의 넓이의 합이 4200 cm²가 되는 것은 점 P가 점 B를 출발한 지 20초 후이다. 답 20초 후

12

[전략] x개의 정육각형으로 만든 도형의 둘레의 길이를 y cm라 하고 관계식을 구한다.

x개의 정육각형으로 만든 도형의 둘레의 길이를 y cm라 하고 표를 만들면 다음과 같다.

x (개)	1	2	3	4	⋯
y (cm)	6	10	14	18	⋯

x의 값이 1씩 증가할 때, y의 값은 4씩 증가하므로

$y=6+4(x-1)$, 즉 $y=4x+2$

$x=30$일 때, $y=122$

따라서 30개의 정육각형으로 만든 도형의 둘레의 길이는 122 cm이다. 답 122 cm

13

[전략] 물을 데울 때와 물을 바닥에 내려놓을 때, 시간과 물의 온도 사이의 관계를 식으로 각각 나타낸다.

물을 데우면 2분마다 물의 온도가 6 ℃씩 올라가므로 1분마다 물의 온도가 3 ℃씩 올라간다.

25 ℃의 물을 x분 동안 데웠을 때의 물의 온도를 y ℃라 하면

$y=25+3x$

$y=70$일 때, $x=15$

따라서 물이 70 ℃까지 데워지는 데 걸리는 시간은 15분이다.

물을 바닥에 내려놓으면 3분마다 물의 온도가 6 ℃씩 내려가므로 1분마다 물의 온도가 2 ℃씩 내려간다.

70 ℃의 물을 x분 동안 바닥에 내려놓았을 때의 물의 온도를 y ℃라 하면 $y=70-2x$

$y=30$일 때, $x=20$

따라서 물을 30 ℃까지 식히는 데 걸리는 시간은 20분이다.

그러므로 물을 70 ℃까지 데웠다가 30 ℃까지 식히는 데

$15+20=35$(분)이 걸린다. 답 35분

> **쌤의 특강**
>
> 2분마다 온도가 6 ℃ 올라간다는 것은 1분마다 온도가 3 ℃ 올라간다는 것과 같고, 3분마다 온도가 6 ℃ 내려간다는 것은 1분마다 온도가 2 ℃ 내려간다는 것과 같다. 이처럼 단위 시간마다 변화하는 양을 이용하여 관계식을 세워 문제를 해결하도록 한다.

14

[전략] 두 점 $(60, 0)$, $(300, 3)$을 지나는 직선을 그래프로 하는 일차함수의 식을 구한다.

두 점 $(60, 0)$, $(300, 3)$을 지나는 직선을 그래프로 하는 일차함수의 식은 $y=\dfrac{1}{80}x-\dfrac{3}{4}$

화물의 무게가 100 kg, 승객의 무게가 160 kg이므로 연료의 무게는 $500-(100+160)=240\,(\text{kg})$이다.

$x=240$일 때, $y=\dfrac{1}{80}\times 240-\dfrac{3}{4}=\dfrac{9}{4}$

따라서 구하는 비행기의 최대 비행 시간은

$\dfrac{9}{4}$시간, 즉 135분이다. 답 135분

> **쌤의 특강**
>
> 일차함수의 활용 문제에서 그래프가 주어진 경우 그래프가 지나는 두 점의 좌표를 이용하여 일차함수의 식을 구한다.

15

[전략] 양초 x개를 일렬로 묶을 때 필요한 끈의 길이를 y cm라 하고, 관계식을 구한다.

양초 x개를 일렬로 묶을 때 필요한 끈의 길이를 y cm라 하고 표를 만들면 다음과 같다.

x (개)	1	2	3	4	⋯
y (cm)	8π	$16+8\pi$	$32+8\pi$	$48+8\pi$	⋯

x의 값이 1씩 증가할 때, y의 값은 16씩 증가하므로

$y=8\pi+16(x-1)$, 즉 $y=16x+8\pi-16$

이때 처음 가지고 있던 끈의 길이는

$32+8\pi+80=112+8\pi\,(\text{cm})$이므로

$y=112+8\pi$일 때, $x=8$

따라서 처음 가지고 있던 끈을 모두 사용하면 8개의 양초를 묶을 수 있다. 답 8개

> **쌤의 복합 개념 특강**
>
> **원의 둘레의 길이**
> 반지름의 길이가 r인 원의 둘레의 길이는 $2\pi r$이다.

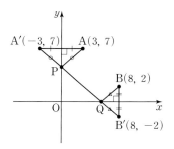

→101쪽

LEVEL 3 최고난도 문제

| **01** 9개 | **02** $\dfrac{9}{11}$ | **03** $y=\dfrac{1}{9}x+2$ | **04** 12 |

01 solution (미리 보기)

| step ❶ | 두 점 A와 B, B와 C, C와 A를 지나는 직선을 그래프로 하는 일차함수의 식을 각각 구하고 각 경우에 x, y가 모두 정수인 점의 좌표 찾기 |
| step ❷ | 겹치는 점의 좌표를 제외하고 점의 개수 구하기 |

세 점 $A(-3, 9)$, $B(0, 3)$, $C(6, 6)$을 지나는 △ABC는 다음 그림과 같다.

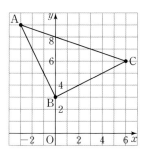

두 점 $A(-3, 9)$, $B(0, 3)$을 지나는 직선을 그래프로 하는 일차함수의 식은 $y=-2x+3$이다.
$\overline{AB}$ 위의 점 (x, y)에서 x의 값의 범위가 $-3 \leq x \leq 0$이므로 x, y가 모두 정수인 점은
$(-3, 9), (-2, 7), (-1, 5), (0, 3)$
두 점 $B(0, 3)$, $C(6, 6)$을 지나는 직선을 그래프로 하는 일차함수의 식은 $y=\dfrac{1}{2}x+3$이다.
$\overline{BC}$ 위의 점 (x, y)에서 x의 값의 범위가 $0 \leq x \leq 6$이므로 x, y가 모두 정수인 점은
$(0, 3), (2, 4), (4, 5), (6, 6)$
두 점 $C(6, 6)$, $A(-3, 9)$를 지나는 직선을 그래프로 하는 일차함수의 식은 $y=-\dfrac{1}{3}x+8$이다.
$\overline{CA}$ 위의 점 (x, y)에서 x의 값의 범위가 $-3 \leq x \leq 6$이므로 x, y가 모두 정수인 점은
$(-3, 9), (0, 8), (3, 7), (6, 6)$ ⋯⋯⋯⋯ ❶
이때 겹치는 점을 제외하면 △ABC의 둘레 위의 점 (x, y) 중에서 x, y가 모두 정수인 점은 $(-3, 9), (-2, 7), (-1, 5), (0, 3)$, $(2, 4), (4, 5), (6, 6), (0, 8), (3, 7)$의 9개이다. ⋯⋯ ❷

답 9개

02 solution (미리 보기)

| step ❶ | $\overline{AP}+\overline{PQ}+\overline{QB}$의 길이가 최소가 되기 위한 조건 구하기 |
| step ❷ | 점 P와 점 Q를 지나는 직선을 그래프로 하는 일차함수의 식을 구하여 그 그래프의 x절편과 y절편을 각각 구하기 |

점 A와 y축에 대하여 대칭인 점을 A'이라 하면
$A'(-3, 7)$

점 B와 x축에 대하여 대칭인 점을 B'이라 하면
$B'(8, -2)$

이때 위의 그림에서
$\overline{AP}=\overline{A'P}$, $\overline{BQ}=\overline{B'Q}$이고
$\overline{AP}+\overline{PQ}+\overline{BQ}=\overline{A'P}+\overline{PQ}+\overline{B'Q} \geq \overline{A'B'}$
이므로
$\overline{AP}+\overline{PQ}+\overline{QB}$의 길이가 최소가 되려면 두 점 P, Q가 $\overline{A'B'}$ 위에 있어야 한다. ⋯⋯⋯⋯ ❶
두 점 $A'(-3, 7)$, $B'(8, -2)$를 지나는 직선을 그래프로 하는 일차함수의 식은
$y=-\dfrac{9}{11}x+\dfrac{50}{11}$
따라서 일차함수 $y=-\dfrac{9}{11}x+\dfrac{50}{11}$의 그래프의
x절편은 $\dfrac{50}{9}$, y절편은 $\dfrac{50}{11}$이므로
$a=\dfrac{50}{11}$, $b=\dfrac{50}{9}$
$\therefore \dfrac{a}{b}=a \div b=\dfrac{50}{11} \times \dfrac{9}{50}=\dfrac{9}{11}$ ⋯⋯ ❷

답 $\dfrac{9}{11}$

03 solution (미리 보기)

step ❶	두 점 A, B를 지나는 직선을 그래프로 하는 일차함수의 식 구하기
step ❷	사각형 ADEC의 넓이가 삼각형 DBE의 넓이의 3배가 되도록 하는 점 E의 좌표 구하기
step ❸	두 점 D, E를 지나는 직선을 그래프로 하는 일차함수의 식 구하기

두 점 $A\left(-1, \dfrac{7}{3}\right)$, $B(3, 1)$을 지나는 직선을 그래프로 하는 일차함수의 식은
$y=-\dfrac{1}{3}x+2$ ⋯⋯⋯⋯ ❶
$y=-\dfrac{1}{3}x+2$의 그래프의 y절편은 2이므로 점 D의 좌표는 $(0, 2)$이다.
삼각형 ABC의 넓이는 $\dfrac{1}{2} \times 4 \times 4=8$이고,
점 E의 좌표를 $(3, k)$라 하면
$\triangle DBE=\dfrac{1}{4} \triangle ABC$이므로
$\dfrac{1}{2} \times (k-1) \times 3=\dfrac{1}{4} \times 8$

$3k-3=4$ ∴ $k=\dfrac{7}{3}$

즉, 점 E의 좌표는 $\left(3, \dfrac{7}{3}\right)$이다. .... ❷

따라서 두 점 D$(0, 2)$, E$\left(3, \dfrac{7}{3}\right)$을 지나는 직선을 그래프로 하는

일차함수의 식은 $y=\dfrac{1}{9}x+2$이다. .... ❸

📄 $y=\dfrac{1}{9}x+2$

04 **solution** **미리 보기**

step ❶	a의 값 구하기
step ❷	b, c의 값 각각 구하기
step ❸	m, n의 값을 각각 구하여 $m-n$의 값 구하기

조건 ㈎에서 x km 이내의 상점에 다녀온다면

$\dfrac{x}{8}+\dfrac{15}{60}+\dfrac{x}{8}\le 1$ ∴ $x\le 3$

∴ $a=3$ .... ❶

조건 ㈏에서 텐트의 개수를 x라 할 때, 학생 수는 $4x+3$이므로

$5(x-1)\ge 4x+3$ ∴ $x\ge 8$

$5(x-2)+1\le 4x+3$ ∴ $x\le 12$

∴ $b=8$, $c=12$ .... ❷

$y=3x+2$의 그래프를 y축의 방향으로 k만큼 평행이동하면

$y=3x+2+k$

이 그래프가 점 A$(8, 0)$을 지날 때, k의 값
이 가장 크다.

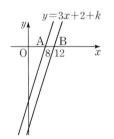

$y=3x+2+k$에 $x=8$, $y=0$을 대입하면

$0=3\times 8+2+k$

∴ $k=-26$

이 그래프가 점 B$(12, 0)$을 지날 때, k의
값이 가장 작다.

$y=3x+2+k$에 $x=12$, $y=0$을 대입하면

$0=3\times 12+2+k$

∴ $k=-38$

∴ $m=-26$, $n=-38$

∴ $m-n=-26-(-38)=12$ .... ❸

📄 12

10. 일차함수와 일차방정식의 관계

LEVEL 1 **시험에 꼭 내는 문제** → 103쪽~105쪽

01 ⑤	02 $y=2x+2$	03 0	04 ④	05 $-\dfrac{1}{2}$	06 -1
07 3	08 $\dfrac{3}{4}\le k\le \dfrac{5}{2}$	09 $y=1$	10 -1	11 5	
12 -2	13 $\dfrac{15}{2}$	14 -2	15 15분 후	16 $b\ge -\dfrac{8}{3}$	
17 $a=-\dfrac{3}{2}, b=3$		18 24개월 후, 60만 개			

01

일차방정식 $2x-3y-6=0$의 그래프는 일
차함수 $y=\dfrac{2}{3}x-2$의 그래프와 같으므로 오
른쪽 그림과 같다.

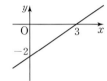

① $x=4$, $y=1$을 $2x-3y-6=0$에 대입하
면 $2\times 4-3\times 1-6\ne 0$이므로 점 $(4, 1)$을 지나지 않는다.

② 제1, 3, 4사분면을 지난다.

③ x절편은 3이고, y절편은 -2이다.

④ 기울기가 $\dfrac{2}{3}$이므로 일차함수 $y=\dfrac{3}{2}x-3$의 그래프와 평행하지
않다.

⑤ 기울기가 $\dfrac{2}{3}$이므로 x의 값이 6만큼 증가할 때, y의 값은 4만큼
증가한다.

따라서 옳은 것은 ⑤이다. 📄 ⑤

02

$f(x)=ax+b$라 하면

$f(2)-f(-2)=(2a+b)-(-2a+b)=4a$

$4a=8$이므로 $a=2$

$3x-2y+4=0$에서 $y=\dfrac{3}{2}x+2$

이때 $y=ax+b$의 그래프는 $y=\dfrac{3}{2}x+2$의 그래프와 y절편이 같으
므로 $b=2$

따라서 구하는 일차함수의 식은 $y=2x+2$이다. 📄 $y=2x+2$

다른 풀이

구하는 일차함수의 식을 $y=ax+b$라 하면

$a=(기울기)=\dfrac{f(2)-f(-2)}{2-(-2)}=\dfrac{8}{4}=2$

$3x-2y+4=0$에서 $y=\dfrac{3}{2}x+2$이므로

$b=(y$절편$)=2$

∴ $y=2x+2$

03

$ax+by+1=0$의 그래프가 두 점 $(6, 0)$, $(0, 3)$을 지나므로

$x=6$, $y=0$을 $ax+by+1=0$에 대입하면

$6a+1=0$ $\therefore a=-\dfrac{1}{6}$

$x=0,\ y=3$을 $ax+by+1=0$에 대입하면

$3b+1=0$ $\therefore b=-\dfrac{1}{3}$

$\therefore 2a-b=2\times\left(-\dfrac{1}{6}\right)-\left(-\dfrac{1}{3}\right)=0$　　　🔲 0

04

$ax+by+c=0$에서 $y=-\dfrac{a}{b}x-\dfrac{c}{b}$

$a<0,\ b>0$에서 $-\dfrac{a}{b}>0$

$b>0,\ c>0$에서 $-\dfrac{c}{b}<0$

즉, $ax+by+c=0$의 그래프는 기울기가 양수
이고 y절편이 음수이므로 오른쪽 그림과 같이
제1, 3, 4사분면을 지난다.

🔲 ④

05

주어진 직선의 방정식은 $x=4$이므로 $b=0$

즉, $ax+2=0$에서 $x=-\dfrac{2}{a}$

$-\dfrac{2}{a}=4$이므로 $a=-\dfrac{1}{2}$

$\therefore a+b=-\dfrac{1}{2}+0=-\dfrac{1}{2}$　　　🔲 $-\dfrac{1}{2}$

06

$y=1$의 그래프에 평행하다는 것은 x축에 평행하다는 것과 같다.
x축에 평행하기 위해서는 두 점의 y좌표가 같아야 하므로

$-4=4a$ $\therefore a=-1$　　　🔲 -1

07

네 직선 $x=-1$, $x=k$, $y=3$, $y=-7$을
좌표평면 위에 나타내면 오른쪽 그림과 같
다. 색칠한 도형의 넓이가 40이므로

$\{k-(-1)\}\times\{3-(-7)\}=40$
$(k+1)\times10=40,\ k+1=4$
$\therefore k=3$

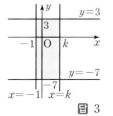

🔲 3

08

$x-2=0$에서 $x=2$, $y-3=0$에서 $y=3$
$3x=12$에서 $x=4$, $2y-10=0$에서 $y=5$
직선 $y=kx$는 항상 점 $(0,0)$을 지나
므로 주어진 네 직선으로 둘러싸인
도형과 만나려면 오른쪽 그림의 색칠
한 부분을 지나야 한다.

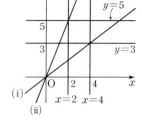

(i) 직선 $y=kx$가 점 $(4,3)$을 지날 때

　$3=4k$ $\therefore k=\dfrac{3}{4}$

(ii) 직선 $y=kx$가 점 $(2,5)$를 지날 때

　$5=2k$ $\therefore k=\dfrac{5}{2}$

(i), (ii)에서 k의 값 중 가장 작은 값은 $\dfrac{3}{4}$, 가장 큰 값은 $\dfrac{5}{2}$이므로

$\dfrac{3}{4}\leq k\leq\dfrac{5}{2}$　　　🔲 $\dfrac{3}{4}\leq k\leq\dfrac{5}{2}$

09

연립방정식 $\begin{cases} x+2y-3=0 \\ 3x-2y-1=0 \end{cases}$을 풀면 $x=1,\ y=1$

따라서 교점 $(1,1)$을 지나고 y축에 수직인 직선의 방정식은 $y=1$
이다.　　　🔲 $y=1$

10

연립방정식 $\begin{cases} x+2y-3=0 \\ -2x+y-4=0 \end{cases}$을 풀면 $x=-1,\ y=2$

따라서 교점의 좌표가 $(-1,2)$이므로
$x=-1,\ y=2$를 $5x-ay+3=0$에 대입하면
$-5-2a+3=0$ $\therefore a=-1$　　　🔲 -1

11

주어진 두 그래프의 교점의 좌표가 $(3,1)$이므로 연립방정식의 해
는 $x=3,\ y=1$이다.

$x=3,\ y=1$을 $ax-6y=9$에 대입하면
$3a-6=9$ $\therefore a=5$

$x=3,\ y=1$을 $x+by=4$에 대입하면
$3+b=4$ $\therefore b=1$

$\therefore ab=5\times1=5$　　　🔲 5

12

직선 l은 두 점 $(-3,0),\ (0,6)$을 지나므로
$y=2x+6$, 즉 $2x-y=-6$

직선 m은 두 점 $(-8,0),\ (0,-4)$를 지나므로
$y=-\dfrac{1}{2}x-4$, 즉 $x+2y=-8$

연립방정식 $\begin{cases} 2x-y=-6 \\ x+2y=-8 \end{cases}$ 을 풀면 $x=-4$, $y=-2$

따라서 두 직선의 교점 P의 좌표가 $(-4, -2)$이므로
$a=-4$, $b=-2$
$\therefore a-b=-4-(-2)=-2$ 답 -2

13

연립방정식 $\begin{cases} 3x-2y+3=0 \\ x+y-4=0 \end{cases}$ 을 풀면 $x=1$, $y=3$이므로

두 직선의 교점의 좌표는 $(1, 3)$이고
두 직선 $3x-2y+3=0$, $x+y-4=0$의 x절편은 각각 -1, 4이다.
따라서 구하는 도형의 넓이는

$\dfrac{1}{2}\times\{4-(-1)\}\times 3=\dfrac{15}{2}$ 답 $\dfrac{15}{2}$

쌤의 오답 피하기 특강

두 직선의 x절편이 각각 -1, 4이므로 삼각형의 밑변의 길이는 절댓값을 이용하여 $|-1|+4$와 같이 구할 수도 있다.

14

$ax+by=2$에서 $y=-\dfrac{a}{b}x+\dfrac{2}{b}$

$(a-3)x+6y=3$에서 $y=-\dfrac{a-3}{6}x+\dfrac{1}{2}$

두 일차방정식의 그래프가 일치하므로
$-\dfrac{a}{b}=-\dfrac{a-3}{6}$, $\dfrac{2}{b}=\dfrac{1}{2}$
$\therefore a=-6$, $b=4$
$\therefore a+b=-2$ 답 -2

다른 풀이

두 그래프가 일치하므로 $\dfrac{a}{a-3}=\dfrac{b}{6}=\dfrac{2}{3}$

$\dfrac{a}{a-3}=\dfrac{2}{3}$에서 $3a=2a-6$ $\therefore a=-6$

$\dfrac{b}{6}=\dfrac{2}{3}$에서 $3b=12$ $\therefore b=4$

$\therefore a+b=-6+4=-2$

15

아버지의 그래프는 두 점 $(30, 0)$, $(90, 60)$을 지나므로
$y=x-30$ ...... ㉠
민이의 그래프는 두 점 $(0, 0)$, $(90, 30)$을 지나므로
$y=\dfrac{1}{3}x$ ...... ㉡

㉠, ㉡을 연립하여 풀면 $x=45$, $y=15$
따라서 아버지와 민이가 만나는 것은 민이가 집에서 출발한 지 45분 후이므로 아버지가 집에서 출발한 지 15분 후이다. 답 15분 후

16

주어진 그래프는 두 점 $(4, 0)$, $(0, 3)$을 지나므로 기울기는 $-\dfrac{3}{4}$

일차방정식 $x+ay+2a+b=0$의 그래프는

일차함수 $y=-\dfrac{1}{a}x-2-\dfrac{b}{a}$의 그래프와 같고 기울기가 $-\dfrac{3}{4}$이므로

$-\dfrac{1}{a}=-\dfrac{3}{4}$ $\therefore a=\dfrac{4}{3}$

즉, $y=-\dfrac{3}{4}x-2-\dfrac{3}{4}b$의 그래프가 제1사분면을 지나지 않기 위

해서는 y절편이 0보다 작거나 같아야 하므로 $-2-\dfrac{3}{4}b\leq 0$

$\therefore b\geq -\dfrac{8}{3}$ 답 $b\geq -\dfrac{8}{3}$

17

조건 ㈎에서 두 직선은 일치한다.

$ax+2y-1=0$에서 $y=-\dfrac{a}{2}x+\dfrac{1}{2}$

$bx-4y+2=0$에서 $y=\dfrac{b}{4}x+\dfrac{1}{2}$

즉, $-\dfrac{a}{2}=\dfrac{b}{4}$이므로 $b=-2a$ ...... ㉠

조건 ㈏에서 두 직선은 평행하다.

$(3-2b)x+4y+3=0$에서 $y=-\dfrac{3-2b}{4}x-\dfrac{3}{4}$

즉, $-\dfrac{a}{2}=-\dfrac{3-2b}{4}$이므로 $2a+2b=3$ ...... ㉡

㉠, ㉡을 연립하여 풀면 $a=-\dfrac{3}{2}$, $b=3$ 답 $a=-\dfrac{3}{2}$, $b=3$

다른 풀이

조건 ㈎에서 두 직선이 일치해야 하므로

$\dfrac{b}{a}=\dfrac{-4}{2}=\dfrac{2}{-1}$ $\therefore b=-2a$ ...... ㉠

조건 ㈏에서 두 직선이 평행해야 하므로

$\dfrac{3-2b}{a}=\dfrac{4}{2}\neq\dfrac{3}{-1}$ $\therefore 2a+2b=3$ ...... ㉡

㉠, ㉡을 연립하여 풀면 $a=-\dfrac{3}{2}$, $b=3$

18

A 회사의 그래프는 두 점 $(0, 6)$, $(1, 7)$을 지나므로
$y=x+6$
B 회사의 그래프는 두 점 $(0, 0)$, $(2, 5)$를 지나므로
$y=\dfrac{5}{2}x$

3월 1일로부터 x개월 후에 B 회사에서 판매한 라면의 총 개수가 A 회사의 2배가 된다고 하면

$\dfrac{5}{2}x=2(x+6)$ $\therefore x=24$

따라서 3월 1일로부터 24개월 후이고, $x=24$를 $y=\dfrac{5}{2}x$에 대입하면 $y=60$이므로 B 회사에서 판매한 라면은 총 60만 개이다.

답 24개월 후, 60만 개

→ 106쪽~110쪽

LEVEL 2 필수 기출 문제

01 제4사분면	**02** $m < \dfrac{1}{2}$	**03** 4개	**04** $x = 3$	**05** 12
06 $-\dfrac{3}{5}$	**07** $\dfrac{5}{3}\pi$	**08** $y = 6$	**09** 22	**10** -6
11 $y = -\dfrac{9}{8}x$	**12** 4	**13** ㄱ, ㄹ	**14** $-\dfrac{5}{2}$	**15** $\dfrac{19}{6}$
16 -5	**17** 45개	**18** 90		

01

[전략] 일차방정식의 그래프가 제1, 2, 4사분면을 지나기 위해서는 기울기가 음수이고 y절편이 양수이어야 한다.

$ax + by - c = 0$에서 $y = -\dfrac{a}{b}x + \dfrac{c}{b}$

이 그래프가 제1, 2, 4사분면을 지나기 위해서는 기울기가 음수이고 y절편이 양수이어야 하므로

$-\dfrac{a}{b} < 0$, $\dfrac{c}{b} > 0$

$\therefore a > 0, b > 0, c > 0$ 또는 $a < 0, b < 0, c < 0$ ⋯⋯ ㉠

또한, $cx - ay + b = 0$에서 $y = \dfrac{c}{a}x + \dfrac{b}{a}$

㉠에서 $\dfrac{c}{a} > 0$, $\dfrac{b}{a} > 0$이므로 $cx - ay + b = 0$의 그래프는 기울기와 y절편이 모두 양수이다.

따라서 제1, 2, 3사분면을 지나므로 제4사분면을 지나지 않는다.

🖹 제4사분면

02

[전략] 주어진 식을 $y = ax + b$의 꼴로 고친 후 좌표평면 위에 나타내고 두 그래프의 교점이 제1사분면 위에 있도록 하는 m의 값의 범위를 확인한다.

$2x + y - 4 = 0$에서 $y = -2x + 4$

$mx + y - 1 = 0$에서 $y = -mx + 1$

$y = -2x + 4$의 그래프는 x절편이 2, y절편이 4이고 $y = -mx + 1$의 그래프는 y절편이 1이므로 오른쪽 그림과 같다. 두 그래프의 교점이 제1사분면 위에 있기 위해서는 $y = -mx + 1$의 그래프가 색칠한 부분(경계선은 제외)에 있어야 한다.

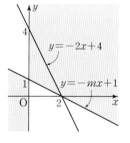

즉, $y = -mx + 1$의 그래프가 점 $(2, 0)$을 지날 때, $m = \dfrac{1}{2}$이므로 그래프가 색칠한 부분을 지나기 위한 m의 값의 범위는 $-m > -\dfrac{1}{2}$이다. $\therefore m < \dfrac{1}{2}$ 🖹 $m < \dfrac{1}{2}$

다른 풀이

연립방정식 $\begin{cases} 2x + y - 4 = 0 \\ mx + y - 1 = 0 \end{cases}$을 풀면 $x = \dfrac{3}{2 - m}$, $y = \dfrac{6}{m - 2} + 4$

즉, 두 직선의 교점의 좌표는 $\left(\dfrac{3}{2 - m}, \dfrac{6}{m - 2} + 4 \right)$이고 교점이

제1사분면 위에 있어야 하므로 $\dfrac{3}{2 - m} > 0$에서 $m < 2$

$\dfrac{6}{m - 2} + 4 > 0$에서 $m - 2 < 0$이므로

$-4(m - 2) > 6$, $m - 2 < -\dfrac{3}{2}$ $\therefore m < \dfrac{1}{2}$

03

[전략] $a \neq 0, b \neq 0$인 경우, $a \neq 0, b = 0$인 경우, $a = 0, b \neq 0$인 경우로 나누어 생각한다.

(i) $a \neq 0, b \neq 0$인 경우

$ax + by = 1$에서 $y = -\dfrac{a}{b}x + \dfrac{1}{b}$ ⋯⋯ ㉠

(ii) $a \neq 0, b = 0$인 경우

$ax = 1$에서 $x = \dfrac{1}{a}$ ⋯⋯ ㉡

(iii) $a = 0, b \neq 0$인 경우

$by = 1$에서 $y = \dfrac{1}{b}$ ⋯⋯ ㉢

ㄱ. ㉠, ㉡, ㉢은 모두 직선이다.

ㄴ. ㉠, ㉡, ㉢ 중에서 점 $(0, 0)$을 지나는 직선은 없다.

ㄷ. 직선 ㉡은 y절편이 존재하지 않는다.

ㄹ. 직선 ㉡은 y축에 평행하고 x축에 수직이다.

ㅁ. 직선 ㉢은 x축에 평행하고 y축에 수직이다.

ㅂ. 직선 ㉠에서 $a > 0$, $b < 0$이면 기울기가 양수이고 y절편이 음수이므로 제2사분면을 지나지 않는다.

따라서 옳은 것은 ㄱ, ㄹ, ㅁ, ㅂ의 4개이다. 🖹 4개

04

[전략] △ABC를 좌표평면 위에 그린 후 y축에 평행한 직선을 그려 보면서 어떤 경우에 $\overline{PQ}$의 길이가 최대가 되는지 알아본다.

세 점 $A(3, 5)$, $B(-2, -4)$, $C(6, -1)$을 꼭짓점으로 하는 △ABC는 오른쪽 그림과 같으므로 $\overline{PQ}$의 길이가 최대일 때, y축에 평행한 직선은 점 A를 지난다. 따라서 구하는 직선의 방정식은 $x = 3$이다.

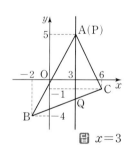

🖹 $x = 3$

05

[전략] 네 점 A, B, C, D의 좌표를 각각 구한다.

$A(0, 2)$이고

$y = 2$를 $y = \dfrac{4}{3}x$에 대입하면 $x = \dfrac{3}{2}$이므로 $B\left(\dfrac{3}{2}, 2 \right)$

$\therefore \triangle AOB = \dfrac{1}{2} \times \dfrac{3}{2} \times 2 = \dfrac{3}{2}$

점 C는 두 직선 $x = 6$, $y = 2$의 교점이므로 $C(6, 2)$

$x = 6$을 $y = \dfrac{4}{3}x$에 대입하면 $y = 8$이므로 $D(6, 8)$

$\therefore \triangle BCD = \dfrac{1}{2} \times \left(6 - \dfrac{3}{2} \right) \times (8 - 2) = \dfrac{1}{2} \times \dfrac{9}{2} \times 6 = \dfrac{27}{2}$

따라서 $a=\dfrac{3}{2}$, $b=\dfrac{27}{2}$이므로

$b-a=\dfrac{27}{2}-\dfrac{3}{2}=\dfrac{24}{2}=12$ **답** 12

06

[**전략**] 직선 $ax-y+4=0$이 두 직선 $x=1$, $x=4$와 만나는 점의 좌표를 각각 구한다.

오른쪽 그림과 같이 직선
$ax-y+4=0$이 두 직선 $x=1$,
$x=4$와 만나는 점을 각각 A, D, 두
직선 $x=1$, $x=4$가 x축과 만나는
점을 각각 B, C라 하자.

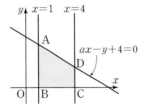

B$(1, 0)$, C$(4, 0)$이고,
$ax-y+4=0$에서 $y=ax+4$이므로
A$(1, a+4)$, D$(4, 4a+4)$
따라서 $\overline{CD}=4a+4$, $\overline{AB}=a+4$, $\overline{BC}=3$이므로

$\square$ABCD$=\dfrac{1}{2}\times\{(4a+4)+(a+4)\}\times3=\dfrac{15}{2}$

$5a=-3$ $\therefore a=-\dfrac{3}{5}$ **답** $-\dfrac{3}{5}$

07

[**전략**] 좌표평면 위에 네 직선을 그린 후 교점의 좌표를 각각 구한다.

$2x-y+1=0$에서 $y=2x+1$
$2x-2=0$에서 $x=1$

네 직선 $y=2x+1$, $x=1$, $x=0$, $y=4$를
좌표평면 위에 나타내면 오른쪽 그림과 같
고, 직선 $y=4$가 y축과 만나는 점을 A, 직
선 $y=2x+1$이 두 직선 $x=0$, $x=1$과 만
나는 점을 각각 B, C, 두 직선 $x=1$과 $y=4$
가 만나는 점을 D라 하자.

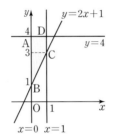

$x=1$을 $y=2x+1$에 대입하면 $y=3$이므
로 C$(1, 3)$이고, A$(0, 4)$, B$(0, 1)$, D$(1, 4)$
색칠한 도형을 y축을 회전축으로 하여 1회전 시킬 때 생기는 입체
도형의 부피는 밑면의 반지름의 길이가 1이고 높이가 1인 원기둥
의 부피와 밑면의 반지름의 길이가 1이고 높이가 2인 원뿔의 부피
의 합과 같으므로 구하는 부피는

$\pi\times1^{2}\times1+\dfrac{1}{3}\times\pi\times1^{2}\times2=\dfrac{5}{3}\pi$ **답** $\dfrac{5}{3}\pi$

쌤의 복합 개념 특강

개념1 원뿔의 부피
밑면의 반지름의 길이가 r, 높이가 h인 원뿔에서
(부피)$=\dfrac{1}{3}\times$(밑넓이)$\times$(높이)$=\dfrac{1}{3}\pi r^{2}h$

개념2 원기둥의 부피
밑면의 반지름의 길이가 r, 높이가 h인 원기둥에서
(부피)$=$(밑넓이)$\times$(높이)$=\pi r^{2}h$

08

[**전략**] 점 B의 x좌표를 $2a$라 하고 두 점 O, B를 지나는 직선의 기울기를 이용하여
점 B의 y좌표를 구한 후 차례대로 나머지 점의 좌표를 구한다.

두 점 O, B를 지나는 직선의 기울기가 $\dfrac{5}{2}$이므로

점 B의 좌표를 $(2a, 5a)$라 하자.

$x=2a$를 $2x-y+4=0$에 대입하면 $y=4a+4$이므로
A$(2a, 4a+4)$
$y=5a$를 $x-2y+2=0$에 대입하면 $x=10a-2$이므로
C$(10a-2, 5a)$
$\therefore$ D$(10a-2, 4a+4)$

두 점 B, D를 지나는 직선의 기울기가 $\dfrac{7}{4}$이므로

$\dfrac{-a+4}{8a-2}=\dfrac{7}{4}$, $4(-a+4)=7(8a-2)$ $\therefore a=\dfrac{1}{2}$

따라서 점 A의 좌표는 $(1, 6)$이고 점 D의 좌표는 $(3, 6)$이므로 두
점 A, D를 지나는 직선의 방정식은 $y=6$이다. **답** $y=6$

쌤의 만점 특강

점 B의 x좌표를 a라 하면 B$\left(a, \dfrac{5}{2}a\right)$이므로 나머지 점의 좌표를 구하는 식이
복잡해진다. 따라서 점 B의 x좌표를 $2a$라 하고 나머지 점의 좌표를 차례대로
구한다.

09

[**전략**] 두 그래프가 서로 평행하기 위해서는 기울기가 같아야 함을 이용하여 a의
값을 구하고, 두 그래프의 x절편을 각각 구하여 $\overline{AB}$의 길이를 구한다.

$3x+y-2=0$에서 $y=-3x+2$

$6x+ay+b=0$에서 $y=-\dfrac{6}{a}x-\dfrac{b}{a}$

두 그래프가 서로 평행하므로

$-3=-\dfrac{6}{a}$, $2\neq-\dfrac{b}{a}$

$\therefore a=2$, $b\neq-4$

이때 $3x+y-2=0$, $6x+2y+b=0$의 그래프의 x절편은 각각

$\dfrac{2}{3}$, $-\dfrac{b}{6}$이므로

A$\left(\dfrac{2}{3}, 0\right)$, B$\left(-\dfrac{b}{6}, 0\right)$

$b>0$이고 $\overline{AB}=4$이므로 $\dfrac{2}{3}-\left(-\dfrac{b}{6}\right)=4$

$4+b=24$ $\therefore b=20$

$\therefore a+b=2+20=22$ **답** 22

10

[**전략**] $2x-y+3=0$의 그래프와 $y=px+q$의 그래프는 평행하다.

$2x-y+3=0$에서 $y=2x+3$
사각형 ABCD가 평행사변형이므로 $y=2x+3$의 그래프와
$y=px+q$의 그래프가 평행해야 한다. $\therefore p=2$, $q\neq3$

평행사변형 $ABCD$의 높이가 4이 므로 넓이가 12가 되기 위해서는 오 른쪽 그림과 같이 $y=2x+q$의 그 래프가 점 $(3, 3)$ 또는 점 $(-3, 3)$ 을 지나야 한다.

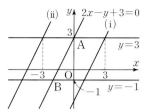

(i) $y=2x+q$의 그래프가

점 $(3, 3)$을 지날 때

$3=6+q$ $\therefore q=-3$

(ii) $y=2x+q$의 그래프가 점 $(-3, 3)$을 지날 때

$3=-6+q$ $\therefore q=9$

(i), (ii)에서 $q<0$이므로 $q=-3$

$\therefore pq=2\times(-3)=-6$ 目 -6

11

[전략] 삼각형의 넓이를 구하고 그 넓이를 이등분하는 직선이 지나는 점을 찾는다.

$3x-8y+24=0$에서 $y=\dfrac{3}{8}x+3$

$3x+4y-12=0$에서 $y=-\dfrac{3}{4}x+3$

$y=\dfrac{3}{8}x+3$의 그래프의 x절편은 -8, y절편은 3이고,

$y=-\dfrac{3}{4}x+3$의 그래프의 x절편은 4, y절편은 3이다.

$y=\dfrac{3}{8}x+3$, $y=-\dfrac{3}{4}x+3$의 그래프가 x축과 만나는 점을 각각 A, B라 하고 두 그래프의 교점을 C라 하면 $A(-8, 0)$, $B(4, 0)$, $C(0, 3)$이고 주어진 두 직선과 x축으로 둘러싸인 삼각형은 다음 그림과 같다.

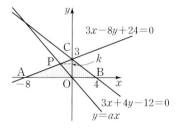

이때 삼각형 ABC의 넓이는 $\dfrac{1}{2}\times\{4-(-8)\}\times3=18$

삼각형 ABC의 넓이를 이등분하는 직선의 방정식을 $y=ax$라 하면 삼각형 ACO의 넓이가 삼각형 BCO의 넓이보다 크므로 $a<0$ 이다.

또한, 두 직선 $3x-8y+24=0$과 $y=ax$가 만나는 점을 P라 하고 점 P의 y좌표를 k라 하면

$\triangle PAO=\dfrac{1}{2}\times8\times k=\dfrac{1}{2}\times18$ $\therefore k=\dfrac{9}{4}$

$y=\dfrac{9}{4}$를 $3x-8y+24=0$에 대입하면

$3x-8\times\dfrac{9}{4}+24=0$ $\therefore x=-2$

$\therefore P\left(-2, \dfrac{9}{4}\right)$

즉, 직선 $y=ax$가 점 P를 지나므로

$\dfrac{9}{4}=-2a$ $\therefore a=-\dfrac{9}{8}$

따라서 구하는 직선의 방정식은 $y=-\dfrac{9}{8}x$이다. 目 $y=-\dfrac{9}{8}x$

12

[전략] 점 A의 x좌표를 a라 하고 세 점 A, B, C의 좌표를 구한다.

점 A의 x좌표를 a라 하면 $A(a, 5a)$

$x=a$를 $x+y-4=0$에 대입하면 $y=-a+4$

$\therefore B(a, -a+4)$

$y=-a+4$를 $x-2y+3=0$에 대입하면 $x=-2a+5$

$\therefore C(-2a+5, -a+4)$

이때 $\overline{AB}=\overline{BC}$이므로

$5a-(-a+4)=-2a+5-a$ $\therefore a=1$

따라서 $\overline{AB}=2$이므로 정사각형 $ABCD$의 넓이는

$2\times2=4$ 目 4

13

[전략] 주어진 연립방정식의 해가 무수히 많으므로 두 일차방정식의 그래프가 일치함을 이용하여 a, b의 값을 구한다.

$3x+ay+1=0$에서 $y=-\dfrac{3}{a}x-\dfrac{1}{a}$

$bx-2y-\dfrac{1}{3}=0$에서 $y=\dfrac{b}{2}x-\dfrac{1}{6}$

두 그래프가 일치하므로

$-\dfrac{3}{a}=\dfrac{b}{2}$, $-\dfrac{1}{a}=-\dfrac{1}{6}$ $\therefore a=6, b=-1$

$a=6, b=-1$을 $ax+2by+4=0$에 대입하면

$6x-2y+4=0$에서 $y=3x+2$

ㄱ. $x=-\dfrac{7}{3}$, $y=-5$를 $y=3x+2$에 대입하면

$-5=3\times\left(-\dfrac{7}{3}\right)+2$이므로 점 $\left(-\dfrac{7}{3}, -5\right)$를 지난다.

ㄴ. 기울기가 양수이므로 오른쪽 위를 향하는 직선이다.

ㄷ. x절편은 $-\dfrac{2}{3}$이고 y절편은 2이므로 x절편과 y절편의 곱은 $-\dfrac{4}{3}$이다.

ㄹ. $x-\dfrac{1}{3}y-2=0$에서 $y=3x-6$

즉, $y=3x+2$의 그래프와 기울기는 같고 y절편은 다르므로 두 그래프는 평행하다.

따라서 보기에서 옳은 것은 ㄱ, ㄹ이다. 目 ㄱ, ㄹ

14

[전략] 세 직선에 의해 삼각형이 만들어지지 않는 경우는 세 직선 중 두 직선이 평행하거나 세 직선이 한 점에서 만나는 경우이다.

$x-2y+2=0$에서 $y=\frac{1}{2}x+1$ ······㉠

$2x+y-6=0$에서 $y=-2x+6$ ······㉡

$ax-y+4=0$에서 $y=ax+4$ ······㉢

이 세 직선에 의해 삼각형이 만들어지지 않는 경우는 다음과 같다.

(ⅰ) 세 직선 중 두 직선이 평행한 경우

두 직선 ㉠, ㉢이 평행할 때, $a=\frac{1}{2}$

두 직선 ㉡, ㉢이 평행할 때, $a=-2$

(ⅱ) 세 직선이 한 점에서 만나는 경우

㉠, ㉡을 연립하여 풀면 $x=2$, $y=2$

$x=2$, $y=2$를 ㉢에 대입하면 $a=-1$

(ⅰ), (ⅱ)에서 모든 a의 값의 합은

$\frac{1}{2}+(-2)+(-1)=-\frac{5}{2}$ 답 $-\frac{5}{2}$

15

[전략] 큰 직각삼각형에서 작은 삼각형의 넓이를 빼서 사각형의 넓이를 구한다.

$y-3=0$에서 $y=3$이므로 점 A의 좌표는 $(0, 3)$이다.

다음 그림과 같이 두 직선 $x-y=0$과 $y-3=0$의 교점을 P라 하자.

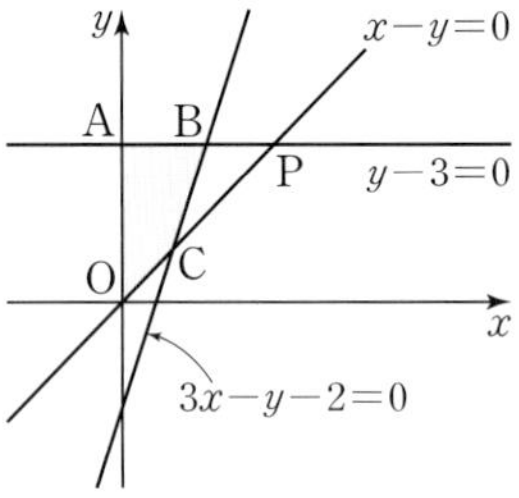

$x-y=0$에 $y=3$을 대입하면 $x=3$이므로 점 P의 좌표는 $(3, 3)$이다.

$3x-y-2=0$에 $y=3$을 대입하면

$x=\frac{5}{3}$이므로 두 직선 $3x-y-2=0$과 $y-3=0$의 교점 B의 좌표는 $\left(\frac{5}{3}, 3\right)$이다.

$x-y=0$과 $3x-y-2=0$을 연립하여 풀면 $x=1$, $y=1$이므로 두 직선 $x-y=0$과 $3x-y-2=0$의 교점 C의 좌표는 $(1, 1)$이다.

∴ (사각형 AOCB의 넓이)

$=(\triangle\text{AOP의 넓이})-(\triangle\text{BCP의 넓이})$

$=\frac{1}{2}\times3\times3-\frac{1}{2}\times\left(3-\frac{5}{3}\right)\times(3-1)$

$=\frac{9}{2}-\frac{4}{3}=\frac{19}{6}$ 답 $\frac{19}{6}$

16

[전략] 사각형 ABCD의 넓이를 구한 후 직선 l에 의해 사각형 ABCD가 나누어지는 부분 중 삼각형의 넓이를 이용하여 직선 l이 지나는 원점이 아닌 한 점의 좌표를 구한다.

$3x+y-3=0$에서 $y=-3x+3$

$2x+3y-12=0$에서 $y=-\frac{2}{3}x+4$

$y=-3x+3$의 그래프의 x절편은 1, y절편은 3이고,

$y=-\frac{2}{3}x+4$의 그래프의 x절편은 6, y절편은 4이다.

∴ A(0, 4), B(0, 3), C(1, 0), D(6, 0)

(사각형 ABCD의 넓이)

$=(\triangle\text{AOD의 넓이})-(\triangle\text{BOC의 넓이})$

$=\frac{1}{2}\times4\times6-\frac{1}{2}\times3\times1=\frac{21}{2}$

이때 직선 l과 직선 $2x+3y-12=0$의 교점의 y좌표를 q라 하면

$\frac{1}{2}\times(6-1)\times q=\frac{21}{4}$ ∴ $q=\frac{21}{10}$

$y=\frac{21}{10}$을 $2x+3y-12=0$에 대입하면 $x=\frac{57}{20}$

따라서 직선 l은 두 점 $(1, 0)$과 $\left(\frac{57}{20}, \frac{21}{10}\right)$을 지나므로

$x=1$, $y=0$을 $ax+by+42=0$에 대입하면

$a=-42$

$x=\frac{57}{20}$, $y=\frac{21}{10}$을 $-42x+by+42=0$에 대입하면

$b=37$

∴ $a+b=-42+37=-5$ 답 -5

쌤의 만점 특강

점 C를 지나고 사각형 ABCD의 넓이를 이등분하는 직선 l은 사각형 ABCD를 사각형과 삼각형으로 나눈다. 이 중 사각형의 넓이를 구하는 것은 복잡하므로 비교적 쉬운 삼각형의 넓이를 이용한다.

17

[전략] 매출액과 비용을 나타내는 그래프의 식을 각각 구한다.

매출액을 나타내는 그래프는 두 점 $(0, 0)$, $(40, 1000)$을 지나므로

$y=25x$

비용을 나타내는 그래프는 두 점 $(0, 300)$, $(10, 400)$을 지나므로

$y=10x+300$

판매한 제품이 x개일 때, 매출액이 비용의 $\frac{3}{2}$배가 된다고 하면

$25x=\frac{3}{2}(10x+300)$

∴ $x=45$

따라서 판매한 제품은 45개이다. 답 45개

18

[전략] 주어진 상황을 해석하여 생산 비용과 수익을 나타내는 그래프의 식을 각각 구한다.

최초 설립 시 30억 원의 생산 비용이 들었으므로 $c=30$

생산 비용을 나타내는 그래프는 점 $(0, 30)$을 지나고 기울기가 2인 직선이므로 $y=2x+30$

수익을 나타내는 그래프는 점 $(0, 0)$을 지나고 기울기가 5인 직선이므로 $y=5x$

$y=2x+30$과 $y=5x$를 연립하여 풀면 $x=10$, $y=50$

따라서 생산 비용과 수익을 나타내는 그래프의 교점의 좌표는 $(10, 50)$이므로 $a=10$, $b=50$

$\therefore a+b+c=90$

目 90

쌤의 만점 특강

매월 2억 원씩 생산 비용이 증가하므로 생산 비용을 나타내는 그래프의 기울기는 2이고, 매월 5억 원씩 수익이 증가하므로 수익을 나타내는 그래프의 기울기는 5이다.

또한, 공장을 최초 설립할 때의 생산 비용 30억 원은 생산 비용을 나타내는 그래프의 y절편이 된다.

LEVEL 3 최고난도 문제
→ 111쪽

01 $\dfrac{25}{24}$　　　02 17　　　03 8　　　04 $\left(\dfrac{1}{3}, 0\right)$

01 solution 미리 보기

step ❶	색칠한 도형의 넓이 구하기
step ❷	$2ax-6y+1=0$의 그래프의 y절편 구하기
step ❸	$2ax-6y+1=0$의 그래프가 지나는 점의 좌표 구하기
step ❹	a의 값 구하기

색칠한 도형은 한 변의 길이가 1인 정사각형 4개로 이루어져 있으므로 넓이가 4이다. ············· ❶

$2ax-6y+1=0$에서 $y=\dfrac{a}{3}x+\dfrac{1}{6}$

$y=\dfrac{a}{3}x+\dfrac{1}{6}$의 그래프의 y절편은 $\dfrac{1}{6}$이다. ············· ❷

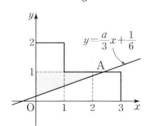

위의 그림에서 $y=\dfrac{a}{3}x+\dfrac{1}{6}$의 그래프에 의해 이등분된 도형의 넓이가 2이므로 색칠한 삼각형의 넓이가 1이 되게 하는 점 A의 좌표를 $(k, 1)$이라 하면

$\dfrac{1}{2}\times\left(1-\dfrac{1}{6}\right)\times k=1$　　$\therefore k=\dfrac{12}{5}$

$\therefore A\left(\dfrac{12}{5}, 1\right)$ ············· ❸

따라서 $2ax-6y+1=0$의 그래프가 점 $\left(\dfrac{12}{5}, 1\right)$을 지나므로

$a=\dfrac{25}{24}$ ············· ❹

目 $\dfrac{25}{24}$

02 solution 미리 보기

step ❶	$ax-y+b=0$의 그래프가 x축에 평행한 직선일 때 순서쌍 (a, b)의 개수 구하기
step ❷	a의 값이 양수 또는 음수일 때 순서쌍 (a, b)의 개수 구하기
step ❸	조건을 만족시키는 순서쌍 (a, b)의 개수 구하기

$a=0$일 때, 즉 $ax-y+b=0$의 그래프가 x축에 평행한 직선일 때 $y=1$, $y=2$, $y=3$이므로 순서쌍 (a, b)는 $(0, 1)$, $(0, 2)$, $(0, 3)$의 3개이다. ············· ❶

또한, $a\neq0$일 때, $ax-y+b=0$에서 $y=ax+b$

즉, 일차함수 $y=ax+b$의 그래프가 주어진 그림의 9개의 점 중에서 두 점 이상을 지나는 순서쌍 (a, b)를 구한다. 이때 순서쌍 (a, b)는 $y=ax+b$의 그래프의 (기울기, y절편)이다.

(ⅰ) $a>0$일 때

그래프의 기울기가 $\dfrac{1}{2}$인 경우 : 2개

그래프의 기울기가 1인 경우 : 3개

그래프의 기울기가 2인 경우 : 2개

즉, 구하는 순서쌍의 개수는 7이다.

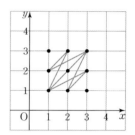

(ⅱ) $a<0$일 때

그래프의 기울기가 -2인 경우 : 2개

그래프의 기울기가 -1인 경우 : 3개

그래프의 기울기가 $-\dfrac{1}{2}$인 경우 : 2개

즉, 구하는 순서쌍의 개수는 7이다.

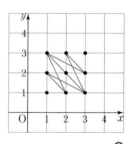

················· ❷

따라서 구하는 순서쌍 (a, b)의 개수는 $3+7+7=17$이다. ············· ❸

目 17

03 solution 미리 보기

step ❶	△ABC의 세 꼭짓점의 좌표 각각 구하기
step ❷	a, b의 값 각각 구하기
step ❸	조건을 만족시키는 정수 k의 값의 개수 구하기

$y=-x+5$의 그래프가 x축과 만나는 점을 P, y축과 만나는 점을 Q라 하면

$P(5, 0)$, $Q(0, 5)$

점 A의 x좌표가 1이므로

$x=1$을 $y=-x+5$에 대입하면 $y=4$

$\therefore A(1, 4)$

점 B의 좌표가 $(1, 2)$이고, 점 C의 y좌표가 2이므로

$y=2$를 $y=-x+5$에 대입하면 $x=3$

$\therefore C(3, 2)$ ············· ❶

오른쪽 그림에서 △ABC를 x축을 회전축으로 하여 1회전 시킬 때 생기는 입체도형의 부피는 밑면의 반지름의 길이가 $\overline{AB'}=4$이고 높이가 $\overline{B'P}=4$인 원뿔에서 밑면의 반지름의 길이가 $\overline{BB'}=2$이고 높이가 $\overline{B'C'}=2$인 원기둥과 밑면의 반지름의 길이가 $\overline{CC'}=2$이고 높이가 $\overline{C'P}=2$인 원뿔의 부피를 뺀 것과 같다.

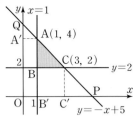

$\therefore a=\dfrac{1}{3}\pi\times4^2\times4-\pi\times2^2\times2-\dfrac{1}{3}\pi\times2^2\times2=\dfrac{32}{3}\pi$

마찬가지로 △ABC를 y축을 회전축으로 하여 1회전 시킬 때 생기는 입체도형의 부피는

$b=\dfrac{1}{3}\pi\times3^2\times3-\pi\times1^2\times2-\dfrac{1}{3}\pi\times1^2\times1=\dfrac{20}{3}\pi$ ········ ❷

$a=\dfrac{32}{3}\pi,\ b=\dfrac{20}{3}\pi$를 $bx-ay=ak$에 대입하면

$\dfrac{20}{3}\pi x-\dfrac{32}{3}\pi y=\dfrac{32}{3}\pi k$

$5x-8y=8k$ $\therefore y=\dfrac{5}{8}x-k$ ······ ㉠

$2x+3y=12$에서 $y=-\dfrac{2}{3}x+4$ ······ ㉡

따라서 오른쪽 그림에서 ㉠과 ㉡의 그래프의 교점 $(x,\,y)$에 대하여 $x\geq0,\ y\geq0$이기 위해서는 ㉠의 그래프가 색칠한 부분에 있어야 한다. (경계선 포함)

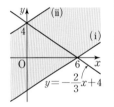

(ⅰ) ㉠의 그래프가 점 $(6,\,0)$을 지날 때

$k=\dfrac{15}{4}$

(ⅱ) ㉠의 그래프가 점 $(0,\,4)$를 지날 때

$k=-4$

(ⅰ), (ⅱ)에서 $-4\leq k\leq\dfrac{15}{4}$를 만족시키는 정수 k의 값의 개수는 -4, -3, -2, -1, 0, 1, 2, 3의 8이다. ········ ❸

🅐 8

04 solution 〔미리 보기〕

step ❶	세 점 A, B, C의 좌표 각각 구하기
step ❷	삼각형 PAC의 둘레의 길이가 최소가 되도록 하는 점 P의 위치 찾기
step ❸	조건을 만족시키는 점 P의 좌표 구하기

연립방정식 $\begin{cases} x-2y+1=0 \\ x+y-2=0 \end{cases}$을 풀면 $x=1,\ y=1$

$\therefore A(1,\,1)$

$x-2y+1=0$에서 $y=\dfrac{1}{2}x+\dfrac{1}{2}$이므로

그래프의 x절편은 -1, y절편은 $\dfrac{1}{2}$이다.

$\therefore B(-1,\,0),\ C\left(0,\,\dfrac{1}{2}\right)$ ········ ❶

점 C와 x축에 대하여 대칭인 점을 C′이라 하면 $C'\left(0,\,-\dfrac{1}{2}\right)$

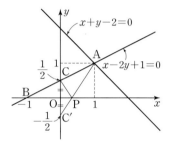

이때 위의 그림에서 $\overline{CP}=\overline{C'P}$이므로

$\overline{AP}+\overline{CP}=\overline{AP}+\overline{C'P}\geq\overline{AC'}$

즉, $\overline{AP}+\overline{CP}$의 길이가 최소가 되려면 점 P가 $\overline{AC'}$ 위에 있어야 한다. ········ ❷

두 점 $A(1,\,1),\ C'\left(0,\,-\dfrac{1}{2}\right)$을 지나는 직선을 그래프로 하는 일차함수의 식은 $y=\dfrac{3}{2}x-\dfrac{1}{2}$

$y=0$을 $y=\dfrac{3}{2}x-\dfrac{1}{2}$에 대입하면 $x=\dfrac{1}{3}$

따라서 삼각형 PAC의 둘레의 길이가 최소가 되도록 하는 점 P의 좌표는 $\left(\dfrac{1}{3},\,0\right)$이다. ········ ❸

🅐 $\left(\dfrac{1}{3},\,0\right)$

대한민국 대표 영단어 뜯어먹는 시리즈

[동아출판

개정판 **중학 영단어 시리즈** ▶ 새 교육과정 중학 영어 교과서 완벽 분석

날짜별 음원
QR 제공

60일 완성 **뜯어먹는** 중학 기본 영단어 **1200**

60일 완성 **뜯어먹는** 중학 영단어 **1800** +300

50일 완성 **뜯어먹는** 중학 영숙어 **1000**

예비중 ~ 중학 1학년
중학 기초 영단어 1200개
+ 기능어 100개

중학 1~3학년
중학 필수 영단어 1200개
+ 고등 기초 영단어 600개
+ Upgrading 300개

중학 1~3학년
중학 필수 영숙어 1000개
+ 서술형이 쉬워지는 숙어 50개

개정판 **수능 영단어 시리즈** ▶ 새 교육과정 고등 영어 교과서 및 수능 기출문제 완벽 분석

날짜별 음원
QR 제공

뜯어먹는 수능 1등급 **1800** +600 기본 영단어 60일 완성

뜯어먹는 수능 1등급 **1800** +240 주제별 영단어 60일 완성

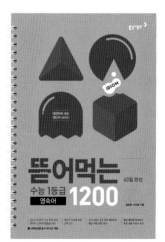

뜯어먹는 수능 1등급 **1200** 영숙어 60일 완성

예비고 ~ 고등 3학년
수능 필수 영단어 1800개
+ 수능 1등급 영단어 600개

고등 2~3학년
수능 주제별 영단어 1800개
+ 수능필수 어원 90개
+ 수능 적중 어휘 150개

예비고 ~ 고등 3학년
수능 빈도순 영숙어 1200개
+ 수능 필수 구문 50개

최상위의 절대 기준

절대등급

정답과 풀이

중학 수학 2-1

최상위의 절대 기준

절대등급